Transbordo en Moscú

Seix Barral Biblioteca Breve

Eduardo Mendoza
Transbordo en Moscú

© Eduardo Mendoza, 2021
© Editorial Planeta, S. A., 2021
Seix Barral, un sello editorial de Editorial Planeta, S. A.
Avda. Diagonal, 662-664, 08034 Barcelona (España)
www.seix-barral.es
www.planetadelibros.com

Primera edición: abril de 2021
ISBN: 978-84-322-3854-3
Depósito legal: B. 4.262-2021
Composición: Moelmo, SCP
Printed in Spain - Impreso en España

El papel utilizado para la impresión de este libro está calificado como
papel ecológico y procede de bosques gestionados de manera **sostenible**.

La primera ley del movimiento de Newton es la de la inercia; la segunda es la de la dinámica. La tercera ley es la del movimiento propiamente dicho, y se formula del siguiente modo: cuando un cuerpo ejerce una fuerza sobre otro, éste ejerce sobre el primero una fuerza igual y de sentido opuesto.

It was the age of wisdom, it was the age of foolishness, it was the epoch of belief, it was the epoch of incredulity.

Barcelona (de nuestros enviados especiales)
PREGUNTA. —*Dentro de unos días vas a contraer matrimonio. ¿Qué significa para ti este acontecimiento?*

RESPUESTA. —*Bueno, verá, esta boda, como todas las bodas, es importante para los contrayentes, para sus allegados y para nadie más. Desde el punto de vista social, tiene la importancia que el público y los medios de difusión le quieran dar. Ustedes se mostraron interesados y aquí estoy yo, a su entera disposición.*

Yo quería casarme del modo más discreto posible, en el registro civil, con dos testigos y media docena de familiares. Al final nos acabó casando el obispo en Pedralbes, con la iglesia abarrotada,

9

y luego hubo un bodorrio con más de trescientos invitados. Naturalmente, habría podido oponerme, pero a la hora de la verdad, como de costumbre, me faltaron valor, energía y argumentos de peso. En el fondo, Carol estaba de acuerdo conmigo, pero los dos éramos conscientes de que, si queríamos seguir disfrutando de la fortuna familiar y sus consiguientes privilegios sociales, no había más remedio que transigir en las formas. En el último momento, para salvar un ápice de dignidad, decidí elegir la música que había de acompañar la ceremonia. A regañadientes me dejaron hacer alguna propuesta, pero cuando oyeron un fragmento de la *Missa in tempore belli* de Haydn se quedaron horrorizados. Mi suegra dijo que aquella música era propia de un funeral y me preguntó si unos compases lúgubres reflejaban mi estado de ánimo. La tranquilicé al respecto, retiré la propuesta, acepté la repelente *Marcha Nupcial* de Mendelssohn y no me opuse a que animara la fiesta Gato Pérez.

Mi futura suegra estaba tan preocupada por mí como por su hija. Llevada de su extraña actitud ante la vida, Carol había encargado a Pedro Rodríguez un vestido de novia que resaltaba su embarazo. Después de mucho rogar, de apelar a todo tipo de sentimientos y de hacer algunos pucheros, la pobre mujer consiguió que su hija llevara un vestido blanco con pliegues y perifollos que disimulaban su estado, aunque a aquellas alturas ningún invitado ignoraba las razones de un enlace tan precipitado y, desde el punto de vista de la novia, tan poco conveniente.

Como ocurre en los círculos cerrados de las sociedades pequeñas, el empeño en guardar un secreto dio pábulo a habladurías de todo tipo y la prensa no tardó en interesarse por un acontecimiento de todo punto intrascendente pero que estaba en boca de todos. Como de los protagonistas del suceso yo debía de parecerles el más vulnerable, un par de periodistas me pidieron que les concediera una entrevista una semana antes de la boda.

De buena gana los habría enviado a paseo y seguramente en aquella ocasión mis futuros suegros, que no rehuían la ostentación pero consideraban ruin el chismorreo, habrían aprobado mi actitud, pero, después de dar muchas vueltas al asunto, me dejé influir por el recuerdo de una situación similar y accedí a ser entrevistado.

Años atrás, recién acabados mis estudios, conseguí, más por enchufe que por méritos propios, un trabajo de ínfima categoría en un periódico de Barcelona. Al cabo de unos meses, por una mezcla de azar y negligencia, me enviaron a Mallorca a cubrir la boda de un príncipe llamado Tadeusz Maria Clementij Tukuulo, presunto heredero y pretendiente al trono de Livonia, con una señorita de la alta sociedad inglesa que, de casada, adoptó el nombre de Queen Isabella. De una serie de casualidades y equívocos surgió entre mi persona y aquellos pintorescos personajes una relación que marcó mi vida. Hacía tiempo que había perdido contacto con aquellos dos inofensivos simuladores y la sensatez me aconsejaba seguir manteniéndome alejado de ellos y de sus ilusorios proyectos, pero no conseguía sustraerme a su recuerdo e incluso albergaba dudas sobre lo irrealizable de sus pretensiones, porque en aquellos años el colosal edificio soviético empezaba a dar muestras de agotamiento e inestabilidad y todo podía pasar en aquella parte del mundo.

Y si bien en vísperas de mi boda el declive de la URSS y sus adláteres estaba muy alejado de mis preocupaciones, me dejé llevar por una solidaridad malentendida y concedí una entrevista a unos reporteros jóvenes y animosos. Sólo cuando estuvimos frente a frente comprendí que los tiempos habían cambiado y también los modales de la gente.

PREGUNTA. —*¿Eres consciente de que con este matrimonio pasas a formar parte de la clase capitalista y opresora?*

RESPUESTA. —*Yo me caso con una persona, no con una clase social. Y no creo que mi enlace incida mucho en la justa redistribución de la riqueza.*

La hostilidad por parte del entrevistador habría sido inimaginable en mi breve etapa de corresponsal, pero ahora una nueva generación de periodistas consideraba una exigencia deontológica acosar al entrevistado hasta hacerle perder la compostura e inducirle a mostrar su falsedad y sus ignominiosas intenciones. No era a mí a quien iban a pillar con aquellas triquiñuelas, pero en su burda acusación había una buena parte de verdad.

Unos meses atrás, por pura veleidad, me había visto envuelto en un idilio veraniego con la novia de un amigo de mi hermana. Antes de que las cosas se complicaran quise poner fin a nuestra relación, pero ya era tarde: ella estaba embarazada y decidimos casarnos con la misma ligereza y la misma precipitación con la que habíamos iniciado la aventura. Aunque algo me barruntaba, en la primera etapa de nuestros amoríos, yo no sabía que Carol era hija única y por consiguiente heredera de una de las primeras fortunas de Cataluña. Con aquella boda inesperada, mis acuciantes problemas económicos quedaban resueltos definitivamente, aunque con semejantes premisas, no era de extrañar que el estrecho círculo de la alta burguesía de Barcelona me considerara un cazadotes desaprensivo. Lo raro era que no pensaran del mismo modo los padres de Carol.

El padre de Carol se llamaba Víctor Escolá y Perrerías. No provenía de la ilustre estirpe de indianos que en el siglo XIX había creado de la nada la potente industria catalana con su visión de futuro, su inquebrantable tenacidad y sus pistoleros, pero tampoco pertenecía al grupo de los traficantes que en los tiempos de sumisión y carestía había medrado a la sombra del franquismo. Según él mismo me explicó el día en que Carol nos presentó, la fortuna de la familia había empezado con su padre, el cual, en los albores del siglo xx, había llegado a Barcelona desde la Cataluña boscosa que se extiende por las estribaciones del Pirineo y fundado una empresa de transporte de alimentos. Más tarde la empresa se había ampliado a la industria conservera y, a través de contratos, participaciones y fusiones, a otras actividades del mismo ramo o de otros ramos. Cuando el padre de Carol advirtió que yo me perdía en los entresijos de la trama mercantil y que no pensaba hacer ningún esfuerzo por desentrañarlos, sintió un alivio involuntario. Más tarde supe que años antes el padre de Carol había tenido que arrebatar las riendas de la empresa de manos de su propio padre, cuya capacidad estaba muy menguada, pero se resistía a ceder un ápice de poder sobre el emporio que él había levantado de la nada. El relevo se había hecho a costa de una batalla encarnizada y cruel, ya que al final unos y otros recurrieron a métodos expeditivos, y el padre de Carol, aun convencido de lo razonable de sus motivos, había salido de aquel enfrentamiento muy afectado y, con el paso del tiempo, había desarrollado un sombrío temor a recibir el mismo trato de manos de su posible sucesor. No sentía el menor recelo hacia su propia hija, que, aparte de ser mujer, carecía de la necesaria formación y desde pequeña había mostrado una indiferencia rayana en la aversión por el mundo de los negocios, pero sí hacia Baltasar Ortiguella, un joven empresario con el que Carol se iba a casar cuando mi abrupta intervención les obligó a romper el compromiso. Y como era evidente que de mí no había nada que temer, porque yo carecía de ambición, de empuje y de talento, me acogió con una simpatía nacida de la gratitud. Él me dejaría ser un parásito y yo le daría tiempo para envejecer en su trono y esperar tranquilamente a que el nieto que estaba en camino garantizara la continuidad de la saga.

Mi hermana Anamari no ocultaba su animadversión hacia aquel beatífico estado de cosas.

—Cuando Carol herede el emporio seréis la tercera generación y tendréis una grave responsabilidad sobre los hombros.

Se refería a la máxima, denigratoria del talento empresarial catalán, según la cual el abuelo funda una empresa, el hijo la engrandece y el nieto la lleva a la ruina.

Carol discrepaba de aquel pronóstico fatalista.

—No hagas caso. Lo dicen para desprestigiarnos. Los empresarios catalanes son incompetentes o irresponsables, pero casi nunca las dos cosas a la vez. Y sólo se produce la hecatombe cuando coinciden las dos cualidades.

A Carol el mundo de los negocios le traía sin cuidado, pero había vivido inmersa en él desde la cuna y lo conocía mejor que los analistas formados en las aulas y los simposios.

La malevolencia de Anamari no carecía de justificación. Baltasar Ortiguella era un buen amigo suyo y ahora ella se encontraba en una posición incómoda de la que, en su opinión, yo era el culpable y Baltasar Ortiguella la víctima. Pero como era mi hermana, se veía obligada a ponerse de mi lado.

Carol no daba importancia al posible enfado de su antiguo novio.

—Bollo es así. Ya se le pasará. Nunca le han faltado las amiguitas. Dentro de poco se casará con alguna y será más feliz de lo que habría sido conmigo.

La propia Carol me contó que un hermano dos años menor que Bollo había nacido con una grave deficiencia mental. Desde entonces su madre había consagrado su vida al cuidado de aquel hijo y, sin proponérselo, había privado a Bollo de la dedicación y el afecto maternal que éste necesitaba. Tan obsesionada estaba con el hijo discapacitado que, en su afán por negar la evidencia, trataba a Bollo como si su inteligencia fuera una discapacidad. Con los años, Bollo había desarrollado un carácter difícil, tenía un serio problema con la bebida y reclamaba de Carol las atenciones que su propia madre le había negado. Carol y Bollo se conocían de niños y su futura unión se daba por hecha, no sólo en ambas familias, sino en los círculos de la alta burguesía de Barcelona, como si fuera un matrimonio dinástico. Carol se dio cuenta de que no quería a Bollo por esposo y, para romper con lo que consideraba una imposición sin enfrentarse a las dos familias, se fue de España con el pretexto de perfeccionar su inglés y adquirir una pátina cosmopolita. Pasó un año en Los Ángeles y un buen día, decidida a hacer algo útil en su vida, se fue a trabajar como cooperante a un hospital de Haití. Allí permaneció tres años, tuvo un idilio apasionado con un médico haitiano, se quedó embarazada, volvió a Los Ángeles a abortar, consideró que ya había adquirido suficiente conocimiento del mundo y regresó a Barcelona. Confiaba en que durante aquel prolongado paréntesis Bollo se habría hartado de esperar y habría encontrado otra pareja, pero descubrió con desaliento que él permanecía constante en sus afectos o, al menos, en sus intenciones. Agotada por las experiencias recientes, Carol reanudó una relación insincera y tediosa, hasta que recuperó fuerzas y aprovechó la primera ocasión que le salió al paso para deshacerse de aquel vínculo forzado.

Aquella mezcla de andanzas, romances y psicología aplicada no convencía a Anamari ni mitigaba su enfado. Si en algún momento había puesto sus esperanzas laborales en la amistad y el apoyo de Baltasar Ortiguella, mi desafortunada intervención no sólo las había disipado irremediablemente, sino que su propia respetabilidad se había visto salpicada por la fama de sinvergüenza que me acompañaba y que las malas lenguas hacían extensiva a toda mi familia.

De Baltasar Ortiguella, enojado o no, no habíamos vuelto a tener noticias.

PREGUNTA. —*Tú has vivido varios años en Nueva York, ¿verdad? ¿Qué piensas del imperialismo americano?*

RESPUESTA. —*Sí, he vivido en Nueva York el tiempo suficiente para no hacer juicios simplistas sobre los Estados Unidos. No apruebo ciertas formas de intervencionismo, pero ésa es sólo una faceta de un país muy complejo y muy diverso, por el que siento el máximo respeto.*

Sabía que aquella respuesta iba ser recibida con animosidad y con la sospecha de seguir instrucciones de la CIA. Peor habría sido decir que, sin seguir instrucciones de nadie, sentía no sólo respeto, sino admiración por el llamado imperialismo americano, si por imperialismo entendíamos la capacidad de aprovechar tanto las ventajas como las desventajas de su condición de gran potencia.

Las intervenciones militares de los Estados Unidos después de la Segunda Guerra Mundial no le habían servido para ensanchar su territorio ni para adquirir colonias. De hecho, la mayoría de ellas habían sido costosas y en definitiva habían resultado un fiasco, como Corea y, sobre todo, Vietnam. Lo que a mí me admiraba era precisamente la capacidad de extraer nuevas energías de aquellos fracasos. Del estúpido despilfarro de vidas, la destrucción y el dolor de la guerra de Vietnam había surgido la contracultura y habían recibido un impulso decisivo la lucha por los derechos civiles y la igualdad racial y el movimiento feminista. Gracias a aquella versatilidad y, sobre todo, a su sentido del humor, la cultura popular americana, incluidas sus manifestaciones más chabacanas, se había impuesto en todas partes, entre los pazguatos y los ignorantes y también entre sus enemigos más acérrimos y refinados.

En el otro extremo estaba la Unión Soviética, hosca, senil, abotargada, abandonada incluso por sus más devotos partidarios, reducida al silencio interno por una máquina de propaganda vieja, tosca, condenada a fomentar la incredulidad y alimentar rumores; un sistema obsoleto y vacío de contenido, sumido en una incompetencia generalizada que le hacía parecer peor de lo que realmente era.

Europa se encontraba, sin saber muy bien cómo, entre aquellos dos campos gravitatorios, desconcertada, pero decidida a construir una unión política y económica sobre la base de una prosperidad material que maquillaba la desolación moral de los horrores recientes y un prestigio cultural sustentado en el desdén y la pedantería. No obstante, como España todavía no había sido admitida en la Unión Europea, esta institución todavía encarnaba unos ideales de democracia y libertad que a mí me parecían excelentes, pero abstractos. En las discusiones con mis amigos, siempre conseguía irritarlos.

—Si estabas tan a gusto en América, ¿por qué coño no te vuelves?

—No lo sé. Tampoco allí me sentía bien. Seguramente no estoy bien en ningún sitio. Pero no quiero hacer de una desazón enfermiza y estúpida un sistema filosófico. Yo sólo digo que no soporto el cine francés. No creeréis que la CIA me paga para decir eso.

—Vete a saber. A esos tíos les sobra la pasta.

En aquel mundo confuso, España, como de costumbre, viajaba en otro tren, a otra velocidad y por otra vía. Después de un breve periodo de incertidumbre, la democracia parecía establecida de un modo irreversible y la entrada en la Unión Europea ya sólo era cuestión de trámites. A pesar de la desilusión de una parte de la ciudadanía con el nuevo sistema político, que cumplía los requisitos pero no colmaba las expectativas, el entusiasmo generado por unas libertades largamente esperadas no había menguado y sus manifestaciones, con frecuencia excesivas, ruidosas y vulgares, pero sinceras, se dejaban notar en todas partes y en todas las facetas de la vida pública y privada. Después de muchos años de copiar la cultura popular proveniente del extranjero, ahora se inventaban o se redescubrían lenguajes propios surgidos de reservas ignoradas y aparentemente inagotables. La copla, las fiestas populares y las devociones locales eran celebradas por quienes poco antes renegaban de aquellos vestigios de una España rancia, obtusa y subdesarrollada. En el terreno ideológico, sin embargo, la adaptación a la nueva realidad era más complicada. En nuestra época de formación habíamos rechazado los descabellados planteamientos económicos y sociales del antiguo régimen, y a falta de otros puntos de referencia, muchos habíamos ido a beber de las fuentes del marxismo, cuando no de utopías más extremas, y ahora nos veíamos forzados a aceptar e incluso a defender la propiedad privada, las leyes del libre mercado y, en última instancia, un modelo que no difería demasiado del que poco antes deseábamos eliminar. Economistas formados en la escuela de Keynes, cuando no en la de Milton Friedman, nos convencieron de que la supervivencia requería renunciar a muchas fantasías y de que, en definitiva, lo mejor era enemigo de lo bueno.

PREGUNTA. —*¿Qué opinas del matrimonio como institución?*

RESPUESTA. —*No soy sociólogo. No tengo una opinión formada sobre este tipo de instituciones. Sí soy, en cambio, profundamente individualista: lo que para unos puede estar bien, para otros puede estar mal. Cada cual puede organizar su vida como le dé la gana, siempre que no perjudique a los demás. No se puede obligar a nadie a pasar por la vi-*

caría, pero tampoco se le puede impedir que lo haga
a quien quiera hacerlo, por los motivos que sean.

Al final acabé irritándome con aquellos majaderos que hacían la revolución cultural en el patio del colegio, pero la pregunta, como las anteriores, era pertinente y certera y, a diferencia de las anteriores, yo no habría sabido responderla honradamente, al menos con respecto a mis sentimientos y al paso que me disponía a dar. No hacía mucho todavía suspiraba por el recuerdo de un romance exótico y fugaz que el destino me había arrebatado bruscamente y sin remedio, y ahora mi única preocupación era determinar si la corbata del chaqué debía ser azul claro o gris perla.

Exageraría si dijera que me limitaba a dejarme llevar por el curso de los acontecimientos. Al regresar por voluntad propia a Barcelona yo daba por cierto que no sólo me disponía a cambiar el escenario de mis andanzas, sino también el sentido de mi vida. Del mismo modo que volvía a un país distinto de aquel del que había salido años atrás, firmemente resuelto a renunciar a fantasiosas ensoñaciones para consagrarse a la ardua construcción de una sociedad pragmática y moderna, yo volvía convencido de haber dejado atrás una etapa de devaneos y evasiones para embarcarme en una relación matrimonial en la que no estaban ausentes el cariño y la atracción, pero cuyos objetivos iban más allá del momento presente y cuyo centro de gravedad no era yo mismo. Pese a mis naturales temores y reservas, agradecía a la suerte que hubiese marcado un rumbo nuevo a mi existencia y a Carol que, con una mezcla de irreflexión y valentía, hubiese sido el instrumento adecuado para imponerme aquel cambio. Carol actuaba con frivolidad en su mundo habitual, pero acometía sin vacilar las acciones que consideraba importantes. Yo la admiraba y le agradecía que me hubiera elegido para realizar juntos un proyecto para el que a mí me habría faltado valor; y también le agradecía que le saliera el dinero por las orejas.

Ahora, en el probador de la sastrería más cara de Barcelona, el juego de espejos me devolvía por triplicado la imagen de un hombre que había dejado atrás la juventud y se adentraba con aire dubitativo en la madurez, alto, delgado, con el pelo ralo en la nuca, orejas grandes y cara de bobo.

—¿Todavía le molesta la sisa, señor Batalla?

La sugerencia de que, si era imperativo que me casara de chaqué, bien podía alquilar uno, había sido celebrada como una broma. Ahora me sometía con mansedumbre a la última prueba. Hube de hacer un esfuerzo para recordar que lo absurdo de la circunstancia no le restaba significación y que no debía confundir aquella situación con otras igualmente disparatadas de mi vida anterior. Había dado la vuelta al mundo para acabar en el probador de una sastrería de caballero situada en el centro de la ciudad de donde había salido huyendo, pero aquello sólo significaba que después de dar muchos bandazos había llegado a un punto fijo, sin escapatoria ni vuelta atrás, donde debía echar raíces.

—Está bien. Déjelo como está. Al fin y al cabo, sólo voy a llevar el chaqué unas horas.

El rostro del sastre se demudó al oír aquel comentario desconsiderado.

—¡Aunque lo lleve cinco minutos! Un traje a medida siempre es un traje a medida. Ay, señor Batalla, aproveche ahora, que todavía quedamos sastres de la vieja escuela. Los oficios se están perdiendo, y cuando se jubile o se muera el último sastre, ya nada ni nadie podrá recuperar la comodidad y la elegancia.

He considered himself well connected, well educated and intelligent. Who doesn't?

Como parte del temible programa de actividades previas a nuestra boda, Carol organizó una reunión en su casa para que nuestras respectivas familias se conocieran. Deberíamos haberlo hecho antes, pero todo se había producido de un modo tan precipitado que aquel trámite sencillo e inexcusable quedó postergado hasta pocos días antes de la ceremonia. A mí el encuentro me inspiraba terror: Anamari estaba de uñas y mi madre era presa del pánico.

—No sé cómo vestirme. No estoy preparada para una ocasión como ésta.

—No le des tanta importancia, mamá. Cualquier cosa quedará bien. Sólo quieren conocerte.

—Me juzgarán.

—Y tú a ellos.

—No es lo mismo.

Aunque ella también reconocía lo ineludible del encuentro, su aprensión y su resistencia estaban plenamente justificadas. Sin compartir la malevolencia de Anamari, mi madre sentía una instintiva prevención hacia Carol. Supongo que la consideraba una niña rica que se había encaprichado conmigo y me había atrapado con la más antigua de las añagazas. Sólo cabía atribuir a ceguera de madre la idea de que yo pudiera ser una presa codiciada para una mujer joven, guapa y rica, pero su temor a que todo aquel enredo tuviera como resultado mi desdicha era comprensible y bien fundado, aunque ella no lo supiera expresar o prefiriera hacerlo de un modo indirecto.

—Es mona, pero tiene una sonrisa como de película americana.

—¿Eso significa falsa?

—¡Ay, hijo, y yo qué sé!

En medio de aquel panorama cargado de malos presagios asomó un rayo de esperanza. Tan pronto como Carol y yo decidimos casarnos, llamé por teléfono a mi hermano Agustín, que seguía afincado en Stuttgart, y le puse al corriente de lo sucedido y de mis planes inmediatos. Como no hacía ningún comentario, le pregunté si vendría a la boda. Él preguntó cuándo sería y al decírselo respondió a mi invitación con evasivas: por aquellas fechas tenía programados varios desplazamientos, dentro y fuera de Alemania, relacionados con su fructífera carrera teatral. De su actitud cautelosa deduje que prefería mantenerse al margen de un asunto familiar que imaginaba problemático. Después de aquella conversación, no volvimos a hablar; si se puso en contacto con nuestra madre o con Anamari, nadie me lo dijo. Pasaron los días y la víspera de la temida reunión familiar Agustín me llamó para anunciar que había cancelado todos sus compromisos y que llegaba a Barcelona al día siguiente, acompañado de Greta. Dado su carácter, me emocionó aquella muestra de cariño y le agradecí enormemente su solidaridad.

Su llegada causó un revuelo que celebré en la medida en que me restaba un protagonismo engorroso. A decir verdad, yo fui el primer sorprendido. Agustín se había afeitado la barba y había ido hacía poco a la peluquería, y Greta se había recogido el pelo en dos trenzas que le daban un aire de colegiala traviesa. Los dos vestían sin estridencia y se notaba que se habían esmerado para dar una imagen de respetabilidad.

Antes de conocerla, mi madre no estaba bien predispuesta hacia Greta, porque era extranjera y actriz de profesión. No tenía prejuicios en este sentido; más bien al contrario: acostumbrada a la vida monótona, las personas poco convencionales le resultaban atractivas. Pero habría preferido que Agustín hubiera elegido una pareja que le proporcionara estabilidad, en lugar de fomentar su faceta más insumisa y bohemia. Ahora, sin embargo, el físico aniñado, los modales primorosos y un dominio del castellano eficaz pero pintoresco le robaron el corazón de inmediato y sin reservas.

Con mucho nerviosismo habilitamos para ellos el dormitorio que habíamos compartido Agustín y yo, y a mí me trasladaron al cuarto de Anamari, que permanecía desocupado desde que ella se había ido a vivir con Tomás.

Aquella noche hubo una cena con la familia al completo. A nuestra madre la alegría le hacía cometer toda clase de disparates. Al final su felicidad nos contagió a todos y Anamari decidió echar al olvido su enfado y participar de la fiesta. Antes de retirarnos a dormir, llevé aparte a Agustín para decirle lo mucho que valoraba su gesto.

—Vuestra llegada ha sido una bendición.

—Claro, para eso estamos aquí. Como en principio no pensaba venir, llamé a Anamari para consultarle sobre un regalo de boda, pero al ver el panorama me di cuenta de que necesitabas refuerzos.

—Como Deífobo.

—¿Quién es?

—El hermano de Héctor. En la *Ilíada*, cuando Aquiles está a punto de darle alcance, Héctor descubre que Deífobo está a su lado y decide plantar cara a Aquiles. Deífobo significa «el que espanta al enemigo». Pero en esa ocasión Deífobo sólo es un espejismo creado por Atenea para perder a Héctor.

—No aspiro a tanta grandeza. ¿Te acuerdas de cuando jugábamos a Frank y Jesse James? Asaltábamos trenes, bancos y diligencias. Tú eras el jefe y yo te cubría la espalda.

Aunque ya se lo había descrito previamente, ahora, agolpada ante la verja del jardín, mi familia contemplaba el chalet de los Escolá, de dos plantas, garaje, jardín y doce ventanas en la fachada principal, con tanta zozobra como la que había sentido yo cuando fui allí por primera vez, un mes y medio antes, con la intención de anunciar a Carol el final de nuestra relación, y ella me comunicó que estaba embarazada y me propuso la boda que ahora ocasionaba aquel trastorno.

Como entonces, a nuestra llamada acudió el mayordomo, vestido con un terno negro, camisa blanca y corbata. Ahora, sin embargo, apareció de inmediato la madre de Carol, la cual hizo a un lado al mayordomo, abrazó a mi madre y le dio dos besos. Luego fue mirando a los demás como si pasara lista, mientras yo hacía las oportunas presentaciones.

—Mi madre, mi hermana Anamari y Tomás, mi hermano Agustín y Greta.

Sin prestar atención a mis palabras y sin dejar de hablar, la madre de Carol nos hizo entrar primero al vestíbulo y luego al salón. Llevaba un vestido de punto blanco y una pashmina de color azul grisáceo y no ostentaba más joyas que unos pendientes diminutos y un anillo con un brillante colosal.

—Yo soy la madre de Carol, no hace falta decirlo. En casa me llaman Mimí, como en la ópera de Puccini. Vosotros también me podéis llamar Mimí: al fin y al cabo, ya casi somos familia. En realidad, me llamo Montse, Montse Saldaña. Pero no me gusta mi nombre. Nunca me gustó. No tengo nada en contra, por supuesto, sólo que hay tantas Montses en Cataluña... Yo prefiero los nombres originales, esos que los dices y ya se sabe de quién estás hablando. Por eso cuando nació la niña me empeñé en ponerle Carol. Y ahora resulta que el Papa se llama igual. ¿No es una extraordinaria coincidencia?

Mi madre se quitó el abrigo de entretiempo que había decidido ponerse para ir más vestida, se lo entregó al mayordomo y aportó al tema su propia experiencia.

—Mi hermana se llamaba Amalia, pero todo el mundo la llamaba Amelia. A mí, por suerte, me pusieron María Luisa. Mi madrina se llamaba Gertrudis. No sé qué habría hecho si me hubieran llamado Gertrudis.

—Aguantarte, hija mía. Y buscarte un diminutivo ridículo, como el mío. Mi marido vendrá en seguida. Le acaban de llamar por teléfono. Se pasa el día hablando por teléfono. Para las cosas del trabajo no tiene horario. No le esperemos. Antonio, traiga algo de beber.

Salió el mayordomo y, por indicación de Mimí, nos fuimos sentando. La sala disponía de dos largos sofás tapizados de blanco, varias butacas y una mesa baja, de cristal, en cuyo centro había un gran ramo de flores en un jarrón de porcelana. Un ventanal con un visillo a medio correr dejaba ver un jardín no muy grande, pero bien cuidado. Era el mes de octubre y el sol de la tarde no rebasaba la barda, dejando el jardín en penumbra. En un estanque con plantas acuáticas brotaba un surtidor.

En el interior todo había sido dispuesto para recibirnos con el máximo esmero. Sin embargo, sonaba una radio en algún rincón de la casa y en general reinaba la confusión habitual en este tipo de ceremonias, como si la organización se descompusiera ante un acontecimiento que reclamaba un nivel superior de solemnidad. Por lo demás, como ya había observado en mis visitas anteriores, reinaba la amalgama de opulencia y desaliño, de ritual e improvisación, característica de las casas de los ricos, en todas las cuales, según fui descubriendo, se advertía la dejadez, como si, al llegar al tramo final, amos y criados hubieran abandonado de común acuerdo, por cansancio o por desidia, el arduo camino hacia la perfección.

—¿Y Carol?

Mimí me dirigió una mirada confusa.

—¿Dónde va a estar? En su cuarto, maquillándose. Yo siempre le digo lo mismo: eres joven, eres guapa, con la cara lavada es como estás mejor. Naturalmente, no me hace caso. A su edad las chicas no se gustan y piensan que una capa de maquillaje las protegerá de las miradas ajenas. No la culpo, yo hacía lo mismo. Y ahora que me he vuelto una señorona, me sigo maquillando igual, pero lo hago para disimular los estragos del tiempo.

Al decir esto lanzó una risita y se envolvió en la pashmina, como si la mención del tiempo le hubiera dado frío. Para evitar un silencio incómodo, señalé los cuadros que colgaban de las paredes de la sala. Eran óleos grandes, abstractos, de pintores catalanes de reconocido prestigio. En una visita anterior, el padre de Carol me los había mostrado uno a uno, con orgullo de propietario y ferocidad de coleccionista.

—Aquí hay una buena muestra de pintura contemporánea.

Mimí sonrió con modestia.

—Los cuadros son buenos, según dicen, pero tendréis que esperar a mi marido para que él os los explique. A mí con el arte moderno me pasa como con los chinos. Ya sé que no son todos iguales, pero no consigo distinguirlos. Éste de aquí, el que tiene guisantes enganchados en la tela, es de un tal Trapellat, o algo parecido. Lo recuerdo porque él mismo lo trajo a casa, envuelto en periódicos. Vino a la hora del aperitivo, se quedó a comer y luego no había forma de que se fuera. Hasta las seis o las siete nos estuvo sermoneando con unas teorías que no tenían el menor sentido. Era un buen hombre, un poco desastrado, y no olía muy bien, pero los artistas son así, supongo.

Sin dejar de sonreír hizo un ademán en dirección a Agustín y a Greta.

—Vosotros también sois artistas, me ha dicho Rufo.

—Artistas, no. Yo escribo obras de teatro y mi mujer es actriz. En realidad, somos feriantes. Cómicos de la legua. Hace un siglo no nos habrían enterrado en el camposanto, habríamos necesitado un salvoconducto para acercarnos a la ciudad y nunca habríamos entrado en una casa como ésta. Pero a limpios y aseados no nos gana nadie.

Mimí se echó a reír.

—¿Y qué clase de obras escribes?

—Chorradas y vulgaridades. Ahora estoy acabando una que se titulará *Un zurullo para dos*. Una comedia filosófica, como una mezcla de Wittgenstein y Benny Hill.

Mi madre se sobresaltó.

—¡Agustín, esas palabrotas!

—No te preocupes. A mí no me molestan. Mi padre era muy malhablado. Pero si alguno de sus hijos decía una mala palabra en su presencia, le daba un bofetón.

Aunque todo la obligaba a ser tonta y desenvuelta, en realidad Mimí era lista y tímida y, si bien se comportaba de un modo escrupuloso e intransigente en cuestiones de etiqueta, le atraía el inconformismo, el desatino y la excentricidad, y no se escandalizaba por nada. En la familia Saldaña abundaban los tipos raros, los sinvergüenzas y los haraganes. En varias ocasiones Mimí me había hablado con especial cariño de un hermano suyo, llamado Esteban, al que todos consideraban la oveja negra de la familia. Según supe, el tal Esteban, después de haber sido un bala perdida en su época de estudiante y haber acabado la carrera de Derecho a base de recomendaciones, decidió sentar cabeza y, para asombro y alegría de sus padres, empezó a preparar oposiciones a registrador de la propiedad. Como se pasaba las noches en vela memorizando los incontables y áridos temas del programa, su madre ordenó a una criada que permaneciera despierta por si el señorito tenía hambre o necesitaba algo. Como era de esperar, el señorito la dejó preñada y hubo que devolverla a su pueblo con una sustanciosa indemnización. Después de aquel incidente, el opositor perdió todo interés por las oposiciones y poco después se fue a México, donde unos parientes se habían establecido y habían hecho fortuna en la década de los veinte y con cuya ayuda pensaba abrirse paso. Todavía seguía allí, dedicado a negocios oscuros y actividades imprecisas, a las que la distancia y el exotismo de los lugares donde se desarrollaban conferían un vago aire folletinesco. En las fotos que me mostraron aparecía como un hombre alto, moreno, de buena planta, con el cabello engominado y un fino bigote de galán trasnochado. Había sido invitado a nuestra boda, pero todavía no había dicho si vendría o no.

Aquellas debilidades me hacían sentir aprecio por la madre de Carol, a pesar de la actitud cautelosa de ella hacia mi persona. Como yo, era muy aficionada a la música clásica; desde niña había ido con asiduidad al Liceo y al Palau de la Música, había oído a los grandes intérpretes y tenía gustos bien definidos. Sin embargo, no había forma de hablar con ella de aquel tema, porque se obstinaba en no manifestar ninguna opinión al respecto. Si yo le preguntaba si le gustaba Paul Hindemith o le decía que no soportaba a Verdi, ella adoptaba una pose timorata y me suplicaba que no le hiciera opinar, porque era muy lerda. Pero al decir esto me dirigía una mirada escrutadora, casi desafiante, en la que era fácil atisbar encubierto el manifiesto descaro de su hija.

En aquel instante entró precipitadamente en la sala el padre de Carol con un teléfono inalámbrico en la mano. Era de estatura media, algo más bajo que su mujer, con el pelo entrecano y la voz grave. Todos nos pusimos de pie y Mimí y yo nos adelantamos para hacer las presentaciones, pero el señor Escolá interceptó su iniciativa con un ademán y un bufido.

—Perdón, perdón. Me han llamado por asunto urgente desde Sudamérica. Para ellos es por la mañana y eso les hace pensar que todos estamos en la oficina, pendientes de sus problemas. La diferencia horaria es una desconsideración. Y como esos inútiles se ahogan en un vaso de agua, a la mínima contrariedad sólo se les ocurre coger el teléfono. O, como dicen en su tierra, agarrar el teléfono. Allá ellos. La cuestión es que lo agarran, lo cogen o hacen lo que sea, pero a quien llaman es a mí. Como si yo fuera el todopoderoso: se desborda el Amazonas y pretenden que yo lo arregle. A ver... Antonio, hombre, ¿qué trae aquí?

Esta pregunta iba dirigida al mayordomo, que hacía su entrada desde el recibidor, seguido de una doncella con uniforme y cofia. La doncella empujaba un carrito en cuya superficie tintineaba un juego de té. El mayordomo y la doncella se detuvieron y el mayordomo amagó una reverencia.

—La señora ha pedido el té.

Mimí replicó entre irritada y confusa.

—Yo no he pedido té. Ni té, ni café, ni horchata. Yo he pedido algo de beber.

El padre de Carol asintió con una bonhomía que nivelaba la torpeza del mayordomo y la de su esposa.

—No importa, no importa. El té está muy bien, pero la ocasión requiere un brindis. Traiga una botella de champán... A menos que alguien prefiera té...

Convinimos en que el champán era lo más adecuado y el mayordomo y la doncella se fueron con el carrito. El padre de Carol sonrió aliviado.

—Perdón otra vez. Les decía lo de la llamada de Chile. Por lo visto un envío que tenía que llegar no ha llegado. Y que a ver dónde está. Como si yo lo tuviera escondido en un armario.

Estas explicaciones se las daba a mi madre, como si hacerle partícipe de sus problemas sellara entre ambos un pacto de confianza mutua. Mi madre me dirigió una mirada de súplica y acudí en su ayuda.

—El señor Escolá tiene una empresa de transportes. Por tierra, mar y aire.

—Expuesta a tormentas, ciclones, desprendimientos de tierra, lluvias torrenciales, descarrilamientos, naufragios, guerras, revoluciones, huelgas. Y de todo eso ¿quién es responsable? Mi menda.

Para demostrar lo verdadero de aquella afirmación, el teléfono que llevaba en la mano se puso a sonar. El señor Escolá lo miró con enojo.

—Si me disculpáis... Volveré para brindar. No hagáis nada sin mí.

Mientras daba aquellas instrucciones, salió de la sala.

Como si se hubiera llevado con él toda la energía, al quedarnos solos guardamos silencio. En uno de los sofás, Anamari y Tomás estaban absortos contemplando el techo. Mi madre había fijado la vista en la alfombra. Por falta de ideas, miré al jardín. Caía la tarde y por el suelo saltaban unos gorriones. Pensé que en adelante mi vida vendría definida por momentos como aquél y me invadió algo parecido al sopor.

Me arrancó de la atonía la repentina aparición de Carol en el umbral de la sala. Como si hubiera oído el comentario de su madre y quisiera contradecirla, parecía recién salida de la ducha y esparcía un aroma fresco de colonia. Llevaba el cabello revuelto y un vestido estampado, de falda ancha, que acentuaba su aspecto juvenil. De un vistazo se hizo cargo de la situación, me hizo un guiño y corrió a besar a mi madre.

Un tanto azarada ante tanta vehemencia, mi madre le preguntó cómo se encontraba e inmediatamente se arrepintió de haber mentado la soga en casa del ahorcado. Carol la sacó del apuro con naturalidad.

—Por ahora, de maravilla. A veces me despierto con náuseas. Y todavía me viene bien la ropa.

Luego prescindió de las respectivas madres y de la pareja formada por Anamari y Tomás y se dirigió muy sonriente a Agustín y Greta.

—Hola, tú eres Agustín, ¿no? Yo soy Carol. Rufo me ha hablado mucho de ti. Siempre mal, por supuesto.

—Ah, pues él de ti no me ha hablado nunca. No sé quién eres.

Tuve la sensación de que se habían caído bien. Carol hablaba con Greta.

—¿Entiendes lo que decimos?

—El sentido general.

Agustín se había puesto muy serio.

—Greta, demuéstrales lo que sabes decir.

Greta se levantó del sofá y se puso firmes.

—Hola, me llamo Greta, sé cantar y bailar y dar volteretas.

Mi madre regañaba a Agustín como si hubiera cometido una travesura.

—¡Qué cosas le enseñas a esta pobre chica! ¡Nos van a tomar por una familia de saltimbanquis!

—¡Ah, no, también amaestramos pulgas!

El padre de Carol acababa de regresar y oyó la respuesta. Desde pequeño, Agustín nunca había podido resistir la tentación de reventar cualquier atisbo de ritual. Yo compartía su disposición y en otras circunstancias la habría aplaudido, pero en aquella coyuntura no sabía si el resultado final iba a ser positivo o nefasto. Por fortuna, el padre de Carol tenía la cabeza en otro sitio.

Entró el mayordomo con una cubitera de la que sobresalían dos botellas de champán. La doncella le seguía con una bandeja de pastas saladas. El padre de Carol expresó su aprobación.

—¡Pastas saladas! ¡Me chiflan! La mezcla de champán y frutos secos me da gases, pero un día es un día, digo yo. Y en caso de emergencia, puedo salir a pedorrear al jardín. ¡Antonio, sirva el champán!

El mayordomo sacó la botella de la cubitera, la envolvió en la servilleta que hasta entonces había llevado plegada y colgada del antebrazo, y la descorchó con tanta habilidad que el estampido del corcho quedó amortiguado. Acto seguido fue llenando las copas de la bandeja y, cuando las hubo llenado, pasó la bandeja entre los presentes siguiendo un riguroso turno. Cuando hubo acabado, regresó a su rincón. Mimí le hizo una seña.

—Antonio, no se quede ahí. Vaya a buscar otra copa y brinde con nosotros por la felicidad de los novios.

Antonio esbozó una rígida inclinación.

—No se lo tome a mal, señora, pero ya sabe que a mí la bebida...

—Antonio tiene muchas cualidades, pero es un abstemio recalcitrante.

Los demás levantamos las copas y bebimos. El padre de Carol carraspeó como si se dispusiera a decir algo apropiado a la ocasión. Todos guardamos silencio y le miramos con la debida atención.

—Es verdaderamente un incordio tener que asistir a esta reunión familiar —empezó diciendo para desconcierto de sus oyentes— sin poder disfrutar con tranquilidad de tan grata compañía. Pero ya veis qué dura es la vida del que intenta sacar adelante una empresa con un poco de eficacia y sin estafar a sus clientes. Karl Marx decía que los medios de producción están en manos del capital. Ja, ja. Cómo se ve que Karl Marx nunca fue empresario. Lo que él llama medios de producción son unos botarates que hacen lo que les da la gana, sin ningún control, y lo que él llama capital somos unos pobres desgraciados que hemos de asumir la responsabilidad de los actos ajenos. ¡Y pobre del que se atreva a levantarles la voz! Yo he de velar por que las mercancías lleguen a su lugar de destino, a su debido tiempo y en buen estado. ¿Cómo puedo asegurar tal cosa si en definitiva las mercancías están en manos de un mangante que detiene el camión cada diez kilómetros para tomarse un carajillo, cuando no para hacer cosas peores? Supongo que vosotros, los jóvenes, habréis sido comunistas en algún momento.

Agustín volvió a hablar en nombre de todos.

—No, señor. Anamari es partidaria del librecambismo; yo soy ácrata y Rufo no se entera de nada. Mamá es un poco estalinista.

Mi madre le dio un golpe en el brazo. El padre de Carol levantó la copa.

—¿Hemos brindado?

—Sí, Víctor, acabamos de brindar, ¿no te acuerdas?

—Bueno, pues me voy. Ha sido un placer. Un placer. Espero que se repita.

Mientras salía por una puerta, por la otra entraba la doncella.

—Señora, está aquí Marifé.

Mimí dio muestras de alarma.

—¿Marifé? ¡Pero si no le tocaba venir hoy! ¡Dile que se vaya!

Antes de que la doncella pudiera cumplir la orden, apareció en el umbral de la sala una mujer de mediana edad, menuda, magra de carnes, con el pelo muy corto y la mirada huidiza. Al ver la sala llena, se quedó inmóvil, pero de inmediato recobró la entereza y saludó a todos.

—Buenas tardes, señora, lo mismo a la compañía, y ustedes disculpen la intrusión. Ya sé que te-

nía que haber venido ayer tarde, tal y como habíamos quedado. Pero a la mañana me sentía muy
malita y entre unas cosas y otras, no pude avisar.
Hoy no acabo de encontrarme bien del todo, pero
no quería retrasar más la faena. Así que, con su
permiso, he venido.

—Pero, mujer, ¿no ve que hay visitas?

—Naturalmente, señora. Pero el pobrecito debe
de estar fatal.

—Es igual, es igual. Hoy no puede ser. ¿Y usted
qué trae aquí, Antonio?

El mayordomo había entrado, con paso titu-
beante, llevando en los brazos un lulú de Pomerania. Al hablar tartamudeaba levemente.

—Como ha venido la señora Marifé, yo pensaba...

—Usted no tiene que pensar nada. Llévese a este
chucho a su cuarto.

Tomás se acercó a Marifé.

—¿Es usted veterinaria?

Marifé levantó la bolsa de tela, como si allí estuviera la respuesta a la pregunta. En cada dedo llevaba un grueso anillo de bisutería.

—Sólo en un sentido. Soy peluquera canina,
para servirle. Mi padre y mi abuelo esquilaban ove-
jas y hasta un pollino, si se terciaba. Hoy todo eso
está mecanizado. Y a este pobre, mírelo.

Marifé tenía razón: el perro era una bola de pelo
entre la que apenas se distinguían el hocico y las
extremidades.

—¿Y no le pueden cortar el pelo en otra parte? La casa es grande.

—Ya, pero es un perro malcriado y sólo se deja si su dueña está delante.

Carol conversaba con Agustín y Greta como si aquel drama doméstico no se estuviera desarrollando en la sala y la protagonista no fuera su madre. Greta escuchaba el relato de Carol con gran interés.

—Haití debe de ser un lugar terrible.

Carol se encogió de hombros.

—Sólo para los haitianos. Yo lo pasé bien y hasta me lie con uno.

—Eso requiere valor.

—En mi caso, no. Fue un capricho.

Anamari, que a pesar de su mal carácter era la más bondadosa de los tres hermanos y no soportaba ver sufrir a nadie, se colocó al lado de Mimí.

—Por nosotros no se preocupe. Si quiere nos vamos...

—No, no, de ningún modo. Y no me trates de usted, María Luisa, que somos de la familia.

Carol dejó a Agustín y a Greta, cogió a Anamari del brazo y se la llevó junto al ventanal.

—No le hagas caso. Mi madre se ahoga en un vaso de agua, pero flota en el Pacífico.

Las dos se quedaron cuchicheando mientras el lulú de Pomerania se desgañitaba sin escuchar las recriminaciones de su dueña.

—¡Walter, deja de ladrar o te daré una azotaina!

Al oír la amenaza, el perrito se desprendió de los brazos del mayordomo y se dio de bruces contra la alfombra. Mimí lanzó un alarido y se abalanzó sobre el perro con intención de socorrerle, pero Walter se había repuesto del cabezazo y corría entre los muebles y las piernas de los presentes. Mimí lo perseguía a cuatro patas sin dejar de impartir instrucciones.

—¡Marifé, cierre la puerta! ¡Antonio, no se quede ahí y ayúdeme a atrapar a este bicho consentido!

El mayordomo vio venir a Walter y se agachó para agarrarlo; el perro se coló entre sus manos y el mayordomo perdió el equilibrio, dio media voltereta y se quedó tendido, cantando a voz en cuello.

—¡En tu fiesta me colé! ¡Coca-Cola para todos y algo de comer!

—Me parece que este hombre ha estado bebiendo.

Carol había regresado a mi lado.

—¿Quién? ¿Antonio? Por supuesto. Es alcohólico. A mi madre la tiene convencida de que es abstemio, pero a partir de las seis de la tarde no se aguanta de pie.

—¿Qué secreteabas con mi hermana?

—Cosas nuestras. Hemos quedado a comer un día de éstos. Para ponerte verde.

Gentè avara, invidiosa e superba:
dai lor costumi fa che tu ti forbi.

43

De regreso en casa, mi madre fue presa de la congoja. No creía haber estado a la altura. Agustín y yo tratábamos de levantar su ánimo desmayado.

—Técnicamente, yo diría que ha sido un empate.

Sin escuchar las chanzas miraba con recelo a su alrededor, como si viera por primera vez aquel austero y marchito espacio donde había transcurrido la mayor parte de su vida y donde seguiría viviendo, sola y sin perspectivas de cambio, cuando yo me fuera.

—¿Qué piensas, mamá?

—Pienso que en aquel jardín tan bonito jugará mi nieto.

—Si no lo mata su abuelo a pedos.

Como si quisiera estar a tono con el escenario, se había quitado el vestido y se había puesto una bata vieja y desteñida y, sobre la bata, un delantal de cuadros para trajinar en la cocina. Las bromas no la animaban. Iba y venía sin rumbo, como si esperase una orden para empezar las tareas caseras, abrumada por la acusación implícita que inevitablemente inflige la exhibición de la riqueza a quienes llegan con apuros a fin de mes.

Agustín intervino.

—No le des más vueltas, mamá. No podemos competir. Los ricos sólo tienen que ser como son. Los demás sólo podemos aspirar a marcar territorio. Y a veces, ni eso, como el pobre Walter. En este sentido, hemos salido bien parados. En estos momentos tus futuros consuegros deben de estar pensando que somos unos bárbaros y unos malnacidos, y eso es bueno. No hay nada más penoso que los fingimientos y las carantoñas de los pelagatos que pretenden estar a la altura de los ricos.

—Agus tiene razón. Y tú no te preocupes por esa patulea. Después de la boda ya no los volverás a ver. En Navidad se van a esquiar y no vuelven hasta mediados de junio.

Agustín habló de nuevo.

—Es muy duro ser rico en Barcelona.

Por suerte, Anamari se había ido a otro cuarto con Tomás y no oía nuestras cuchufletas. Aunque no había dicho nada, yo sabía que la visita a los Escolá le había irritado enormemente. A Anamari le fascinaba el funcionamiento del dinero, pero no era codiciosa: tenía al respecto una actitud casi científica y, por esta razón, que la riqueza estuviera en manos de los ricos le parecía un sinsentido.

Agustín le tomaba el pelo.

—La función de los ricos no es crear riqueza ni administrarla. El dinero es una abstracción: antiguamente papel moneda y hoy en día números en la pantalla de un ordenador. La función de los ricos es escenificar esta entelequia y hacerla creíble. Si la sociedad es injusta, los ricos explican el desequilibrio y justifican las reivindicaciones de los pobres de la tierra. De lo demás se ocupan los contables, las leyes inapelables del mercado y las llamadas telefónicas a horas intempestivas.

—¿Esto cuentas en tus obras de teatro? No me extraña que tengan éxito. Para ti la economía es un espectáculo. Y tú eres un lameculos.

—Y tú eres la hermana tonta de la Cenicienta.

Mi madre se interponía con voz cansina.

—¡Hijos, no os peleéis!

—Déjalos, mamá, nadie ha dicho que la lucha de clases sea unilateral.

Anamari y Agustín habían nacido con veinte meses de diferencia y quizá por este motivo siempre habían estado muy unidos y siempre se estaban peleando. Por alguna razón que nunca supe, entre ellos y yo mediaban bastantes años y hasta una etapa más avanzada de nuestras vidas existió entre nosotros una distancia acorde con la diferencia de edad. Quizá aquella diferencia de edad me daba un cierto ascendiente sobre mis hermanos, como había insinuado en alguna ocasión la propia Anamari. Real o imaginaria, yo nunca fui consciente de aquella supuesta superioridad moral ni supe utilizarla para bien o para mal. Si realmente existía, en el caso de Agustín mi ascendiente se traducía en respeto, y en el de Anamari, en rebeldía. Lo único cierto es que, en mis recuerdos de niñez, la presencia de mis hermanos era un elemento de perfiles borrosos. Expurgado de las inevitables reconstrucciones de la memoria, del núcleo familiar conservo pocas imágenes, y aun éstas, amalgamadas: las fiestas navideñas, algunas efemérides anuales, las vacaciones de verano. El resto de los recuerdos de aquel tiempo lo ocupan de modo prominente el colegio, los amigos, las lecturas juveniles y los programas dobles en los cines de barrio.

Contrariamente a lo que suele declarar la mayoría, rememorar la infancia me produce más pesadumbre que nostalgia. La sensación generalizada de aquella época era el aburrimiento, apenas mitigado por la lectura y algún otro entretenimiento esporádico. Del colegio guardo mal recuerdo. Me gustaba aprender, me parecía lógica la autoridad y la disciplina, no buscaba premios ni elogios y no me mortificaba quedar como un ignorante y un pazguato ante el resto de mis compañeros. Nunca fui competitivo. Pero todavía me pesan las horas de tedio, el constante temor al castigo y la presencia de los condiscípulos bravucones y pendencieros. La violencia era una constante a la hora del recreo y a la salida de clase. Y aunque sólo la sufrí ocasionalmente, en algún episodio aislado y leve, me horrorizaba aquella agresividad irracional, por el miedo que generaba y por el mero hecho de que existieran personas en mi ambiente cotidiano con una irrefrenable voluntad de hacer daño a los compañeros sin causa ni objeto, y que los profesores, que no permitían las peleas, tolerasen e incluso vieran con buenos ojos aquellos actos individuales de crueldad por parte de los más fuertes y belicosos sobre los más débiles y pacíficos. Probablemente consideraban que la brutalidad contribuía a hacernos más viriles. De adulto me había preguntado qué habría sido de aquellos matones, cuyos nombres había olvidado hacía mucho: si habían seguido actuando de la misma manera en ambientes donde se daban las refriegas, si la evolución natural de las personas los había amansado, si la experiencia los había obligado a adaptarse a unas formas de convivencia más sosegadas, o si habían encontrado un oficio que les permitía dar rienda suelta a las facetas más ariscas de su temperamento e incluso ponerlas al servicio de la sociedad.

No quiero dar una imagen inexacta de aquella etapa: en el transcurso de mi larga y lenta vida escolar hice buenos amigos, con los que jugué, mantuve largas charlas y cometí las diabluras propias de la edad; practiqué varios deportes con más entusiasmo que acierto hasta que mi torpeza natural hizo que me cansara de ellos, y, a la hora de hacer balance, he de admitir que hubo tantos momentos buenos como malos. Sin embargo, aquélla fue una etapa que ha dejado poca huella en mi memoria. Cuando he reencontrado algún condiscípulo y hemos cotejado recuerdos, me ha sorprendido la cantidad y precisión de los suyos en comparación con la exigüidad y vaguedad de los míos.

Guardo un recuerdo tan remoto que bien podría ser falso de un amiguito, quizá el primero que tuve, al que unas veces pongo por nombre Juan Manuel y otras José Mari. Lo recuerdo de un modo especial porque apenas iniciada nuestra amistad, mi amiguito murió, creo que de tifus, una enfermedad presente en aquellos años de escasez de alimentos y falta de medicinas, y a la que se daba el siniestro apodo de «el piojo verde». Tal vez murió de otra cosa. En mi reconstrucción no hay datos fidedignos; sólo una idea general hecha de informaciones fragmentarias, dispersas y mal comprendidas. En su día, nadie se tomó el trabajo de contarme lo ocurrido. Aun así, a veces, de un modo voluntario y consciente, he invocado el fantasma del amigo muerto en la infancia, para hacerle susurrar en mis oídos: Yo no tuve la oportunidad de conocer la vida; fuimos amigos; vive por mí.

Ahora, en vísperas de la boda, cuando me asaltaban escrúpulos y dudas, aquel ruego del más allá me permitía mantenerme firme en mis propósitos.

Tres días antes de la boda, recibí dos mensajes. El primero era una carta cuyo remitente, fácilmente identificable por la pulcra caligrafía, era mi antigua conocida, la abadesa del Real Monasterio de Santa Clara.

Apreciado señor Batalla:

Aunque vivo por completo apartada del mundo, o quizá por eso, no hay secretillo que no encuentre una rendija para entrar en mi humilde celda y, de este modo, a pesar de que usted no se ha dignado informarme sobre el particular, he tenido puntual noticia de sus próximos esponsales. Huelga aclarar que no le escribo para hacerle reproches, sino para enviarle mi felicitación y la expresión de mis mejores deseos.

Bien sé que hasta las cosas más nimias ocurren porque de este modo lo ha dispuesto la omnipotencia del Altísimo, pero la vanidad me lleva a pensar que, siquiera en una ínfima porción, mis admoniciones al respecto hayan podido influir en su decisión de contraer matrimonio. Si así fuera, me abrumaría una gran responsabilidad, porque después de haberle inducido a dar este paso trascendental, poco o nada sabría añadir que pudiera servirle de guía en esta senda, ardua o ligera, de la que lo ignoro todo.

El mismo pajarito que pio sobre su enlace trajo a mis oídos el cotilleo de que a través del sacramento del matrimonio emparenta usted con gente de posibles. También en eso debemos ver la mano de la Providencia y considerar que el Señor nos somete a pruebas, ora enviándonos pesares, ora venturas, y que a ambas debemos responder con rectitud y sometimiento. Siga los dictados de su conciencia y no tema. Marco Aurelio, en sus *Meditaciones*, aconseja evitar la compañía de los ricos. Es fácil menospreciar los bienes materiales cuando uno es emperador de Roma. Nuestro Señor Jesucristo, que al hacerse hombre abrazó la pobreza y dependía de la caridad del prójimo para su sustento, no hacía feos a los ricos si le convidaban. Como no era de este mundo, no se dejaba engañar por las apariencias.

Cumpla, pues, con su deber como esposo y, andando el tiempo, como padre, que en el recto cumplimiento de nuestros deberes radica la verdadera felicidad.

Me gustaría hacerle el consabido regalo de boda, pero como el voto de pobreza me lo impide, le prometo rezar un triduo para pedir al Señor que derrame sus gracias sobre usted y sobre su digna esposa, y con mi bendición reitero el sincero afecto que le profeso.

El segundo mensaje consistía en un telegrama anónimo y sucinto.

Rufo stop you broke my heart

Yo no había notificado mi compromiso matrimonial al príncipe Tukuulo, ni a su mujer, pero del telegrama se desprendía que el hecho había llegado a sus oídos. Di por sentado que era ella quien lo había cursado y ante el silencio del príncipe decidí poner punto final a mi vinculación con él y su proyecto ilusorio. Tal vez aquél había sido su regalo de boda: hacerme comprender que yo ya no formaba parte de su mundo y que, a partir de entonces, debía subordinar mis ansias de aventura a cuestiones menos insustanciales, y dedicar todos mis esfuerzos a construir una vida estable, a desarrollar mi relación en pareja y a criar y educar a mis hijos.

El tiempo habría de demostrarme hasta qué punto andaba errado.

Utopian youth, grown old Italian.

La boda fue un suplicio menor de lo que yo mismo había vaticinado.

La nueva legislación había regularizado en España el matrimonio civil, pero la familia de Carol no concebía que una boda pudiera reducirse a una simple formalidad administrativa. Querían una ceremonia majestuosa en una iglesia gótica engalanada y rebosante de invitados y yo no tenía motivo alguno para oponerme a sus deseos. Al fin y al cabo, la familia Escolá corría con los gastos y, una vez casados, Carol y yo nos iríamos a vivir a un piso espléndido que ellos habían comprado y amueblado. Yo no había pedido nada de todo aquello, pero tampoco lo había rechazado. Carol era hija única y la generosidad de sus padres era algo natural. A mí sólo me interesaban mi nueva vida y el hecho de tener un hijo y, en este sentido, una boda convencional me resultaba cómoda: una ceremonia religiosa se rige por una liturgia tan complicada que al seglar sólo le está permitido participar como figurante e incluso puede pensar que la función no va con él.

Unas semanas antes de la boda, el cura que nos iba a casar nos convocó para darnos instrucciones y consejos. El cura no estaba adscrito a la iglesia donde se iba a celebrar la boda. Era un anciano sacerdote amigo de la familia Escolá, donde se le conocía con el sobrenombre de mosén Perejil. Por lo visto una criada, por error o por malicia, le había llamado así y toda la familia adoptó el apodo a espaldas del interesado. Mosén Perejil vivía retirado, en un piso del barrio de Sants, que compartía con otros dos vetustos eclesiásticos. En su juventud, poco después de haber cantado misa, mosén Perejil había sido enviado como misionero a un país del África Occidental. Después de un año, una revuelta le obligó a regresar a España y, a partir de entonces, no hizo nada digno de mención. Quizá en África sufrió privaciones o corrió algún peligro o quizá no, pero la experiencia le marcó de por vida. Hablaba del continente africano como si acabara de regresar de la jungla y en todas las conversaciones en que intervenía salían a relucir los que él llamaba nuestros pobres hermanos negros. El padre de Carol le contradecía, medio en serio medio en broma.

—Desengáñese, mosén, si son pobres es porque siempre han vivido en una sociedad improductiva, en la que están la mar de contentos. Y en África ser negro no es un baldón ni una desventaja.

—Si usted viera lo que yo he visto no diría estas cosas, don Víctor. Y si viven en la miseria, la culpa no es suya, sino del infame colonialismo.

—El colonialismo empezó hace un par de siglos y ellos llevan allí desde la prehistoria. Cuando llegaron los colonizadores aquello no era precisamente Dinamarca.

La madre de Carol le daba todos los años los vestidos que no se iba a poner más y mosén Perejil los enviaba a varios puntos de la región subsahariana a través de diversas organizaciones benéficas.

Carol y yo acudimos resignadamente a escuchar sus pláticas. Yo habría debatido gustosamente con él algunos aspectos teóricos de la religión. De muy joven había abandonado toda creencia, pero la religión me interesaba mucho desde un punto de vista intelectual. Era lector asiduo de la Biblia y me había adentrado en comentarios y exégesis sin más metodología que mi instinto. Naturalmente, cualquier intento de diálogo resultó estéril. Mosén Perejil se limitó a desbarrar sobre la vida conyugal y de inmediato trajo a colación a nuestros pobres hermanos negros. De modo que me limité a asentir y a procurar que la plática fuera lo más breve posible. Aun así, la sesión de adoctrinamiento me puso de mal humor.

Carol disculpaba al mosén.

—Pobre hombre, chochea.

—No lo niego. A partir de cierta edad todos los sacerdotes, de cualquier dogma, están mal de la cabeza.

—Es normal. Viven en un mundo de abstracciones y ritos simbólicos. ¿Cómo van a estar? Por otra parte, ¿qué saben ellos de la vida matrimonial?

Antes de referirse a nuestros pobres hermanos negros, mosén Perejil había descrito el matrimonio como una dura prueba, un mar proceloso, infestado de escollos. Para sobrevivir se requerían grandes dosis de sacrificio y una dosis aún mayor de gracia divina.

Luego, el día de la boda, ofició en forma premiosa y pronunció un discurso inacabable e inconexo, en el que no faltaron alusiones a nuestros pobres hermanos negros, pero se mostró más alegre y optimista, quizá porque la presencia de un público numeroso le hacía sentirse importante. La concurrencia era ilustre: en los bancos de la iglesia se apretujaban empresarios y políticos con sus esposas. A la puerta de la iglesia se alineaban los coches con sus chóferes y en la acera aguardaba un corro de escoltas armados, porque la oleada de secuestros requería de su presencia día y noche en todas partes. Dentro, mientras mosén Perejil desgranaba admoniciones con candorosa simpleza, dormitaban los próceres y las señoras ocultaban los bostezos bajo el alero de las pamelas. Sólo Agustín seguía las vaguedades y desvaríos de aquel tarambana con aparente fascinación y hacía esfuerzos por contener la risa.

A la salida hubo una interminable sesión de fotos en infinitas combinaciones.

El banquete fue copioso, duró hasta altas horas y discurrió sin incidentes. De mí no se esperaba nada y eso hice. Sentada a mi lado, mi madre, que no había podido reprimir veladas muestras de emoción durante la ceremonia, respondía con monosílabos a unos y otros sin abandonar la sonrisa humilde y un aire encogido. En el ámbito doméstico siempre llevaba la voz cantante, pero en público carecía de los recursos mínimos para desenvolverse con naturalidad. Por el contrario, mis hermanos y sus parejas estaban pasando un buen rato. Después del encuentro concertado en el transcurso de la visita a la casa de los Escolá, Anamari había cambiado de actitud. Carol y ella habían firmado la paz o, al menos, una tregua. Seguramente Anamari, con su sentido práctico, había llegado a la conclusión de que el sentimiento de rencor, aparte de no estar justificado, resultaría tan nocivo para ella como para los demás.

Al cabo de varias horas de fiesta, a causa de la bebida o del cansancio, mi madre había salido de su hermetismo y parloteaba con la madre de Carol. Al fondo de la sala, Anamari y Tomás se hacían arrumacos. Y Greta se había subido a una mesa y allí lanzaba denuestos contra la institución de la familia y la sociedad de consumo mientras bailaba con tanto frenesí y tanta desinhibición como si estuviera en el escenario del Lappentheatre de Stuttgart. Agustín la miraba arrobado y los próceres orondos la observaban escudados tras la cortina de humo de sus Cohibas y disimulaban los ímpetus lascivos bajo una apariencia de risueña bonhomía.

—¿Tú entiendes lo que dice?

—Ni puta idea. Yo en alemán sé decir *kartoffel*, *Beckenbauer* y para de contar.

—¡Vaya forma de menear el pompis!

—Si fuera mi hija, ya la metería yo en cintura.

Venida de otra galaxia, Greta seguía bailando, ajena al efecto que producía su impromptu. Su conocimiento del idioma había mejorado mucho, pero no se daba cuenta cabal de las situaciones en las que se veía envuelta. A pesar de su exaltada ideología antiburguesa, Greta sólo era una chica muy joven, llena de ilusiones y con una gran energía física. Se había alistado en una compañía de teatro contestatario porque aquella modalidad le permitía entregarse a diario a un ejercicio extenuante y dar rienda suelta a su temperamento lanzando alaridos de denuncia. No era hipócrita ni frívola: creía en el mensaje explícito de los espectáculos en los que participaba y no habría cambiado aquel discurso por ningún otro. Pero, en el fondo, su característica principal era una inquebrantable inocencia, que, a diferencia de lo que sucedía con las manidas recetas y la postiza piedad de mosén Perejil, transformaba escarnios y denuestos en algo parecido a un mensaje evangélico.

He neither smoked nor drank himself, being by nature so happily metabolised that, as he might have put it himself, he could not possibly have felt better than he naturally did.

Debido al embarazo de Carol, en vez de emprender un largo viaje de luna de miel, fuimos a pasar unos días tranquilos a Londres, con gran alegría por mi parte. Aborrezco hacer turismo y hacía mucho que no volvía a Londres, donde había pasado una larga temporada en mi etapa universitaria, como parte de mis estudios de Filología. En aquella ocasión viví miserablemente, con el dinero que me enviaban mis padres, en un cuartucho con ventana de guillotina, baño comunitario y una pequeña cocina eléctrica en una repisa junto a la cama, en la que hacía mis insalubres y poco apetitosas comidas. El viento se colaba por los intersticios de la ventana y en invierno hacía tanto frío en la habitación como en el exterior. Para combatirlo disponía de un calentador de gas que funcionaba introduciendo monedas de un chelín por una ranura. En aquel cuchitril, envuelto en una manta, yo leía con dificultad, pero con tesón, las novelas, actuales o antiguas, de las que entonces se hablaba: *Lady Chatterley's Lover*, *1984*, *The Prime of Miss Jean Brody*, *The Spy Who Came in from the Cold*. Con aquellas lecturas y la posibilidad de entrar gratis en los museos y ahorrar para comprar la entrada más barata para los conciertos del Royal Festival Hall o el Barbican, ya me sentía el más feliz de los mortales.

Carol nunca había sido pobre y no lo entendía.

—No sabía lo que podía pasar de un día para otro. Me sentía como un barco a la deriva.

—¿Y eso te divertía?

—No era cuestión de divertirse. Me parecía excitante. Había soltado amarras. No contaba con nadie; sólo conmigo mismo para solucionar los problemas cotidianos.

—El aprendizaje de la soledad.

—Bah, es fácil ridiculizarlo. Era muy joven. Nunca había salido de casa. Y Londres, en aquellos años, era una ciudad encantada.

Los últimos residuos de un conservadurismo anquilosado y algo patético, pero aún seductor, convivían con la frescura y el atrevimiento en las costumbres y en el vestuario. De hecho, los dos mundos se complementaban: el formalismo convertía en subversión lo que sólo era hacer el ganso, y aquellas chiquilladas justificaban la resistencia formal de un *establishment* en decadencia. Para un forastero, venido de la España sumisa y gris del franquismo senil, en las calles de Londres se dirimían dos formas de entender la modernidad y la conducta individual.

—Me temo que ganaron los malos.

A Carol todo aquello le sonaba a cuento.

—Y tú, ¿qué hacías? ¿Te drogabas? ¿Practicabas perversiones?

—Oh, no. Me pasaba el día encerrado en las bibliotecas y al anochecer, si me quedaban unos chelines, iba a un pub a beber cerveza y a ver a los nativos en su salsa.

—Joder, siempre has sido rarito, ¿eh?

A partir de los quince años Carol pasó tres veranos con unos amigos ingleses de los Escolá, que vivían en una mansión cerca de Londres y tenían dos hijas de la edad de Carol. En aquel ámbito privilegiado los días transcurrían entre fiestas y excursiones, paseos a caballo y provechosas incursiones en Biba y en Miss Selfridge. Más tarde, Carol hizo dos cursillos estivales sobre temas de cultura general en Oxford.

—No es lo mismo.

—¿Y qué? Al menos yo hablo inglés como las personas y no como los libros.

—Mujer, la experiencia...

—Yo también tuve experiencias. Distintas de las tuyas. Algunas bastante chungas. ¿Por qué sólo se consideran experiencias las experiencias negativas?

—Porque las malas experiencias sirven para que una señoritinga como tú entienda un poco a los que lo pasan mal en la vida.

—¿Y eso para qué sirve? Sufrir para entender a los que sufren es como pescar para entender a los que pescan. Una pérdida de tiempo. A los pobres y a los pescadores les trae sin cuidado que les entiendan o no. Unos quieren salir de apuros y otros, que pique un pez. Además, si uno es bueno de natural, hace lo que puede sin necesidad de escribir una tesis sobre la desgracia ajena. Y, por bueno que sea, tarde o temprano acaba fastidiando a alguien cuando no ve otra salida. Como todo el mundo. En cambio, al que es malo de nacimiento, entender a los demás sólo le sirve para aprovecharse de ellos.

Obviamente pertenecíamos a dos mundos distintos. Yo lo sabía y había decidido enterrar nuestros respectivos pasados y empezar una vida nueva, sin lastres ni prejuicios. Por esta razón, no llevé a Carol a recorrer los escenarios de mi remota vida de estudiante pobre en Londres. A mí no me movía la nostalgia por aquellos lugares, a ella le traían sin cuidado y seguramente habrían cambiado mucho.

Todo Londres había cambiado. La vieja guardia había renunciado al bombín y el paraguas y la nueva ola, a sus melenas y sus hopalandas. Sólo unos punkis deambulaban por Kings Road con aire desamparado. Inglaterra había entrado en la Unión Europea, el país había claudicado de su peculiar idiosincrasia y, como muestra de aquella claudicación había adaptado su intrincada moneda al sistema métrico decimal. La tradición se aferraba a la imagen bucólica de la pareja formada por el príncipe de Gales y la princesa Diana.

Si Carol compartía mi intención de pasar un día tranquilo, sus planes se vieron pronto frustrados.

A la mañana del segundo día la recepcionista del hotel nos entregó una nota dirigida a Mrs. Batalla. Carol la leyó y esbozó una sonrisa agorera.

—Mr. y Mrs. McMillan tienen el placer de invitarnos a cenar esta misma noche, a las 7:30 en L'Escargot.

—¿Hemos de aceptar?

—Por supuesto.

—¿Quiénes son? ¿Los de tus veraneos regios?

—No. Él es socio de mi padre. Sólo los conozco de oídas.

—Vaya plan. Yo no voy. Si quieres, ve tú. Yo te espero viendo la BBC.

—No digas bobadas. Mi padre les ha informado de la boda y te quieren conocer. No saben qué papel tendrás en el negocio. Tú no les digas que a ti lo de trabajar no te va.

Al llegar al restaurante, el maître nos acompañó a una mesa redonda, al fondo del local, donde ya nos esperaban cuatro personas. Para que la cena fuera más distendida, los McMillan se habían hecho acompañar de otro matrimonio.

En contra de mis expectativas, míster McMillan era un hombre de avanzada edad, facciones angulosas, tez pálida y cabello blanco. Su mujer era china, de edad indefinida, pero claramente más joven que su marido, y se hacía llamar Peonía. Los amigos de los McMillan eran oriundos de Bangladesh. Él nos fue presentado como míster Pansa y ella como Henrietta. Míster McMillan y míster Pansa se dedicaban a la importación de productos alimenticios, pero no eran competidores. Míster McMillan importaba cítricos de España, y míster Pansa, vino y, sobre todo, vinagre de Jerez. Sus respectivas esposas eran muy amigas entre sí: dos o tres veces por semana se reunían de buena mañana para jugar al golf, almorzaban en una trattoria de Mayfair e iban juntas de compras.

Míster McMillan era descendiente de inmigrantes centroeuropeos afincados en Inglaterra en los inicios del siglo xx. Allí habían hecho fortuna y se habían cambiado el apellido original por el actual. Los padres de míster Pansa se habían enriquecido en Uganda, donde él mismo había nacido y donde había discurrido su infancia, hasta que, en la década de los sesenta, poco antes de la independencia, la familia se había mudado a la metrópolis. Sin renegar de sus orígenes, tanto míster McMillan como míster Pansa se consideraban británicos y hacían gala de un exaltado patriotismo. A mí, como español, me consideraban una especie de salvaje. Cuando Carol les dijo que yo había vivido unos años en Nueva York se mostraron más interesados en mi persona. Los dos conocían bien Nueva York, así como otras ciudades de los Estados Unidos.

—Estados Unidos es un gran país. Un país de aluvión. Quien lo desee, puede ir allí y probar fortuna. El éxito no está garantizado, claro, pero tampoco está excluido. Aquí, en el Reino Unido, ocurre lo mismo. Con una diferencia importante. En el Reino Unido existe un sólido andamiaje de clases sociales y en los Estados Unidos, no. Por esta razón, la sociedad americana se estructura por etnias. Allá un judío rico, primero es judío, y luego rico. Aquí un negro pobre, primero es pobre, y luego negro. ¿Cuál de los dos sistemas es mejor? Éste, sin duda. Porque las clases sociales son rígidas, pero uno puede cambiar de clase. En cambio, nadie puede cambiar de etnia. Y las etnias son una fuente inacabable de enfrentamientos. Como en *West Side Story*.

—¿Y entre clases sociales no hay enfrentamientos?

—Muy pocos. En la Historia antigua y reciente las revoluciones se pueden contar con los dedos de una mano. Y siempre se dan en países atrasados, como Rusia, México o la misma Francia. En cambio, las razas nunca han dejado de guerrear. Siempre tratando de exterminarse mutuamente.

—Aquí, por el contrario, nadie está marcado por sus orígenes. Nosotros, sin ir más lejos, jamás perteneceremos a la aristocracia de sangre, pero como somos adinerados y contribuimos al progreso del país, podemos recibir la Orden del Imperio Británico y el tratamiento de sir. ¿No le gustaría que le llamaran sir Rufo?

Les dije que aquél era el sueño de mi vida y brindamos por la reina.

—Como dijo el gran estadista Winston Churchill, ésta es la mejor democracia del mundo, descontando todas las demás.

En el taxi de vuelta al hotel, le dije a Carol que los amigos de su padre me habían parecido muy simpáticos.

—Claro. No había motivo para que no lo fueran. ¿Lo has pasado bien?

—He comido muy bien y no me he aburrido. En cambio, yo les habré parecido un muermo.

Carol no dijo nada, pero a la mañana siguiente, mientras desayunábamos, me miró con una expresión pícara que no auguraba nada bueno.

—Si ayer en la cena no estuviste divertido, hoy podrás repararlo, porque nos han invitado a otra cena.

—¿Cuándo lo has sabido?

—Hace un rato, en la habitación. Mientras te duchabas.

—¿Otro amigo de tu padre?

—Supongo que sí. Un señor muy distinguido. Nos invita a su club. Si nunca has estado en un club privado, te gustará.

—Yo pensaba que tendríamos un poco de intimidad.

—Los amantes tienen intimidad. Los matrimonios hacen vida social.

The men in bowler hats, the pigeons in Trafalgar Square, the red buses, the blue policemen—all sleeping the deep, deep sleep of England.

Sir Ambrose Palmer no era un aristócrata potencial, como nuestros anfitriones de la víspera, sino un noble genuino. Carol no lo conocía ni sabía exactamente qué relación tenía con su padre.

—¿Y por qué nos invita?

—Para quedar bien.

—¡Qué absurdo! Este encuentro no tiene sentido para él ni para nosotros.

—Quizá, pero es inevitable. La vida práctica consiste en hacer muchas tonterías inútiles. Como dan buenos resultados, se siguen haciendo y por eso se le llama la vida práctica. La especulación filosófica está muy puesta en razón, pero no da ningún resultado práctico. Yo no he inventado el mundo.

Carol había adquirido aquella sabiduría de *boudoir* por haber vivido en el mundo de las relaciones comerciales desde el día de su nacimiento. En circunstancias normales trataba a la gente a patadas sin motivo, pero en las relaciones comerciales se comportaba como un perrito amaestrado. A mí me parecía inmoral, pero me hacía gracia y me cuidaba mucho de hacerla partícipe de mi opinión.

Como al salir del hotel llovía a cántaros, el portero hizo sonar varias veces un silbato hasta llamar la atención de un taxi. Luego nos acompañó hasta la portezuela del taxi con un enorme paraguas. Bajo la lluvia, el taxi era de un negro charolado. Subimos y dejamos al portero luchando para evitar que el viento doblara las varillas del paraguas y se le llevara volando la chistera verde.

El club de sir Ambrose ocupaba un edificio de ladrillo, de dos plantas, con grandes ventanales, en una discreta calle perpendicular a Pall Mall. Ninguna placa o distintivo indicaba la naturaleza del establecimiento.

En el vestíbulo nos enfrentamos a un ujier anciano, menudo, de expresión adusta. Una levita de grueso paño azul marino con botones de latón y unos bordones dorados lo acreditaban como guardián de alguna esencia, cometido al que parecía entregado con el mismo ardor y convicción con que Ivanhoe aguardaba el regreso de Ricardo Corazón de León. Cuando le dimos nuestros nombres y el de nuestro valedor, dudó entre dar crédito a nuestras pretensiones o expulsarnos sin tardanza. Finalmente nos indicó que esperásemos un instante mientras hacía la oportuna consulta por un teléfono interior. No sé si le desagradaba más nuestra juventud o el hecho innegable de ser extranjeros.

De inmediato apareció en el vestíbulo un hombre de elevada estatura, enjuto y desgarbado, con la cara surcada de arrugas, nariz aguileña y unos ojos tan azules y tan brillantes que parecían dos bombillas. Era calvo, salvo unas greñas de color paja en las sienes y unas cejas negras tupidas. Vestía un traje de espiga gris, sobrio, bastante gastado, pero de buena tela y buen corte.

—Bienvenidos. Soy sir Ambrose. Disculpad la molestia. Me refiero al rígido procedimiento de ingreso. Normas del club.

Bajó la voz para no ser oído del ujier.

—Hasta hace cuatro días aquí no podían entrar mujeres. Algunos todavía no se han hecho a la idea. Pero no tengáis miedo. No habrá derramamiento de sangre.

El ujier se había retirado a su mostrador y hacía anotaciones en el libro-registro, visiblemente contrariado. Nosotros seguimos a sir Ambrose por una escalera amplia, cubierta de una tupida alfombra, hasta desembocar en un salón enorme, de techo alto. En una de las paredes había una enorme chimenea en la que humeaban y crepitaban gruesos troncos. De las paredes colgaban retratos de orondos caballeros con enormes patillas, cuyos descendientes ocupaban ahora los butacones esparcidos por el salón. Algunos conversaban por parejas; otros leían el periódico; otros tenían la mirada perdida en las molduras del artesonado. Casi todos sostenían un vaso, del que daban frecuentes sorbos.

—Antes de cenar, tomaremos un cóctel. Las novelas al uso nos degradan atribuyéndonos el consumo exclusivo del oporto. La verdad es que aquí preparan muy bien el martini, el old fashioned y otras mixturas. Conviene ir a cenar cargado, porque la cocina del club es deplorable.

Nos sentamos en tres butacas libres, acudió un camarero, sir Ambrose y yo pedimos sendos martinis y Carol, un old fashioned. Mientras los traían, sir Ambrose nos instruyó sobre las características de aquel club y de otros similares.

Hasta una época reciente, Londres, como todas las grandes ciudades, era una aglomeración humana caótica, insalubre, fea y peligrosa. La gente de posibles vivía en el campo, entre sus iguales, en mansiones holgadas, rodeadas de jardines primorosos. En ocasiones, el cabeza de familia debía ir a Londres para atender a sus negocios o para realizar una gestión y, como no era rentable mantener una casa permanentemente abierta ni era cosa de alojarse en un hotel cualquiera, se fundaron los clubs. En ellos los caballeros encontraban un acomodo decoroso, los servicios necesarios y la posibilidad de relacionarse con otros miembros de su profesión o de su círculo mercantil. Como el club permitía a sus socios recibir y agasajar a otros caballeros ajenos al mismo, las dependencias debían estar decoradas de tal modo que el visitante advirtiera la categoría social y la solvencia de su anfitrión. Durante un largo periodo, los clubs fueron el alma de la vida económica del Reino Unido. Ahora, naturalmente, todo aquello pertenecía al pasado, pero los clubs se mantenían por razones de representatividad.

—El principal producto de exportación de Inglaterra es el estilo. Nadie intenta copiar el carácter, la conducta o los modales de un alemán o de un italiano, y no digamos los de un americano o un ruso. Incluso quienes lo son procuran ocultarlo y se sienten halagados si les dicen que no parecen ser lo que son. En cambio, a todo el mundo le gusta que le tomen por inglés. O lo que pasa por ser el prototipo de un inglés. Obviamente, se trata de un burdo fraude. No digo que en Inglaterra no haya personas que respondan a la imagen del gentleman. También debe de haber españoles divertidos, franceses galantes y chinos taimados, como los pintan en las películas. Pero son la excepción a la regla. El inglés medio es un ser atroz. Todo el poderío inglés proviene de la revolución industrial. Eso duró un par de siglos. Luego la industria se fue a otras latitudes y aquí se quedó el proletariado. Hoy en día somos una nación de hombres ineptos y rudimentarios. Por suerte, el fútbol canaliza las energías de este ejército de brutos desocupados. Si un día la realidad trascendiera de nuestras fronteras, adiós al ideal del inglés aci-calado, pudiente, con unos modales exquisitos y un innato desprecio por el resto de la humanidad.

Sus propias palabras le producían brotes repentinos de hilaridad. Había apurado el martini de un sorbo y el camarero, sin esperar órdenes, ya le traía el segundo. Dio unos sorbos y continuó hablando con gran seriedad. Sólo de cuando en cuando se interrumpía para lanzar una carcajada y beber un poco de martini.

—En realidad, esta colección de espantajos circunspectos estamos aquí para disimular la aniquilación del viejo esplendor. Somos los verdaderos patriotas. Nadie en su sano juicio malgastaría su tiempo en este mausoleo en vez de quedarse en casa, viendo la televisión con la familia, o de ir a un local de masaje tailandés.

Se atragantó a causa de la risa y yo aproveché para preguntarle si Inglaterra estaba tan mal como se desprendía de su análisis o si nos estaba tomando el pelo.

—Oh, no, no. Digo la verdad, sin enmascararla. Y aún podríamos estar peor. Hace unos años estuvimos al borde del colapso total. Inflación, desempleo, deuda pública. Luego, como ocurrió con la Armada Invencible, la Providencia demostró ser anglófila y nos envió el petróleo del mar del Norte y a Margaret Thatcher.

Un camarero vino a decirnos que podíamos pasar a cenar. Como su tono era más perentorio que informativo, apuramos los cócteles y pasamos a un comedor mal iluminado, donde había una docena de mesas puestas, dos de las cuales estaban ocupadas por varios caballeros que comían en silencio.

Una vez sentados, estudiamos con poco entusiasmo el menú, consistente en una sopa y la posibilidad de elegir entre una carne y un pescado. Sir Ambrose nos aconsejó la carne.

—No la preparan muy bien, pero el pescado es incomestible.

Hicimos la comanda y sir Ambrose pidió una botella de clarete.

—Cada club tiene un motivo de orgullo. El de éste es la bodega. No la hay mejor en todo Londres.

La comida que nos sirvieron era tan mediocre como sir Ambrose había anunciado y el vino estaba a la altura de sus elogios.

Después del primer plato, le pregunté a qué se dedicaba. Después de reírse un rato, respondió con naturalidad.

—A nada en particular. Tengo fincas. Unos campesinos las cultivan, un administrador las gestiona y yo invierto los beneficios en bolsa. Y como soy un dechado de frugalidad, con estas menudencias tengo suficiente.

—Entonces, ¿qué relación tiene con mi suegro, sir Ambrose?

—Ninguna. Ni siquiera sé quién es.

—¿Y por qué nos ha invitado?

—Ah, ¿no lo sabéis? Ja, ja, ja. La madre de Carol y yo estuvimos a punto de casarnos. Ella no os ha contado nada, claro. Quizá le resulta embarazoso.

Carol, que hasta entonces había permanecido callada, le rogó que ampliara la información que acababa de darnos.

—No tengo inconveniente. La discreción no figura entre las cualidades de un caballero. Y no hay nada en esta historia que redunde en descrédito de ninguno de sus partícipes. En aquellos años las relaciones eran muy distintas a como son hoy.

Habíamos dado cuenta de la botella de clarete y nos estaban sirviendo la segunda. Sir Ambrose parecía haber olvidado mi presencia en la mesa y sólo se dirigía a Carol.

—Durante un curso, tu madre fue enviada a un internado de monjas en Sussex, con el propósito de que allí le inculcasen modales refinados y así poder casarla bien a falta de otros méritos de clase o fortuna. Por supuesto, ella no necesitaba que le enseñaran nada ni las buenas religiosas supieron cómo refrenar su osadía y sus ganas de vivir. Era una cabeza loca. Quería ser cantante, como Billie Holiday o Sarah Vaughan, dos ídolos de entonces. Dejando de lado el color de la piel, no le faltaba buena presencia y tenía una bonita voz de soprano. Pero sólo con eso no se va a ninguna parte y ella no estaba dispuesta a dar el paso definitivo. La conocí en un baile de sociedad al que acudió como amiga de la hermana de un amigo, o algo parecido. ¡Ah si la hubieseis visto en aquella época! Todos los chicos caímos rendidos a sus pies, incluso aquellos cuyas preferencias seguían otros derroteros. Al final yo fui el afortunado. Estaba loco por ella, le propuse matrimonio, quise presentarla a mis padres. Ella me pidió tiempo para reflexionar. Había llegado el verano y debía regresar a Barcelona. Desde allí me escribió una carta breve, en un inglés deplorable, dándome el no por respuesta, sin más explicación. Me llevé un gran disgusto, pero no me sorprendió. Yo le ofrecía dinero y una posición social elevada. Es bastante, pero no lo es todo. Los ingleses hacemos las cosas mejor que nadie, pero como maridos no valemos un pimiento. No me importa admitirlo: las clases altas tenemos orgullo, pero no vanidad; la vanidad es para la gente de medio pelo.

Hizo una pausa y nos miró con los ojos húmedos, más por efecto del vino y los martinis que por el recuerdo de la felicidad perdida. Carol y yo guardamos un respetuoso silencio. Sir Ambrose dejó escapar un hondo suspiro, seguido de una risotada.

—Poco después de enviar la carta, Mimí se casó con un antiguo pretendiente. Desde entonces, no nos hemos vuelto a ver. Sin embargo, mantenemos una buena amistad por correspondencia. Así supe de vuestra boda. Os he invitado para ver si te parecías a ella. La verdad es que no. Quizá un aire de familia. Quizá mi memoria ha ido retocando el retrato.

73

A la mañana siguiente, Carol llamó a su madre desde la habitación del hotel y le contó nuestro encuentro con sir Ambrose. Yo me retiré al saloncito contiguo para dejarlas hablar sin testigos molestos. Al cabo de un largo rato, Carol se reunió conmigo.

—¿Qué te ha contado?

—Que el bueno de Ambrose era una monada: alto, rubio, con los ojos azules y una sonrisa angelical. Le llamaban Bambi.

—Pues si tu madre ve a Bambi ahora se le caerán los palos del sombrajo.

—Yo le he dicho que se conserva estupendamente. Y como ya he hecho la buena obra del día, podemos ir a dar una vuelta.

—Recuerda que esta noche tenemos entradas para el Royal Festival Hall. Si me sales con otra cena, encontrarán tu cuerpo flotando en el Támesis.

Even little babes, when I take them in my arms, weep bitterly.

Como aún era temprano y hacía una noche serena y benigna, después del concierto y de una cena ligera en la cafetería medio vacía del Royal Festival Hall, propuse a Carol que regresáramos caminando al hotel. No nos iba a llevar más de un cuarto de hora y desde el puente de Waterloo la vista sería bonita. Carol aceptó de inmediato la proposición. Se encontraba bien y un poco de ejercicio le sentaría de maravilla, según dijo. Tanta mansedumbre debería haberme hecho sospechar que algo tramaba. Se había dejado llevar a un concierto de Charles Mackerras al frente de la Filarmónica de Londres en vez de arrastrarme a un concierto de Freddie Mercury y luego no me había echado en cara mi crueldad.

A aquella hora el tráfico no era intenso y desde el puente, hacia el este, se veía la cúpula de Saint Paul y al fondo, los nuevos rascacielos. En mis tiempos de estudiante, en la City todavía quedaban extensos solares dejados por los bombardeos. Ahora Londres crecía en vertical a un ritmo frenético. Nos detuvimos a contemplar el panorama. Carol me agarró del brazo y apoyó la cabeza en la hombrera de mi abrigo. No escatimaba las manifestaciones de cariño, pero tanta zalamería me dio mala espina.

—Dime qué estás pensando.

Carol me miró con una expresión de desvalimiento que había visto en anteriores ocasiones. Vaciló un rato antes de hablar.

—Soy hija de sir Ambrose, ¿verdad?

Tardé unos segundos en entender la pregunta y relacionarla con la conversación mantenida la noche anterior.

—¿Hija de Bambi? ¡Qué locura! ¿Qué te hace pensar eso?

—Todo. Desde anoche le estoy dando vueltas al asunto. Si sir Ambrose nos invitó a cenar en su club fue para verme y confirmar lo que ya sabía. Por eso nos contó su relación con mi madre. Fue una manera discreta de darme a entender su verdadera paternidad.

—Me parece un disparate. Yo no vi nada de nada. Pero si te has quedado con la duda, pregúntaselo a tu madre. Ella te lo puede aclarar. Yo no sé qué decirte.

—Se lo preguntaré cuando tenga más datos.

—¿Y cómo los vas a obtener?

En el silencio subsiguiente oímos graznar a las gaviotas que sobrevolaban el río.

—Tú podrías ir a ver a sir Ambrose, mañana por la tarde, al club. Y sonsacarle. O preguntárselo sin rodeos. De hombre a hombre.

—¡Estás loca! ¡Si le voy con esta historia hará que me echen a patadas, del club y del país!

—Ya verás como no. Está deseando contártelo. Ayer lo insinuó y ahora nos toca a nosotros dar el paso siguiente.

—¿Por eso estabas tan callada y tan mimosa? ¿Urdiendo este plan diabólico?

—Joder, Rufo, la Cuarta Sinfonía de Bruckner da para urdir planes y para mucho más.

—Está bien, te agradezco que me hayas acompañado. Pero lo que me pides es una barbaridad.

—No digas eso. Si fuiste al Japón a entregar una carta porque te lo pidió un príncipe de pacotilla, bien puedes ir a un club de Pall Mall porque te lo pide tu mujer. Pero si no quieres, no vayas.

Seguimos caminando y no volvimos a cruzar palabra hasta llegar a la habitación. Para entonces yo ya sabía que acabaría aceptando el encargo.

La idea de Carol, tanto en lo referente a sus posibles orígenes biológicos como a mis pesquisas, me parecía absurda e incluso perniciosa, pero no me atreví a contrariarla. Por su temperamento, Carol era capaz de enfrentarse a situaciones extremas con una prontitud e irreflexión rayanas en la temeridad, pero cuando le asaltaba la incertidumbre o perdía la seguridad en sí misma era de una extrema fragilidad y, en su estado, yo quería evitarle todo lo que pudiera afectar a su equilibrio anímico. A todas luces la inminente maternidad había cambiado la noción de sus padres que había alimentado hasta entonces. Aquél era un terreno que requería ser andado con la máxima delicadeza.

Pasé buena parte de la noche despierto, pensando la forma de llevar a término mi cometido.

Al día siguiente Carol no volvió a mencionar el encargo, pero a media tarde, cuando regresamos al hotel a descansar un rato después de un minucioso recorrido por las tiendas de Bond Street, empezó a dar muestras de nerviosismo y yo, antes de que aumentara su desazón, le anuncié que me iba al club a hablar con sir Ambrose. Mi buena disposición la tranquilizó y me demostró su agradecimiento con comedida ternura.

El mismo ujier me sometió de nuevo a un desabrido escrutinio antes de hacer la oportuna llamada por el telefonillo. Sir Ambrose tardó un rato en personarse en el vestíbulo, me saludó con distraída cordialidad y no dio muestras de extrañeza al verme acudir solo y sin previo aviso. Subimos la escalera y entramos en el salón donde habíamos estado dos días atrás. Al verlo por segunda vez, me pareció menos chocante y más acogedor. La chimenea difundía un calor reconfortante y el olor de madera quemada se mezclaba con el de las sobrias colonias de los presentes.

Apenas nos hubimos sentado, sir Ambrose me miró con expresión afligida.

—No es muy malo, espero.

—¿Perdón?

—Me refiero al tiempo. Es preceptivo hablar del tiempo.

—Ah, no. Una llovizna intermitente.

—Es lo propio de esta ciudad. Y de la estación. Martini, si no recuerdo mal.

Asentí con la cabeza y por un momento flotamos callados en el murmullo general de las conversaciones ajenas. Cuando el camarero depositó los martinis sobre la mesa, decidí llegado el momento de abordar el objeto de la entrevista.

—Ante todo, debo disculparme por el atrevimiento que supone acudir a su club sin pedir previamente su conformidad ni tomar en consideración la conveniencia de mi visita. Pero deseaba hacerle una consulta de cierta gravedad y, como sabe, regresamos en breve a Barcelona. De ahí la precipitación y la falta de cortesía.

—Por favor, ninguna disculpa es necesaria. Ya dije el otro día que me considero parte de la familia.

—Precisamente, la consulta a que me refería proviene de una conversación reciente entre mi esposa y yo. Una conversación y un amigable desacuerdo surgido a raíz de la agradable velada de anteayer, en este mismo lugar, gracias a su generosidad.

Sir Ambrose me escuchaba con aire ensimismado, como si quisiera evitar que una leve muestra de interés pudiera interpretarse como instigación o apremio. Como acababa de ocurrirme con el salón del club, su aspecto y su personalidad me producían un efecto distinto y, mientras yo hablaba y él fingía no escuchar, no podía dejar de preguntarme si aquella tez pálida, aquellas greñas amarillentas, aquellas mejillas fláccidas y aquellos ojos bovinos serían realmente las facciones del abuelo de mi hijo.

—Le diré de antemano que la consulta sólo le concierne de un modo indirecto. De ningún modo quisiéramos implicarle en algo que, en última instancia, sólo nos afecta a nosotros. Por supuesto, lo que usted diga quedará en el más absoluto secreto. Y añadiré que, si lo desea, podemos concluir la conversación en este mismo instante y considerar que nunca ha tenido lugar.

Por toda respuesta, sir Ambrose hizo un ademán al camarero, que se acercó de inmediato para reemplazar las copas vacías por dos martinis recién preparados. Luego se volvió hacia mí con una sonrisa indulgente.

—Correré el albur. ¿Cuál es el objeto de la consulta?

—Una simple pregunta: ¿es tan bueno Shakespeare como dicen?

Sir Ambrose apuró el martini, depositó la copa con cuidado en la mesita, me miró fijamente y esbozó un ademán poco expresivo.

—Me temo, querido amigo, que no tengo la respuesta adecuada. Del bardo sólo sé lo que me inculcaron en la escuela pública, y aun eso lo he olvidado. Sobre tenis me puedes preguntar cualquier cosa: voy cada año a Wimbledon desde que tengo uso de razón. De lo otro... ¡Ah, pero no te irás de vacío! Un club agrupa a hombres con muchas afinidades, pero también con muy diversos conocimientos. Voy a dar una vuelta y sin duda encontraré a la persona adecuada.

Me dejó con mi martini y regresó al cabo de un buen rato acompañado de un hombre menudo, fornido, de cara redonda y barbita cana, con la piel curtida, la nariz y las mejillas de un marcado color granate. De inmediato me puse de pie y sir Ambrose me lo presentó.

—El coronel De Vere. Le he contado el motivo de vuestra preocupación y se ha prestado muy amablemente a darte su ponderada opinión. Es un gran erudito en la materia.

El coronel sonrió con modestia.

—Cuando uno se dedica a la guerra en época de paz, dispone de mucho tiempo libre para cultivar sus aficiones.

Sir Ambrose le golpeó el hombro.

—Bah, bah, otros se dedican a beber y a perseguir faldas. Pero no nos quedemos de pie. ¿Qué le apetece, coronel?

—Veo que han hecho los honores a sendos martinis. Yo no me atreveré a tanto, pero no le haría ascos a un highball.

Pedida y servida la ronda de bebidas, el docto militar, que había aprovechado el paréntesis para poner en orden sus ideas, carraspeó, juntó las yemas de los dedos, levantó los ojos hacia el artesonado e inició su explicación con tanta gravedad como si estuviera en el púlpito de una abadía.

—¿Es realmente William Shakespeare un buen escritor? He ahí una cuestión no exenta de trascendencia. Mi respuesta es clara: William Shakespeare no es bueno, es grande. ¿Dónde reside la diferencia? Trataré de explicarlo.

Bebió un largo trago de whisky con soda y se enjugó los labios con un pañuelo a cuadros que sacó del bolsillo del pantalón antes de continuar su alocución.

—Probadas y admitidas están la riqueza de su léxico, el ritmo de sus frases, la originalidad y belleza de sus imágenes poéticas. Como dramaturgo, sin embargo, sus méritos son menos. Los argumentos de sus obras están copiados de aquí y de allá, por lo general son confusos, a veces banales, en ocasiones, ambas cosas. De los personajes, mejor no hablar: Hamlet es un demente; Otelo, un necio; Romeo y Julieta, dos tontainas excitados; Macbeth, un mangante. ¿Y los reyes? Unos delincuentes sin escrúpulos. ¿Es ésta forma de representar a la más alta instancia de la nación?

Al oír aquella severa crítica, no se pudo contener sir Ambrose.

—¡Que me ahorquen, coronel, nunca había considerado al pobre Will bajo este prisma!

Sin atender a la exclamación de su consocio, prosiguió el docto militar.

—No obstante, queda la grandeza. La cual no proviene de sus méritos literarios, sino de su autoridad. Lo mismo sucede con las Sagradas Escrituras. La mayoría de los textos no se entienden, pero en ellos percibimos la voz del Señor y con eso basta. Cuando Cristo se dirige a sus discípulos y proclama: En verdad, en verdad os digo... ¿qué importa lo que viene luego? Por lo general, una simpleza o un galimatías. Pero hemos escuchado la voz del Señor, y no podemos dejar de estremecernos. Y con Shakespeare, otro tanto. Ser o no ser, ¿qué carajo significa? Nadie lo sabe. Probablemente una idiotez. Pero uno escucha estos cuatro vocablos y de inmediato queda deslumbrado por el resplandor de la cultura universal.

Había bebido bastante, por lo que preferí regresar al hotel a pie y llegar despejado para dar cuenta a Carol de mis gestiones.

Como era tarde y estaba algo cansada, Carol se había hecho llevar a la habitación un consomé, una ensalada, unos sándwiches y una bandeja de fruta.

Al verme entrar dejó de comer y me preguntó cómo había ido el encuentro. Antes de responder, me quité la gabardina y los zapatos, me lavé las manos y la cara en el cuarto de baño, salí, me senté y cogí un sándwich de pepino y huevo duro.

—Ha ido muy bien. Nada más llegar, le he dicho: Bambi, ¿te zumbaste a mi suegra? Y en caso afirmativo, ¿con condón o sin condón?

—¡Burro!

—En serio, hemos hablado largamente, siempre con circunloquios. Sir Ambrose me ha dado a entender que su conducta, en todo momento y lugar, ha sido en extremo caballerosa. Lo cual no aclara nada. Por otra parte, tanto si afirma como si niega, puede estar mintiendo. A decir verdad, todo hombre, en circunstancias parecidas, miente por principio, como medida de precaución.

Carol puso morritos, más mustia que enojada.

—Sin embargo, el viaje no ha sido en vano. Del diálogo he sacado la conclusión de que probablemente sir Ambrose no es tu padre. Ni el padre de nadie, para ser sincero. Siempre subsistirá la duda, pero eso es parte de la biología y, por consiguiente, de nuestra condición humana. He observado que, paradójicamente, a las mujeres este tema os preocupa más que a los hombres, quizá porque nosotros estamos condenados a no conocer nunca de cierto nuestro origen y a no tener garantía de nuestra paternidad. Yo puedo ser hijo de mi padre, o del vecino, o quizá me adoptaron, o me encontraron abandonado en la montaña. Quizá soy hijo del Yeti. ¿Qué más me da? La vida no es la que debería ser, sino la que me he encontrado. Te digo esto con el propósito de tranquilizarte y también de tranquilizarme a mí mismo.

If they looked out of the window for a minute they could see the drift of things.

De regreso en Barcelona, nos instalamos en el piso que los padres de Carol le habían comprado en la calle Modolell, entre la Vía Augusta y la calle Raset. Yo había insistido en costear el mobiliario con mis magros ahorros, ellos accedieron para no menoscabar mi dignidad y el resultado fue una vivienda desguarnecida. Como era amplia, bien proporcionada y muy luminosa, el vacío le daba un toque de modernidad. Allí esperamos con nerviosismo y frugalidad los meses que faltaban para el nacimiento de nuestro hijo.

A partir de entonces y durante años, mi vida discurrió simultáneamente por varios cauces, cada uno de los cuales parecía llevar a una persona distinta y obedecer a una cronología propia.

El nacimiento se produjo en las fechas previstas, en la mejor clínica, bajo el control del mejor

ginecólogo y sin el más mínimo contratiempo y todos los implicados pudimos dar rienda suelta a las
muestras más aparatosas de sentimentalismo. El
niño era sano y mono y recibió el nombre de Víctor, una deferencia al padre de Carol difícil de evitar habida cuenta de su largueza pasada, presente y futura. No obstante, por la firme voluntad de
Carol y mía, y afrontando el riesgo de una grave
desavenencia familiar que nos habría dejado en la
inopia, no fue bautizado. Por fortuna, en medio del
regocijo general, aquella declaración implícita de
apostasía pasó inadvertida o, a lo sumo, achacada
con paciente benevolencia al inconformismo pasajero de la juventud y a las modas cambiantes.

Después de unos días en la clínica, instalados
cómodamente en la nueva casa y convertidos en
una encantadora familia nuclear, dio comienzo un
periodo aparentemente inerte, hecho de una rutina rica en detalles, llena de serenas alegrías, soterra-
dos temores y repentinas alarmas sin trascendencia.
Tanto Carol como yo habíamos vivido en el pasado
etapas turbulentas en escenarios exóticos, y ahora
las recordábamos con agrado, pero sin añoranza. El
recuerdo de lo que habíamos visto y experimentado
nos permitía disfrutar de la tranquilidad del presente sin desasosiego, al menos por el momento.

Con muy buen criterio, la madre de Carol nos
cedió a Sagrario, una criada que había entrado en
casa de los Escolá cuando Carol era una niña y,
en consecuencia, conocía su temperamento y sa-

bía cómo capear sus inclemencias. Sagrario era una mujer de mediana edad, lista, enérgica, responsable y pasable cocinera. Además de llevar la casa, estableció de inmediato con el bebé un vínculo inquebrantable, basado en un tejido de soluciones fáciles a necesidades básicas. Con Sagrario, los cuidados maternos y paternos se redujeron a un mínimo. Cuando Sagrario libraba, mi madre siempre estaba dispuesta a reemplazarla con ostensible entusiasmo. Su primer nieto había devuelto la alegría de vivir a una existencia solitaria, no exenta de inquietudes y pesadumbres.

Anamari, que desde hacía una temporada estaba agitada e irascible, anunció que se separaba de Tomás. Como era ella la que tomaba la decisión, él demostraba un profundo pesar y todos le queríamos bien, su desaparición del entorno familiar nos dejó muy abatidos. Hasta tanto no encontrase un alojamiento adecuado a sus ingresos, Anamari se instaló en casa de nuestra madre. Una vez allí, enfermó de gravedad. Según mi madre, la ruptura le había producido una bajada de defensas. Los médicos no le daban la razón, pero tampoco daban con el diagnóstico ni con el tratamiento adecuados, y durante un largo periodo todos temimos lo peor. Luego, sin causa aparente, la medicación empezó a surtir efecto y poco a poco Anamari recobró la salud. Durante aquella etapa, reapareció Tomás. Al tener noticia de lo ocurrido, abandonó su discreto alejamiento y todos los días hacía acto de presencia, bien en la casa, bien en el hospital. Quizá aquella solicitud hizo recapacitar a Anamari, porque, ya muy avanzada la convalecencia, hubo una reconciliación que acabó en boda y más tarde, en embarazo. Un final feliz para una etapa desventurada.

Agustín siguió cosechando éxitos dentro y fuera de Alemania. Sus comedias se estrenaban por toda Europa y se mantenían durante meses en cartel. Pero la súbita inspiración que le había llevado a escribirlas sin más base ni método que sus ocurrencias repentinas se agotó tan rápida y misteriosamente como había brotado. Él fue el primero en darse cuenta del eclipse de sus facultades y cayó en un estado de torpor que lo retrotraía a los años de la infancia, cuando parecía condenado a no hacer nunca nada de provecho. Yo trataba de animarle diciéndole que la crisis probablemente era una etapa necesaria en su carrera de dramaturgo.

—Ten paciencia. Algo se te ocurrirá.

—El problema no es ése, Rufo. El problema es que sólo se me ocurren las mismas cosas, una y otra vez. Y no encuentro salida a unas fórmulas sobadas que podría estar reiterando, pero que me resultarían repugnantes.

Tenía razón y en aquel aspecto nadie podía ayudarle y menos aún darle consejos. Él solo debía persistir hasta encontrar un camino nuevo dando palos de ciego.

También a Greta los años le pasaban factura. El modelo de teatro revoltoso y provocador empezaba a cansar al resignado público y ella, por su parte, iba perdiendo la candidez juvenil que le permitía ser atrevida, insolente y deslenguada sin ofender a nadie. La audaz e incorruptible compañía del Lappentheatre de Stuttgart empezaba a sufrir deserciones y la propia Greta, violentando su inquebrantable fidelidad a la institución y a su tiránico director, iba buscando otras salidas. Al teatro comercial no quería ni acercarse, su formación y su experiencia la incapacitaban para el teatro clásico, y sus intentos por hacerse un hueco en el cine alemán, que conservaba su prestigio internacional pese a la muerte reciente de Fassbinder, no tuvieron mejor fortuna.

Anamari estaba preocupada por nuestro hermano.

—Mientras no le dé por beber...

—No creo. Agus es un luchador, más tipo tortuga que león, pero no claudicará fácilmente. Y no le veo empinando el codo.

Finalmente, Greta consiguió un papel secundario en una obra de Thomas Bernhard en el Altes Schauspielhaus. Agustín había oído hablar del teatro de Bernhard pero no lo conocía y al tomar contacto con él tuvo una revelación. Leyó sus obras y viajó por todo el país para ver las distintas representaciones. Luego se encerró en casa y escribió febrilmente. Después de varios intentos, acabó una obra, la estrenó y fue un fracaso de público, pero él quedó satisfecho. Creía haber encontrado una nueva forma de hacer teatro y la opinión de los demás le traía sin cuidado. Pero los problemas de Agustín no cesaban: cuando hubo recuperado las ganas de trabajar, Greta quería tener un hijo. A menudo me llamaba, a las horas más intempestivas, para pedirme consejo.

—A buen santo te encomiendas.

—*John —Wendy said falteringly—, perhaps we don't remember the old life as well as we thought we did.*

A los pocos días de nacer Víctor, irrumpió en la habitación de la clínica Baltasar Ortiguella, muy alborotado. Se había enterado por terceros del feliz acontecimiento y venía a conocer al recién nacido y a desearnos toda la felicidad posible en este mundo y en el otro. Al principio me quedé un tanto sorprendido; luego, con el trato frecuente, me di cuenta de que aquella reacción era propia de su carácter voluble e insustancial. En aquel momento, mostraba una alegría tan sincera que disipó de golpe la incomodidad que podía haber provocado su inesperada reaparición. Después de darme un abrazo y de besar a Carol, abrió la gruesa cartera de piel color caoba y sacó una caja de bombones belgas, comprada por él mismo en una tienda de Bruselas, a donde había ido por cuestiones relacionadas con el Mercado Común.

—El ingreso de España está hecho. Sólo falta vencer algunas resistencias insidiosas y pasar por los sucesivos aros de la pomposidad, la burocracia y el fariseísmo.

Se quedó mirando arrobado al bebé, que dormía entre los brazos de su madre, y le apuntó con el dedo.

—¡Serás europeo, chaval!

—Te veo muy entusiasta. ¿A dónde ha ido a parar tu visión catastrofista?

—Ah, no, sigo pensando lo mismo. Muchos las van a pasar canutas. Pero no se puede frenar el curso de la Historia. Ahora lo importante es no precipitarse y no dejarse engatusar. Si no andamos listos, en cuanto entremos en Europa esos cabrones nos darán un cubo y una bayeta y nos pondrán a fregar los suelos.

Tuve la impresión de que estaba un poco piripi, pero ante la alegría producida por sus efusiones, me abstuve de comentarlo cuando se hubo ido. Carol no se mostraba sorprendida ni molesta por lo que a mí me había parecido una indelicadeza. Ella adivinó mi desagrado y se echó a reír.

—No trates de entenderlo: Bollo es así.

Al mirarla, incorporada sobre una pila de almohadones, con un camisón de encaje, el cabello revuelto, la expresión relajada y el bebé en los brazos, se desvanecía mi suspicacia y se esfumaban los últimos residuos de mi escasa voluntad.

A partir de aquel día, Baltasar Ortiguella fue una presencia casi permanente en nuestro hogar, con el beneplácito de todos los interesados.

En más de una ocasión vino un poco achispado, pero como era de natural bondadoso, los vahos alcohólicos envolvían su conducta en una nube de candor que hacía perdonar su estado e incluso otros aspectos menos loables de su personalidad. Siempre se mostraba de buen humor y siempre venía cargado de regalos, no sólo para el pequeño Víctor, sino para el resto de la familia. Incluso a mi madre, sin apenas haberla tratado, le enviaba flores con cualquier excusa y, cuando sabía que iba a coincidir con ella, nunca olvidaba obsequiarla con una caja enorme de pastas de té, que la volvían loca. Anamari, que había dado por perdido a un amigo y a un posible aliado para sus proyectos financieros, no cabía en sí de gozo por haberlo recuperado. Y Carol, que desconocía el sentimiento de culpa, ahora manifestaba gran cariño por su antiguo novio, al que pocos meses antes denostaba sin reservas. Pero sin duda con quien mejor se entendía él era con el pequeño Víctor. A medida que éste adquiría conciencia de su entorno, desarrollaba una afinidad por Baltasar Ortiguella sólo comparable a la que sentía por Walter, el lulú de Pomerania, con el que rivalizaba por la atención y el amor de su abuela materna.

Por todas estas razones yo me fui sobreponiendo a mi rechazo inicial y me dejé ganar por sus sinceras muestras de afecto, en las cuales creí entrever la acuciante necesidad de ser querido que le había atribuido Carol. Por lo demás, era simpático y su conversación, cuando no versaba sobre la coyuntura económica, era entretenida, aunque de corto alcance. Al final entablamos una amistad que consistía en estar a gusto el uno con el otro, aunque no tuviéramos casi nada en común. Sólo ocasionalmente me sentía celoso y le preguntaba a Carol por el verdadero orden de sus preferencias.

—Una cosa no tiene nada que ver con la otra: de Bollo estoy vacunada y de ti sigo con la infección.

—Tus desvelos maternales te hacen hablar en términos pediátricos, pero agradezco el cumplido.

—Bueno, hay otros detalles que me callo porque soy una niña bien.

Sin atender a sus protestas, yo la seguía azuzando con unos celos fingidos, porque sabía que aquella situación de ambigüedad la reconfortaba: no le era fácil aceptar un cambio tan radical en su modo de vida y sin duda le pesaba su imagen de esposa, madre y ama de casa y el temor a haber renunciado para siempre a las locuras de un pasado tan cercano.

Gracias a mi suegro y a Baltasar Ortiguella pasé a formar parte de la sociedad mercantil catalana, un gremio integrado por hombres de edades variables, complexión sólida, inteligencia despierta, talante afable y una capacidad de trabajo inagotable. Ilustres herederos del proteccionismo decimonónico, no veían con malos ojos una moderada intervención estatal en los asuntos públicos y estaban dispuestos a cumplir la ley dentro de unos límites razonables y a cooperar con cualquier tipo de Gobierno para mantener la estabilidad del país. Una fuerte dependencia emocional y una devoción ciega a causas abstractas e inconsistentes, como el catolicismo rancio, la redención de la nación catalana y las glorias deportivas del Barça, los hacía inmunes a las ideologías al uso y, llegado el caso, al sentido común y a la ética más elemental. Los vaivenes del mercado, el futbol, la gastronomía y unos chistes sin malicia centraban sus conversaciones. Les gustaba el mar y casi todos poseían una embarcación de recreo. Reprobaban la ostentación, la jactancia y la maledicencia y, a diferencia de sus congéneres de otras latitudes, no sucumbían a la adulación. Eran maridos devotos, considerados y rumbosos, tenían de sus mujeres la más alta opinión, escuchaban sus comentarios y seguían sus consejos, y sus frecuentes y a menudo sonadas correrías extramatrimoniales ni menoscababan la lealtad a sus cónyuges ni ponían en peligro los vínculos familiares.

Como no eran mezquinos ni malpensados, me aceptaron de inmediato y sin recelo.

A mi suegro le complacía sobremanera que me hubiera adaptado con tanta naturalidad a un colectivo del que él era una figura conspicua.

—Estaba seguro de que más tarde o más temprano trabajaríamos juntos.

—No sé cómo.

—Haciendo lo que haces. Nada. Tengo contables, tengo agentes, tengo empleados a todos los niveles, yo mismo estoy al cabo de la calle en los aspectos prácticos del negocio. Pero tú tienes algo que a nosotros nos falta. Eres culto, buen conversador, hablas idiomas, sabes viajar y todo te importa un rábano.

—¿Y eso es suficiente?

—No lo sé. Yo confío en que lo sea. Vivimos en un mundo globalizado. Esto no quiere decir nada, pero es así. Con las computadoras, el dinero hoy está en Zúrich y mañana en Borneo. Nosotros, los de la vieja escuela, somos buenos a la hora de tomar decisiones concretas, pero no sabemos nada del marco general en el que las tomamos. Si nos sacan de lo cotidiano, somos una nulidad. Vivimos encerrados en nuestro pequeño comercio, como nuestros abuelos. Algunos coleccionamos arte contemporáneo, otros juegan al golf. Actividades paralelas, sin ninguna relación con el trabajo. Una pérdida de tiempo. Tú, en cambio, estás ahí y lo ves todo. Aunque no te fijes.

—Quizá tengas razón, pero de momento me siento un zángano.

—También tienen su función. A mí me convienes. Si necesito algo concreto, ya tengo a Bollo. Es un tarambana, pero se las sabe todas y Carol lo tiene bien agarrado. Tú y él sois complementarios. Es como si tuviera dos yernos por el precio de uno.

Después de aquella conversación, traté de imaginarme a mí mismo como un infiltrado en un mundo ajeno, casi como un personaje de John le Carré, pero, en el fondo, sólo me veía como un vago y un impostor.

—Pero mis semillas, mis semillas, ¿quién me las ha echado a rodar?
—El gato, ¿qué duda tiene?

Tan pronto Víctor dejó de requerir nuestra atención constante, aprovechamos la infraestructura familiar para dejar al bebé en buenas manos y viajar por España, Italia y el sur de Francia. No íbamos muy lejos ni por mucho tiempo, para poder regresar sin demora en caso necesario. Aunque a mí me desagrada profundamente hacer turismo, aceptaba de buen grado aquellas escapadas, que servían para alejar a Carol del borde de la cuna y a los dos, para escapar de la opresiva atmósfera de un hogar perfecto y recuperar una intimidad erosionada por los incidentes cotidianos y la presencia ineludible de papillas y pañales.

Como nos había ocurrido en Londres, en los viajes nunca faltaban encuentros concertados con personas asociadas al negocio de la familia Escolá. Nuestros anfitriones se esforzaban por quedar bien con nosotros y yo abandoné mi retraimiento inicial en cuanto entendí las normas del intercambio. En unas cenas suculentas, donde todo era apetecible, salvo la compañía, sólo hacía falta ser amable sin distingos y mantener viva la conversación sobre cualquier tema, y yo siempre he tenido talento para lo trivial. Mi indiferencia por los detalles de la relación comercial era interpretada como una muestra de honradez y transparencia, y como era evidente que disfrutaba de la buena cocina y el buen vino, todos quedaban encantados conmigo. Hasta Carol, siempre parca a la hora de repartir elogios, reconocía mi versatilidad.

—Has nacido para vendedor de crecepelo.

Cuando llegó el buen tiempo y Víctor empezó a caminar, fuimos varias veces con él a la casa que tenía una amiga de Carol cerca de la cala San Vicente, en la costa norte de Ibiza. El lugar era tranquilo y la casa, apodada Son Pardal, era amplia, de paredes encaladas, con un jardín de pinos y adelfas, y una piscina de regular tamaño.

En aquellos años Ibiza ya no era un refugio de hippies, pero todavía no estaba saturada de forasteros, salvo en los meses de julio y agosto.

La amiga de Carol se llamaba Gracia Lorente y era dentista. Había ingresado en la Facultad de Medicina de la Universidad de Barcelona, pero en el segundo o tercer curso se significó políticamente hasta tal punto que sus padres consideraron prudente sacarla de allí y costearle el resto de sus estudios en la prestigiosa Universidad de Grenoble, de donde regresó doctorada en endodoncia infantil. Ahora llevaba años trabajando en una clínica dental en la Bonanova y permanecía soltera.

—¿No será un poco lesbi?

—Ni hablar. La conozco desde que teníamos diez años y lo sabría. Seguramente los hombres la atraen, pero no le gusta cómo sois.

—Así define a las lesbis la Real Academia.

Carol se sulfuró.

—Si lo que quieres es permiso para tirarle los tejos, búscate un pretexto menos zafio.

La acusación era infundada: yo no sentía ninguna inclinación al galanteo. Pero a Carol no le faltaban motivo para estar alerta, porque tenía bastantes amigas jóvenes, guapas, ricas y divertidas. La mayoría había pasado por la universidad y trabajaba en profesiones liberales o estaba al frente de pequeños negocios. Todas desplegaban una actividad prodigiosa que les permitía compaginar el trabajo con un meticuloso funcionamiento de sus respectivas casas, largas sesiones de gimnasio y una agitada vida social. También tenían una capacidad ilimitada para meterse en líos.

—El problema es que siempre nos equivocamos a la hora de elegir maromo.

—En tu caso salta a la vista.

—Los hay peores.

Como la casa de Gracia Lorente era grande y ella muy hospitalaria, casi siempre coincidíamos con algún otro invitado. En una ocasión pasamos varios días en compañía de una chica muy alegre y desaliñada, algo mayor que Carol y Gracia, llamada Margarita. De muy joven se había ido sola al Nepal, en busca de la sabiduría y la paz interior. Una vez allí se enrolló con un lama estúpido y maloliente que la molía a palos. Se fugó del convento y se refugió en una aldea perdida, donde vivió un año y donde fundó una escuela para niñas nepalís que mantenía de su bolsillo y visitaba con cierta frecuencia.

—La próxima vez me podríais acompañar. El Himalaya merece la pena.

—Cuando nuestro hijo sea un poco mayor.

En uno de sus viajes, Margarita había contraído una enfermedad que no le producía ningún trastorno, pero de resultas de la cual le salían grandes manchas anaranjadas por todo el cuerpo. Para no asustar a la gente, cuando íbamos a la playa se cubría con gasas y tules de colores vivos, que había comprado en alguno de sus viajes. Con aquel atuendo se metía en el mar.

—Ya veo que no te gusta llamar la atención.

—Aquí todo el mundo viene a lucir tipito; nadie se fija en una pobre loca.

—No digas eso. Con estas hopalandas pareces un personaje de *Las mil y una noches*.

—No sé qué es eso.

—¿No sabes quién es Aladino, ni Simbad, ni Alí-Babá?

—No. De muy pequeña me metieron en un internado de monjas y allí no nos contaban cuentos. Sólo vidas de santos.

Por todas estas razones, Margarita me inspiraba compasión.

A una media hora de la casa, por un camino de tierra, entre campos cubiertos de chumberas y matorrales resecos, una construcción irregular y tosca, con fachada desconchada y techo de uralita, albergaba en su interior un bar, una farmacia siempre cerrada y un almacén donde vendían artículos diversos, caros y de mala calidad. Yo iba allí casi a diario, para hacer ejercicio y comprar la prensa. A veces me llevaba conmigo a Víctor, que caminaba un rato, se rendía en seguida, y me obligaba a llevarlo a hombros, como san Cristóbal al Niño Jesús. Cuando íbamos los dos, el trayecto se alargaba considerablemente, porque nos parábamos a cada paso para ver un pájaro, un caracol, una oruga u otras maravillas de la naturaleza. Si iba solo, entraba en el bar y me tomaba un café o una cerveza. En el bar solía encontrar al cabo de la Guardia Civil. No sé si por ley o por costumbre y para evitar amistades, enemistades y connivencias, un guardia civil no puede ser natural de la provincia a la que va destinado, pero aquella norma no regía en las Baleares, donde todos los guardias civiles eran oriundos de las islas. Al segundo encuentro trabamos conversación.

—¿Usted viene de Son Pardal?

No era una pregunta, sino una afirmación entonada a la manera local.

—Sí, señor. Estoy pasando unos días en casa de la doctora Lorente, con la familia.

—¿La dentista? Ya lo sé. Los he visto con ella y con el peque. En esa casa también hay una señora que va a la playa como si fuera el paje de los Reyes Magos.

—Tiene una afección cutánea y prefiere no mostrarla en público. No es contagiosa.

—Pues como yo la vea, me la llevo al cuartelillo. Hoy en las playas de Ibiza hay que ir en pelota picada.

El cabo era un cuarentón, bajo y cuadrado de hombros, siempre mal afeitado, socarrón y simpático. Al verme con un libro en la mano se confesó lector asiduo de las novelas de Vázquez Montalbán.

—Carvalho es un cabrón: trata mal a las mujeres y a las fuerzas del orden, pero uno le coge cariño aunque no quiera.

Yo pensaba que la Guardia Civil iba siempre en pareja y así se lo hice saber.

—Y así es. Pero aquí no hace falta. Los delitos más frecuentes no son competencia de la Benemérita, usted ya me entiende. En esta isla hay un solo cabo y muchos golfos.

—¿Puedo invitarle a algo?

—Sólo a Gin Xoriguer, porque estoy de servicio.

Un día, mientras estaba en el bar departiendo con el cabo de la Guardia Civil, se le acercó el dueño del bar y le dijo algo al oído. Por su sigilo deduje que era un asunto que no me concernía e hice ademán de alejarme, pero el cabo me retuvo sujetándome el antebrazo.

—No se vaya. La historia le puede interesar. Isaías, dile a este señor lo que me acabas de decir a mí.

El dueño del bar se encogió de hombros para quitarle importancia al suceso.

—Nada. Que ayer vino es Garsía.

—No lo conozco.

—Cuando lleve aquí un tiempo lo conocerá.

Entre los dos me pusieron al corriente del personaje y sus andanzas.

Es Garsía era hijo de un campesino de la localidad. A los dieciocho años lo movilizaron y lo mandaron a la guerra. No a la guerra civil, sino a la guerra de la independencia. Como era de las islas, lo destinaron a Mahón, donde estaba fondeada la flota inglesa.

—Yo creía que para entonces aún éramos aliados de Napoleón.

—Quizá. Pero en las guerras las cosas van como van. Es Garsía fue a Mahón y allí conoció al almirante de la flota inglesa. Lord Nelson. Y a la novia de él. Ya no me acuerdo de cómo la llamaban.

—¿Na Hamilton?

—Quizá.

Al cabo de unos días zarpó la flota y pronto entraron en combate. A la fragata donde iba es Garsía le cayó una bomba en la santabárbara y saltó todo por los aires. Recogieron a los marineros que aún estaban vivos, los cosieron, los vendaron y les hicieron formar en cubierta, mientras el bar-

co zozobraba. Vendados y remendados, aguarda-
ban el abordaje con la bayoneta calada cuando otra
bomba abrió tal boquete en la línea de flotación
que el barco se hundió definitivamente. Los cadáveres de la tripulación nunca fueron recuperados.
Ahora es Garsía acudía de vez en cuando al bar.

—¿Y eso?

—Sus motivos tendrá.

Aun a costa de parecer pedante, ofrecí una explicación.

—En algunas culturas los espíritus de los muertos sin sepultura están condenados a vagar eternamente.

—No va por ese lado. Aquí hemos sido siempre
piratas y corsarios y hay más ibicencos en el fondo
del mar que en todos los camposantos de la isla.

—Y cuando viene es Garsía, ¿qué hace?

—Lo normal: pide unas hierbas.

—¿Y usted se las da?

—Claro. Yo no soy supersticioso.

En Ibiza el esnobismo de los yates y las discotecas convivía con un primitivismo afable y a mí
aquella combinación me gustaba tanto que pensé
en comprar una casita en algún lugar de la isla.

Ya en Barcelona, consulté con Baltasar Ortiguella.

—¿El dinero es tuyo o de Carol?

—Por ahora, de mi suegro.

—Entonces, no te metas en líos. Comprarás un
terreno, te harás una casita y al cabo de un año te

construirán al lado una discoteca o un aeropuerto. Ibiza está perdida. No es hora de comprar, sino de vender. Toda España está en venta. Si quieres hacerte rico, éste es el momento.

El diagnóstico era certero. Aquéllos eran los años del pelotazo y muchos soñaban con enriquecerse rápidamente a costa del erario público o del patrimonio ajeno. Una vez asegurada la estabilidad política y superada la etapa de adaptación a un sistema económico, sin protección ni control por parte del Estado, nada ponía trabas a la codicia y el chanchullo. El Gobierno trataba de contener el desenfreno, pero algunos de sus propios miembros participaban en el reparto de prebendas con relativa impunidad; la corrupción era de dominio público y los ciudadanos, al haber perdido la fe en las instituciones y en los políticos, se consideraban autorizados a burlar la ley.

Baltasar Ortiguella y sus amigos reprobaban aquella situación, que consideraban poco menos que suicida.

—El capitalismo no es eso. Lo importante no es ganar dinero, sino generar riqueza. Si el sistema funciona, todos se benefician. Pero si se benefician unos pocos en detrimento de la mayoría, la crisis está a la vuelta de la esquina.

Anamari participaba en aquellas reuniones y sus opiniones eran aún más alarmistas.

—A este paso los ricos serán cada día más ricos y los pobres más pobres.

Baltasar Ortiguella le llevaba la contraria.

—Eso no es verdad: para la riqueza no hay límite, pero el que no tiene nada ya no puede ser más pobre. Lo que sí ocurrirá es que desaparecerá la clase media, y como los analistas pertenecéis a la clase media, veis el fenómeno como si fuera el fin del mundo. Y eso tampoco es cierto. Si desaparece la clase media es porque se lo merece. Es una clase despreciable, si es que se puede considerar una clase. Jamás ha actuado como tal. Es un grupo individualista, egoísta y cobarde. Desprecia al proletario y se burla de su vulgaridad, porque se cree refinado, cuando sólo es una parodia de los ricos. La clase alta tiene el poder; la clase obrera tiene la fuerza y tiene capacidad de organización y de sacrificio. Pero la clase media, ¿qué cualidades puede mostrar? Es una medianía plañidera y servil, cumplidora de la ley, fiel a los preceptos de la Iglesia, leal al que manda, respetuosa de la jerarquía hasta la abyección. Fue creada por la clase dominante cuando el pueblo se puso farruco, como un señuelo para engatusar a los pobres: pórtate bien, trabaja duro y pasarás de ser un desgraciado a ser un desgraciado de clase media, podrás empeñarte hasta las cejas para enviar a tus hijos a una buena escuela, comprarte un coche malo y una segunda residencia en un lugar horrible. La clase media se creó para que consumiera lo que fabricaba la clase obrera y votara a los conservadores. Desengáñate, Anamari: la clase media es el colonialismo en casa.

A mí aquellas conversaciones me desmoralizaban.

—¿A dónde fue a parar la revolución marxista?

Cuando oía mis lamentos, Carol no tenía piedad.

—Lo que tú llamas la revolución marxista sólo existía en vuestras conversaciones de amigotes, a las tantas de la madrugada, cargados de vino barato. En cuanto echasteis el primer polvo, se os pasó la amargura y ya no volvisteis a cantar *La Internacional*.

Esta conversación tenía lugar en casa, la tarde de un jueves de principios del otoño. Por las ventanas entraban una luz violácea y un aire todavía tibio. Baltasar Ortiguella había venido a visitarnos y en aquel momento escuchaba la discusión desde el suelo mientras montaba con Víctor el cuartelillo de bomberos de Playmobil.

—Ah, no. Admito una cierta exaltación juvenil, pero me niego a creer que media humanidad veía visiones por un trastorno hormonal.

—Media humanidad, no. Un puñado de intelectuales. La clase obrera nunca fue comunista.

Bollo intervino desde la alfombra.

—Carol tiene razón. El pobre va a lo suyo.

Je devine que vous êtes des savants, et non de simples voyageurs.

Aunque de ningún modo podía quejarme de cómo me había tratado la suerte, la rapidez con que veía esfumarse los ideales de otros tiempos ante la complacencia de muchos y la indiferencia de todos me deprimía y me ponía de mal humor. En España el pragmatismo y el deseo de asimilarnos al resto de las democracias occidentales habían menoscabado la posibilidad de curar al país de sus males endémicos, que ahora reverdecían. Ronald Reagan ocupaba la presidencia de los Estados Unidos y su política no favorecía las ensoñaciones de los cuatro progres que aún quedábamos en el mundo. Incluso mis amigos, que en la década de los sesenta me habían cubierto de improperios cuando expresé mi escepticismo a raíz de una breve visita a Praga antes de la revuelta y de la entrada de los tanques rusos, ahora se burlaban de mis lamentaciones.

—¿Cómo va a tener posibilidades el comunismo en un país de toros y procesiones como el nuestro, si se está yendo a pique en la Europa del Este?

En Polonia había surgido un movimiento contrario al sistema autocrático y la economía centralizada.

—Algo andará mal ahí cuando la oposición a la dictadura del proletariado no viene de los ricos, sino de la clase obrera.

En vista de cómo andaban las cosas, el general Wojciech Jaruzelski declaró la ley marcial en Polonia, tal vez para evitar una intervención soviética como la de Hungría en 1956 y la de Checoslovaquia en 1968.

Carol, que me había oído contar veinte veces el viaje a Praga y el encuentro con un grupo de intelectuales disidentes, acabó por perder la paciencia.

—Mira, Rufo, tus amigos tienen razón: el bloque comunista o pro soviético o como se llame se está cayendo a pedazos. Pero si no te lo crees, ¿por qué no vas y lo compruebas por ti mismo?

—¿Volver a Praga?

—No. Ahí no pasa nada. Ve a Polonia.

—Es una posibilidad. ¿Tú vendrías conmigo?

—Ni hablar. No tengo ropa adecuada. Y allí no se me ha perdido nada. Ve tú solo. Te hará bien salir de casa. Si no llevaras una vida tan sedentaria no te preocuparías tanto por los problemas mundiales y no se te pondría cara de torta.

Una vez más Carol tenía razón. Aquél era mi viaje y debía hacerlo solo.

Como toda persona dubitativa, cuando decido hacer algo no pierdo el tiempo: al cabo de unos días viajaba a Varsovia, como años antes había viajado a Praga. Ahora, sin embargo, mis circunstancias personales eran otras y el modo de viajar estaba en consonancia con ellas: al salir ya tenía hoteles reservados en varias ciudades polacas y había contratado un guía que hablaba español, conocía el país y tenía coche propio.

A mediados de octubre despegué de una Barcelona soleada y cálida y aterricé en una Varsovia nublada y gélida. El avión había hecho una escala en Múnich y el contraste entre el despliegue de lujo y abundancia de un aeropuerto y la patética escasez del otro rozaba la caricatura. El que le hubieran puesto por nombre Aeropuerto Chopin me pareció una broma. El personal de tierra y la policía acogían a los viajeros con una mezcla de desagrado y aburrimiento.

En el vestíbulo se me acercó un individuo bajo, magro de carnes, adusto de rasgos, con las orejas separadas del cráneo.

—Soy Slavata.

Al quitarse la gorra dejó al descubierto una pelambrera hirsuta. Llevaba una chaqueta y unos pantalones grandes, deslucidos y arrugados. Pero tenía una boca grande y una sonrisa guasona que lo hacían simpático.

—¿Ha tenido buen viaje? Los aviones polacos se caen cada dos por tres, pero ése no ha sido su caso, gracias a Dios. Deme la maleta y sígame, por favor. Tengo el coche fuera.

A la puerta de la terminal, en mitad de una hilera de taxis, había un Fiat 126 Maluch de color azul cielo, polvoriento y lleno de abolladuras. A su lado, un agente uniformado anotaba algo en una libreta. Mi acompañante me pasó la maleta y corrió hacia el guardia. Cuando me uní a ellos discutían animadamente. Finalmente, Slavata se volvió hacia mí.

—Disculpe el contratiempo, señor. Aquí este guardia pretende incautarse mi automóvil, pese a tener la documentación en regla. Una arbitrariedad, señor, pero ellos tienen la fuerza, si no la razón.

—Me hago cargo del problema, pero no es de mi incumbencia. Arréglelo como sea y lléveme al hotel. Estoy cansado.

—No es tan fácil, señor. Si me quitan el coche, yo me quedo sin trabajo y usted, sin coche, sin hotel y sin guía.

—¿Y eso cómo se arregla?

—Con diez dólares. No eslotis, ¿eh? Dólares.

A los pocos minutos circulábamos por una autopista poco concurrida en dirección a Varsovia. Slavata se deshacía en excusas.

—En Polonia el Gobierno es implacable con la propiedad privada. Oficialmente la tolera con restricciones; luego la somete a gravámenes fiscales y, en última instancia, procura aniquilarla. No obstante, es la iniciativa privada la que aguanta Polonia. La economía centralizada es una calamidad, señor, una verdadera calamidad. Pero usted no ha venido a escuchar nuestras quejas, sino a disfrutar de los pocos encantos de este mísero y desventurado rincón de Europa.

—No, no. Precisamente he venido con la intención de conocer la realidad del país. Hacer turismo me repatea.

Mi admonición resultó contraproducente: durante el resto del trayecto, mi guía me cantó las excelencias de los lugares a donde se proponía llevarme, mientras yo dejaba vagar la mirada por un bosque espeso de árboles muy altos, de tronco blanco y hojas de un verde pálido. Por un cielo lechoso revoloteaban bandadas de cuervos. El paisaje me pareció de una hermosura desolada.

Cuando entramos en la ciudad, caía la tarde; las calles estaban casi vacías y mal iluminadas. Por las grandes avenidas, flanqueadas de edificios macizos, de piedra oscura, circulaban tranvías.

El hotel era un caserón decimonónico de aspecto aparatoso por fuera y algo mortecino por dentro. Slavata me acompañó a la recepción para facilitar los trámites, pero su verborrea lo complicaba todo, hasta que descubrí que la recepcionista hablaba algo de inglés y de alemán y pude resolver la situación con rapidez y eficacia. Luego despaché a Slavata.

—Si quiere, le llevo a cenar a un restaurante. Puede quedarse en el hotel, si lo prefiere, pero aquí la comida es escasa y mala.

Como era tarde y estaba harto de él, opté por el hotel. Un poco mohíno, quedó en recogerme a la mañana siguiente a la hora convenida en el programa de visitas.

La cena confirmó el derrotismo de Slavata. En un restaurante desierto, un maître muy envarado me presentó una carta amplia y acto seguido me informó de que, debido a problemas de suministro, sólo podía elegir entre dos o tres platos. Con la carta de vinos sucedía lo mismo: en aquel momento el restaurante disponía de gaseosa y un refresco de limón. El agua del grifo no era potable y desde hacía unas semanas no vendían agua embotellada en los mercados. Hube de conformarme con lo que había y me sirvieron deprisa y con malos modos para que me fuera cuanto antes y dejara de incordiar al personal.

A la mañana siguiente encontré a Slavata junto al coche, enzarzado en una discusión con un agente uniformado. Cuando vino a pedirme el consabido soborno, le dije que me parecía mucha casualidad que aquel guardia y el del aeropuerto fueran la misma persona y que si me tomaba por tonto, podía irse a su casa y yo me buscaría otro guía.

Ni avergonzados ni ofendidos, Slavata y el guardia se estuvieron riendo un rato de buena gana.

—Es usted observador, señor. Normalmente, nadie se da cuenta. Sólo algún espabilado, y eso a la cuarta o quinta vez.

—¿Su camarada es policía de verdad o va disfrazado?

—Disfrazado. De la policía no se puede uno fiar. Le presento a mi primo, Jan Schafflitsky.

Nos dimos la mano, se marchó el falso agente y partimos.

Después de dar unas vueltas por las grandes avenidas, nos adentramos en la ciudad vieja. Slavata detuvo el coche en una plaza, nos apeamos y me señaló una iglesia.

—Antigua iglesia gótica del siglo XIII.

—En el siglo XIII no había iglesias góticas, Slavata.

—De ahí su gran interés. Cuando la construyeron no era gótica, pero unos siglos más tarde la rehicieron y quedó así.

—Sea como sea, es falsa. El centro de Varsovia fue reconstruido totalmente después de la guerra.

—Oiga, es usted un cliente muy difícil. Si le pone pegas a todo no le podré enseñar nada.

—No pondré pegas si no me cuenta mentiras.

—Aquí sólo hay eso, señor. ¿Quiere visitar la iglesia por dentro?

Accedí sin entusiasmo, sólo para hacer tiempo hasta la hora del almuerzo, y entramos.

A pesar de que en aquel momento no se estaba celebrando ningún rito, la iglesia estaba llena de hombres y mujeres de todas las edades, entregados a sus oraciones. El fenómeno me sorprendió, así se lo comenté a mi guía y él me lo confirmó. A lo largo de su historia, Polonia había sufrido invasiones y ocupaciones por parte de sus vecinos, siempre más poderosos, y los polacos, para sobrellevar aquellos periodos de vasallaje y humillación, se habían refugiado en la religión, la lengua, las tradiciones y otros elementos distintivos de su maltratada identidad nacional. En tiempos de tribulación, el acendrado catolicismo de los polacos había constituido una barrera protectora, tanto frente a los luteranos alemanes como frente a los ortodoxos rusos.

—Con el rosario en una mano y un vaso de vodka en la otra, los polacos se ríen de las desgracias. No es mi caso: yo no bebo ni creo. Y, si le he de ser sincero, me fío más de un ruso que de un cura. Pero soy la excepción.

—¿Por algún motivo especial?

—Mis antepasados emigraron a Polonia desde Bohemia, como mi apellido indica. Mi abuelo era trapero. Mi padre heredó el oficio, pero lo echó todo a perder por su empeño en quedar bien con todo el mundo. Fue colaboracionista, primero con los rusos, luego con los nazis, luego otra vez con los rusos. Finalmente lo trincó la KGB. Por lo visto se había hecho agente de la CIA. Lo pelaron. Yo he salido escéptico. Por eso aprendí idiomas y me hice guía. Como estoy siempre con extranjeros, a veces me creo que yo también lo soy, y este pensamiento me alegra la existencia. Usted seguramente no lo entiende.

Mientras me contaba aquella historia, verdadera o ficticia, reparé en una capilla lateral muy concurrida, en la que ardían docenas de cirios votivos. Slavata me informó que allí se veneraban las reliquias de san Estanislao de Kostka.

—No me vuelva a engañar, Slavata. San Estanislao de Kostka vivió y murió en Roma, y está enterrado allí. Estudié en un colegio religioso y no aprendí matemáticas, pero sobre santos infantiles lo sé todo.

—Está bien, quizá no hay reliquias. Pero la devoción nadie nos la quita. San Estanislao de Kostka era polaco. Y padeció lo suyo, aquí, en Roma o en Acapulco. Para ponerlo a prueba, Dios le envió horribles enfermedades. Fiebre, pústulas, un surtido completo. Y se quedó paralítico de todos los miembros. Menos del viril, porque en ése no manda Dios, sino el demonio. Estanislao lo soportó con entereza y hasta con alegría y murió en olor de santidad. Y si mis explicaciones no le convencen, búsquese otro guía. Pero a mí me paga lo convenido.

—No se enfade, hombre. Soy discutidor por temperamento. Y ya me voy acostumbrando a su estilo. Salgamos de aquí y vamos a un restaurante donde den algo decente, porque el desayuno del hotel ha sido infame.

—Ya le advertí. ¿Tiene dólares?

—Sí.

—Pues iremos a un sitio donde comerá de maravilla.

—No se hable más. Y para que vea que no le guardo rencor, le invito a comer conmigo.

—Se lo agradezco, señor, pero ese sitio no es para polacos. Uno se puede creer extranjero: portugués o chino, incluso marciano; ya vendrá alguien a recordarle su verdadera condición.

—Puede venir conmigo como intérprete.

—No le hace falta. Ahí se habla el lenguaje universal. Enseñe los dólares y verá como no tiene problemas para hacerse entender.

El restaurante estaba situado en el primer piso de un antiguo edificio público de ladrillo oscuro y ocupaba un salón enorme, de techos altos artesonados y lámparas de araña. Las mesas, muy separadas entre sí, tenían mantel blanco, vajilla y cristalería finas y cubiertos de alpaca brillante. Cuando entré había pocos comensales y pocos más llegaron después. Un maître me condujo a una mesa y me ofreció una carta con ademanes palaciegos. Algunos platos estaban tachados, pero la oferta era amplia. Pedí una sopa y un pescado y media botella de vino húngaro.

La comida fue irreprochable, pero el ambiente era opresivo. Debido a lo ostentoso del lugar y lo insólito de las circunstancias, los comensales, en su mayoría extranjeros, hablaban en voz baja y actuaban instintivamente con una cautela casi teatral.

Unos años antes, en Praga, había vivido una escena similar en un restaurante reservado a unos pocos privilegiados. En aquella ocasión, sin embargo, el restaurante estaba lleno de altos funcionarios locales que disfrutaban ruidosamente y sin tapujos de las prerrogativas de su posición. Ahora yo degustaba a escondidas unos tristes manjares a cambio de unas divisas que me eximían de la penuria general.

A la salida, Slavata me preguntó si me había gustado.

—Sí, pero eso es una reunión de espectros. Prefiero comer con la gente normal.

—Usted nunca está contento. Si sigue así, Dios le castigará.

Dedicamos dos días más a recorrer diversos barrios de Varsovia. No era fácil distinguir las zonas reconstruidas de las que se habían salvado de las bombas. En los barrios modernos la arquitectura era sencilla, pero no de mala calidad, y la distribución de los bloques de viviendas, los servicios públicos y los parques indicaban una planificación concienzuda y evidenciaban la falta de especulación. La gente iba a sus cosas con aire tranquilo. El ambiente era cansino y apagado, escaseaba la comida y los comercios estaban casi vacíos, pero todo el mundo iba bien abrigado y nadie parecía pasar hambre.

—Esto es el socialismo, señor. Aquí lo importante es llegar pronto a viejo.

Como no quería limitar mi visita a la capital, al tercer día salimos hacia Gdansk. El trayecto nos llevó muchas horas, porque la distancia no era corta, las carreteras no eran muy buenas y el coche andaba de milagro. El paisaje, llano y monótono, de bosques y sembrados, destilaba una tristeza invernal. De cuando en cuando se divisaba a lo lejos un pueblo de casas irregulares, con tejados de pizarra, y en una ocasión, a la caída de la tarde, vi un tren de pasajeros cruzar un puente de hierro sobre un río ancho y oscuro.

Por fortuna, la charla incesante de Slavata era instructiva.

—Si le gustan las antigüedades, a la vuelta le llevaré a unas tiendas donde podrá adquirir verdaderas maravillas. Cuando empezó la guerra, los ricachos escondieron las joyas y los objetos de valor. Luego ellos se murieron, o se fueron, y sus caserones quedaron reducidos a escombros. Debajo de las ruinas había gran cantidad de tesoros escondidos. Si alguien los encontraba y el Gobierno no se los requisaba, podía vender las alhajas, o cambiarlas por comida en el mercado negro. Hoy, con dólares y si sabe dónde, le puede llevar a su mujer un collar o un anillo que la dejará despatarrada. Eso sí, ha de andarse con tiento, porque la venta no siempre es legal y en ningún caso se pueden sacar antigüedades del país sin el correspondiente permiso. Si le pillan, adiós alhaja y adiós dinero, y eso si no acaba usted en chirona. Es un albur. Normalmente, el mismo que le venda algo le denunciará a la policía. La policía le detendrá, le devolverá el artículo al comprador para que lo pueda volver a vender, a cambio de una comisión, y todos saldrán ganando, menos el pobre panoli. Ahora bien, si yo le llevo a la tienda de un primo mío, podrá adquirir lo que se le antoje, a un precio irrisorio y con la plena seguridad de que él no le denunciará. De hecho, el que le denunciará seré yo, pero el aduanero que le detenga también es un pariente mío, yo le habré avisado, y con unos pocos dólares, todo se arreglará de la manera más sencilla. ¿Qué le parece?

Llegamos a Gdansk entrada la noche, cenamos lo que pudimos encontrar y nos retiramos.

Dediqué el día siguiente a callejear. También el centro había sido reconstruido con meticulosa fidelidad. De lejos, nadie habría dicho que aquélla no era una ciudad antigua. Vista de cerca, la construcción era algo tosca, pero el conjunto daba el pego. En su época de esplendor, Gdansk había sido un puerto muy activo y el dinero que había circulado por la ciudad se reflejaba en unos edificios públicos imponentes y severos, de una austera soberbia calvinista.

El 1 de septiembre de 1939, sin previa declaración de guerra, Alemania bombardeó los astilleros de Gdansk y así dio comienzo la Segunda Guerra Mundial. Ahora en aquellos mismos astilleros había empezado una revuelta que, según algunos, anunciaba el fin del sistema soviético. Para aquilatar la situación por mí mismo, aquella tarde nos dirigimos a los astilleros. Una valla y una reja cerrada nos impidieron el paso. Estuvimos merodeando hasta que llegaron dos policías y nos preguntaron quiénes éramos y qué hacíamos allí. Slavata les dijo que habíamos ido a ver el monumento colosal que conmemoraba el sufrimiento que la guerra había infligido a la ciudad. A media alocución los policías interrumpieron sus especiosas explicaciones y nos ordenaron que nos fuéramos y no volviéramos por allí.

Slavata quitó importancia al incidente: un conocido suyo, polaco de origen ruso, llamado Petrov, nos proporcionaría toda la información sobre aquel tema y sobre cualquier otro si le invitábamos a cenar y no escatimábamos el vodka.

A las ocho en punto fuimos a un restaurante donde competían el lujo y el abandono. Entre las molduras de las paredes, de madera de roble primorosamente labrada, había telarañas. La oferta culinaria era exigua, como en todas partes, pero las raciones eran abundantes y pudimos acompañarlas con cerveza. Petrov llegó tarde y trajo consigo a su hija, una adolescente algo retrasada, rolliza e inexpresiva, que no dijo una palabra durante la cena. Petrov era un hombre de mediana edad, pelo cano y facciones distinguidas. Por su aspecto, sus modales y su conversación, podía pasar por un profesor de enseñanza media. Más tarde, Slavata me dijo que, efectivamente, Petrov había desempeñado un cargo de profesor en otra época, pero que ahora, expulsado de la docencia por motivos políticos o de otra índole, vivía de mediar en compraventas allí donde nada se compraba ni vendía y de dar clases particulares sobre cualquier materia, fuera o no de su especialidad, a cambio de cenas, ropa usada y otros bienes de primera necesidad. Con nosotros, Petrov comió con buen apetito, bebió de un modo mesurado pero continuo, fumó un cigarrillo tras otro y habló con locuacidad, sin sentirse intimidado por la presencia de un extranjero desconocido y en el tono didáctico adquirido en su etapa docente.

—Para comprender lo que está sucediendo en estos momentos, como creo que ustedes desean, es imprescindible conocer antes el contexto histórico. No me remontaré a la prehistoria, pero sí a la época, allá por el siglo xiv, en la que esta ciudad adquirió una gran importancia debido a su privilegiada posición, tanto estratégica como mercantil. No exagero al decir que Gdansk fue hasta hace muy poco la llave del Báltico. Por esta causa participó activamente en las llamadas cruzadas del Norte, y aquí dirimieron sus diferencias reyes y príncipes, por no hablar de la orden de los Templarios, la de los Caballeros Teutones y la de los Hermanos de la Espada de Livonia. Posteriormente, Gdansk formó parte de la Liga Hanseática: ustedes habrán observado la influencia holandesa en las construcciones, tan similares a las casas nobles de Ámsterdam o Utrecht, por citar dos ejemplos. El viento de la Historia, siempre cambiante, a menudo tormentoso, quiso que la ciudad pasara a pertenecer al reino de Prusia, con el nombre de Danzig, por el que es más conocida en el mundo entero. Durante siglos, Danzig fue una ciudad populosa, próspera, cosmopolita y culta. Algunos de sus hijos han adquirido justo renombre universal. Así Gabriel Fahrenheit, que aquí nació y realizó sus estudios, aunque fue en Ámsterdam donde hizo su invento señero: el termómetro de mercurio, si bien echó a perder su utilidad práctica al fijar el punto de congelación del agua en los 32 grados Farenheit y el de ebullición en los 212 grados Farenheit, con el consiguiente desconcierto de quien debe usarlo. También nació en Danzig el filósofo Schopenhauer, hombre excéntrico y avinagrado.

Hizo una pausa para ver si habíamos asimilado aquella información y si deseábamos hacer alguna pregunta, y, ante nuestro atento silencio, se sirvió un vaso de vodka, lo apuró de un trago y prosiguió.

—Finalizada la Primera Guerra Mundial, Danzig fue devuelta a Polonia y pasó a llamarse Gdansk. Unos años más tarde, Hitler reclamó la ciudad y el corredor que la une a Prusia, como antes había hecho con la región de los Sudetes. Cuidado, no quiero decir que Hitler fuera un buen tipo. Hizo cosas censurables. Pero en el caso de Danzig, no le faltaban razones de peso. El 85 por ciento de sus ciudadanos eran de etnia y lengua alemanas. Si les hubieran preguntado a ellos, no sé cuál habría sido el resultado de la consulta. Pero eso no se le ocurrió a nadie, o nadie quiso hacerlo. El gobierno polaco se cerró en banda y empezó un tira y afloja: el uno que sí y que sí, y los otros, que no y que no, hasta que, harto de porfiar, al Führer se le hincharon las narices y dijo: conque ésas tenemos, ¿eh? Pues vais a ver. Porque no sé si ustedes saben que Hitler era austriaco y los austriacos y los polacos siempre han andado a la greña. Total, que envió a la Luftwaffe y en unas horas de Gdansk ya no quedaba nada. Inglaterra y Francia tomaron cartas en el asunto, Stalin no podía quedarse de brazos cruzados... Total: la destrucción completa de Polonia en unos días y, eventualmente, la de Alemania también.

Calló un rato. Slavata y yo nos interrogamos con la mirada y finalmente habló Slavata en nombre de los dos para formular la pregunta que en aquel momento nos acuciaba.

—¿Y?

Petrov nos miró sorprendido.

—¿Y qué?

—La situación, actual. Los astilleros, Lech Wałęsa, Solidarność.

—Se desprende de lo dicho.

—¿No podría ser más explícito?

—Está bien. Les he puesto en antecedentes para dar a entender lo obvio: en Polonia conviven dos generaciones. Unos vivieron la guerra; otros nacieron después. Los primeros estuvieron a punto de perder la vida mil veces, pasaron hambre, frío, penalidades; fueron testigos de un horror difícil de imaginar, imposible de transmitir. De aquella experiencia colectiva salieron convertidos en seres primitivos, supervivientes sin escrúpulos, sólo pendientes de los aspectos prácticos de la realidad inmediata. A sus hijos, ¿qué principios les pueden haber transmitido, qué noción del bien común? Preguntan por Lech Wałęsa. ¿Saben en qué año nació? En 1943. Es el prototipo de la nueva generación. Sus padres primero y luego la propaganda oficial los ha machacado tanto con la guerra, que no quieren saber nada. El pasado les trae sin cuidado, no están dispuestos a desperdiciar la vida entonando un responso por unos caídos a los que no conocieron. No quieren pagar el precio exorbitante de una tragedia en la que no participaron.

—¿Y por este motivo se rebelan contra el sistema económico, político y social?

—Eso pregúnteselo a ellos. Yo sólo les puedo ofrecer elementos de juicio para que extraigan sus propias conclusiones. Lo que realmente está pasando, nadie lo sabe. Los medios de información están en manos del Gobierno y el Gobierno está en manos de Moscú.

Hizo ademán de levantarse y su hija le imitó. Yo le puse la mano en el antebrazo para retenerlo, pero lo solté de inmediato al ver en su cara la alarma que le producía aquel gesto insignificante.

—No le retengo, señor Petrov, usted y su hija estarán cansados. De veras le agradezco su tiempo y sus palabras. Sólo quería añadir que no puedo estar de acuerdo con el determinismo generacional implícito en su planteamiento.

—Está usted en su derecho de discrepar. El tiempo se encargará de decir si tengo o no razón. En Polonia y también en su país de usted, señor. A mí me habría gustado poderles contar algo más preciso, satisfacer su interés y su curiosidad. Pero no sabía cómo, y algo les tenía que contar para resarcirles de esta cena deliciosa y nutritiva para mí y para mi hija.

Durante este breve intercambio de opiniones, Slavata se había retirado a un rincón del restaurante con el maître y entre ambos saldaban la cuenta y negociaban las correspondientes comisiones. Petrov aprovechó la ausencia de su compatriota para sacar del bolsillo una pequeña bolsa de terciopelo negro, de cuyo interior extrajo un viejo reloj de bolsillo de acero pavonado.

—Un auténtico Roskopf. Mire la fecha grabada en la tapa: Ginebra 1890. No es mío, sino de una persona anciana, de noble cuna, que está pasando un desafortunado trance y necesita liquidez. Es un recuerdo de familia y una verdadera pieza de coleccionista.

—Gracias, pero no colecciono relojes.

—Señor, un Roskopf ya es, en sí mismo, una colección...

Al advertir el regreso de Slavata guardó apresuradamente el reloj y su funda.

En la puerta del restaurante nos despedimos con profusión de agradecimientos, inclinaciones y taconazos. Como lloviznaba, Slavata y yo nos metimos en uno de los taxis estacionados frente al restaurante y Petrov y su hija se fueron caminando a buen paso, con la cabeza hundida entre los hombros y las manos en los bolsillos.

A la mañana siguiente emprendimos el regreso a Varsovia, dando un amplio rodeo para pasar por Breslau. Una lluvia persistente hizo el trayecto más lento y más melancólico.

A mediodía paramos a comer en Poznan.

En su día, Poznan, al igual que Gdansk y Breslau, había formado parte de Prusia. En aquella ciudad, entonces llamada Posen, se había librado una de las primeras batallas de la Segunda Guerra Mundial y una de las últimas. Allí el ejército polaco trató en vano de contener la invasión alemana en septiembre de 1939 y más tarde, en enero de 1945, los restos del ejército alemán trataron en vano de detener el avance del Ejército Rojo. En la primera de estas dos batallas, la Wehrmacht ensayó la llamada guerra relámpago, que luego utilizó en otros frentes con magníficos resultados. La *blitzkrieg* trataba de evitar la terrible guerra de trincheras que había caracterizado la Primera Guerra Mundial, y consistía en un bombardeo intensivo del objetivo militar seguido de un ataque fulminante de carros de combate. Rota la defensa enemiga, la infantería primero y luego los reservistas y bisoños se encargaban de liquidar metódicamente las bolsas de resistencia. Algo similar había ideado dos mil años antes Alejandro Magno en la conquista del Imperio persa.

Ahora Poznan era una ciudad enteramente reconstruida, bonita, limpia y tranquila. En un sencillo restaurante nos dieron una sopa de verduras, pan y queso. Después seguimos viaje a Breslau.

En la última etapa de la guerra, roto ya el frente del Este, Hitler había convertido algunas ciudades de la Prusia polaca, como Posen o Breslau, en una especie de fortalezas, con el objetivo de retrasar el avance de las tropas rusas y poder reforzar las defensas en el Oder, la última barrera natural entre Alemania y la Europa oriental. Durante la contienda Breslau había albergado una formidable industria de material bélico, gracias al trabajo forzado de un numeroso contingente de prisioneros y deportados, a quienes se imponían jornadas de doce horas. Como la existencia de esta industria hacía temer un bombardeo aliado sobre la ciudad, en enero de 1945 las autoridades de Breslau ordenaron la evacuación de unos 60.000 civiles. No fue una buena idea: a 20 grados bajo cero, sin medios de transporte y sin víveres, la columna de refugiados llegó muy mermada a Dresde, pocos días antes de que la aviación inglesa lanzara sobre la ciudad 4.000 toneladas de bombas incendiarias, mientras Breslau se preparaba para una defensa numantina.

La situación no era tan desesperada como cabría pensar. Pese a su superioridad numérica, conforme avanzaba, el Ejército Rojo debía cubrir un territorio más amplio y se alejaba de los centros de aprovisionamiento; el ejército alemán, por el contrario, al reducir el radio de acción, podía concentrar sus fuerzas en puntos estratégicos. Con esta premisa, bien pertrechada y convencida de que rendirse era una opción poco halagüeña, Breslau resistió el asedio con tanta eficacia que dio tiempo al Ejército Rojo a proseguir su avance y entrar victorioso en Berlín. Cuando llegó a Breslau la noticia de que Alemania se había rendido y el Führer había muerto, no le cupo más remedio que capitular. La ciudad fue saqueada concienzudamente y sus defensores, enviados a campos de prisioneros en la Unión Soviética. Poco después, el resto de los alemanes de Breslau, como del resto de Polonia, fueron expulsados del país.

Yo me preguntaba de dónde habrían salido las personas que aprovechaban que la lluvia había amainado para deambular por las calles de aquella nueva ciudad calcada de la antigua. Slavata no me lo supo decir, pero supuso que en la etapa de reconstrucción de Polonia habrían acudido allí de otros puntos del país, igualmente devastados por la guerra. Ahora, cuarenta años más tarde, muy pocos de aquellos viandantes debían tener memoria de la violencia y el sufrimiento extremos de aquellos años terribles.

El hotel ocupaba un edificio grande, de fachada antigua y majestuosa, pero el interior era moderno y sencillo.

Como era tarde, dejamos los equipajes en nuestras respectivas habitaciones y bajamos a cenar. Todas las mesas estaban vacías cuando entramos y lo seguían estando cuando hubimos agotado las posibilidades de una carta tan desabastecida como de costumbre.

Anexo al restaurante había un bar de madera oscura, con unos butacones raídos y una barra en la que tres hombres bebían en silencio y miraban un televisor colocado en una plataforma elevada, en un extremo de la barra. Nuestra llegada desvió momentáneamente su atención: no debían ser frecuentes los recién llegados con aspecto de capitalistas occidentales. En nombre de ambos, Slavata les saludó y les preguntó si podíamos unirnos a ellos e invitarlos a una ronda. Accedieron a lo primero e insistieron en que serían ellos quienes nos invitaran, ya que éramos forasteros. Slavata aceptó a condición de que nos permitieran invitarlos a otra ronda y así quedó sellada nuestra transitoria camaradería. Slavata les dijo que estábamos de paso, que yo era un periodista español que recorría el país para escribir un reportaje por cuenta de una revista de viajes y que él era mi intérprete y mi cicerone. Los tres hombres se limitaron a asentir y volvieron sus miradas al televisor. Los tres tenían edades parecidas, vestían de la misma manera y hablaban en el mismo tono pausado, con voz ronca y espesa, pero ni de sus escuetas frases ni de su actitud pude inferir si eran amigos o si el azar los había reunido en aquel bar, sin más vínculo que el deseo común de pasar un rato bebiendo y viendo la televisión. Como estaban retransmitiendo un partido de fútbol, les pregunté si eran aficionados y, en caso afirmativo, si conocían al equipo de mi ciudad. Por supuesto. Precisamente estábamos viendo una eliminatoria de la Copa de Europa, en la que aquel año el Barça estaba haciendo un papel muy lucido. En aquel terreno, los polacos no podían alardear: el único equipo clasificado había sido el Górnik Zabrze y el Bayern de Múnich lo había eliminado sin contemplaciones.

—¿Y éstos?

—El Göteborg y el Fenerbahçe.

—¿Ustedes a favor de quién van?

—De ninguno. Que les den pol saco a los dos.

Volví a Barcelona con la sensación de no haber sacado mucho en claro, pero contento de haber visto cuando menos un fragmento de realidad con mis propios ojos y no a través de noticias e imágenes seleccionadas por otros. Con la experiencia acumulada no podía discutir con nadie, pero delante de Carol me atreví a sincerarme.

—El comunismo no funciona, ni como sistema político ni como sistema económico. Si pretende dar la batalla al capitalismo, tiene tantas posibilidades de ganar como el Górnik Zabrze de ganar la Copa de Europa, pero de puertas adentro, es más capaz y más humano que la panacea que proclama la derecha liberal. Allí al menos las necesidades básicas de la población están cubiertas. No hay mendigos, no hay gente durmiendo en las aceras. Eso a costa de grandes sacrificios, claro, y a costa de la estética, cuya importancia en nuestro mundo no podemos dejar de lado. La administración es incompetente, porque no ha de rendir cuentas ante nadie; y donde hay dinero y poder sin control, por fuerza ha de haber corrupción. Pero incluso la corrupción es más estética que real: una casita en el campo, coche con chófer, puros habanos, alguna prebenda personal y poca cosa más. No creo que haya grandes cuentas en Suiza o en las Islas Caimán, como sucede con nuestras dictaduras. Pero, a fin de cuentas, estos razonamientos no valen mucho. A la hora de la verdad, la pregunta es bien sencilla: ¿Dónde preferiría vivir? ¿Dónde preferiría que creciera mi hijo? ¿Y qué tiene que ver la ideología con el curso de la Historia y con la vida cotidiana de las personas?

Carol escuchaba mi perorata con una sonrisa en los labios mientras hojeaba un *ELLE*.

—Ya veo que ha sido un viaje muy fructífero.

—Fructífero, no sé. Instructivo, sí, como todos los viajes en solitario: ponen de manifiesto la propia estupidez y permiten sacar conclusiones que no sirven para nada.

—¿Ves como te ha sentado bien? Ya vuelves a ser el cerdito gruñón que tanto me gusta.

—Siempre levanta el ánimo ver que a uno le toman en serio. ¿Y tú? ¿Qué has hecho estos días?

—Lo habitual. La única novedad digna de mención es que he ido al médico y me ha dicho que vuelvo a estar embarazada.

I believe that what goes around comes around. What goes up comes down. That's how life flows, and I flow with it.

En los meses que siguieron a mi viaje a Polonia, nuestra movilidad se redujo bastante debido al embarazo de Carol y, de resultas de ello, frecuentamos más el círculo familiar.

Mi madre gozaba de buena salud y estaba contenta con su papel de abuela y de nexo de unión entre los hermanos. No obstante, las inquietudes, temores y presentimientos a lo que era propensa circulaban como aguas freáticas por debajo de aquella tranquila disposición.

Anamari la controlaba y le impedía caer en

la tentación del descuido que de tanto en tanto la asaltaba.

—Mamá, haz el favor de ir a la peluquería. Ya.

—¡Si fui hace nada!

—No digas mentiras. Estos pelos no engañan a nadie: pareces la bruja Pirula.

Obedecía a regañadientes, complacida de la solicitud de que era objeto.

—Es normal: soy una vieja.

—A todas las edades se puede ir bien y se puede ir mal. Cuanto mayor es una, más se ha de cuidar. Toma ejemplo de tu consuegra.

—¡No es lo mismo!

Mi madre abrigaba sentimientos encontrados con respecto a la madre de Carol. La riqueza de los Escolá la incomodaba: era inevitable que, sin hacer nada, parecieran restregarle el dinero por la cara; al mismo tiempo no podía dejar de sentir el respeto que los catalanes sienten por las familias de la alta burguesía, a las que consideran la aristocracia local, en tanto que consideran a la genuina, escasa y discreta aristocracia catalana una institución superflua, extemporánea y apolillada.

Los argumentos falaces y las sinceras disculpas de mi madre no servían de nada frente a Anamari, que, con el beneplácito general, había acaparado toda la autoridad en cuestiones domésticas y personales, en parte por su bondad natural, que le llevaba a dedicar tiempo y energía a velar por el bienestar y la buena conducta de los demás, y en parte, porque finalmente había logrado despegar en el mundo de las finanzas y eso había afianzado la confianza en sí misma y acentuado su temperamento ordenancista. Ni mi madre ni Agustín ni yo sabíamos muy bien en qué consistían las actividades de Anamari, salvo que había abierto un gabinete en un piso de la calle Muntaner donde recibía a unos clientes misteriosos cuyos patrimonios gestionaba y a quienes asesoraba en materia de inversiones, impuestos y cosas parecidas. En una sociedad como la barcelonesa, y sin menoscabo de sus méritos, Anamari debía sus progresos en buena parte a su renovada amistad con Baltasar Ortiguella y también al hecho de ser cuñada de Carol, con la que, disipadas las reservas iniciales, mantenía una relación de cordial frialdad. A menudo, cuando yo hablaba con Agustín, salía a relucir el tema de las actividades de Anamari.

—¿Tú crees que anda metida en negocios turbios?

—Rufo, eso es una redundancia.

Siguiendo los pasos de su mujer, Tomás también había cambiado de profesión. Poco después de nacer su primer hijo, renunció a sus aspiraciones en el campo de las artes audiovisuales sin pena ni esfuerzo aparentes y se puso a trabajar en algo más lucrativo. Asociado a un amigo ingeniero, montó una pequeña empresa de material informático y en seguida empezó a ganar un buen dinero, porque con la proliferación de los ordenadores personales, la informática había entrado en la vida privada de la gente y se había convertido en un fenómeno trascendental y omnipresente.

Durante un largo periodo no hubo otro tema de conversación que la trabajosa adaptación de cada individuo a la nueva tecnología y los problemas nimios pero irritantes derivados de la torpeza y la impaciencia de los usuarios. Cada uno refería sus tropiezos con lujo de pormenores y se hastiaba escuchando los del prójimo, exactamente iguales en todo a los suyos. La sociedad se dividió entre quienes se habían apresurado a aceptar la existencia de aquellas máquinas insumisas y despiadadas, a las que auguraban un gran futuro y en las que incluso llegaban a depositar un afecto hasta entonces reservado a los animales domésticos, y los que las miraban con aprensión, rechazaban su uso y manifestaban hacia ellas una rotunda animadversión. No sólo nadie sabía nada de informática, sino que nadie sabía lo que había que aprender: unos trataban de avanzar a tientas y otros se embarcaban en estudios que desbordaban su capacidad y su perseverancia. Arrastrados por la marea, muchos desterraban la pluma, el bolígrafo y el rotulador para adentrarse por primera vez en su vida en la misteriosa distribución del alfabeto en el teclado universal. Cada uno, hubiera aprendido o no, había de ser su propio mecanógrafo, una profesión que de inmediato cayó en desuso, porque una característica del ordenador personal era que no permitía delegar el trabajo en otra persona. De aquel modo, cada usuario desplazaba a la máquina una parte de sí mismo.

—Ríete tú de Freud.

—No te burles. Si hay un apagón, todo tu trabajo se va a la mierda, y eso no lo arregla el psicoanálisis.

Para unos la informática era una ciencia y una filosofía; para otros, una herramienta y un modo de vida, lo que venía a ser lo mismo. Como fenómeno nuevo, estaba reservado a los jóvenes: su aceptación y su uso no sólo ampliaban la brecha generacional; la invención y desarrollo de programas y sistemas estaba en manos de unos muchachos imberbes que se hacían multimillonarios de la noche a la mañana. Aquél no era el caso de Tomás y su socio, por supuesto. Su socio no tenía ninguna preparación en aquel campo, pero al menos sabía algo de máquinas y su funcionamiento. Tomás, ni eso. Aun así, el contacto diario con el mundo de las computadoras acabó por darle algunos conocimientos prácticos: sin entender cómo ni por qué, sabía que apretando un par de teclas se conseguía un resultado, y aquello lo convirtió en un auténtico gurú en el reducido círculo de los familiares y los amigos, para quienes trabajaba mucho sin cobrar nada y encima había de aguantar la frustración, la irritación y la ansiedad de todos. Su principal cliente era Agustín: casi a diario le llamaba desde Stuttgart para plantearle un problema o hacerle una consulta. Agustín estaba deslumbrado por las posibilidades de la informática en el campo de la literatura.

—No sé si para bien o para mal, pero ya nada volverá a ser como antes. Se acabó Góngora, se acabó Mallarmé y se acabó el tonto de Ibsen.

Inmerso como estaba el mundo en el debate sobre las virtudes y defectos del WordPerfect y nosotros, por añadidura, en los preparativos para el nacimiento de nuestro segundo hijo, el futuro del comunismo y los sinsabores del pueblo polaco pasaron a un discreto segundo término. Sólo el accidente de la central nuclear de Chernóbil hizo aflorar de nuevo el tema. Entre mis amigos, algunos daban al suceso una dimensión simbólica y predecían el inminente hundimiento del sistema soviético. Otros no lo veían tan claro.

—Por definición, las grandes potencias sufren grandes descalabros: los Estados Unidos en Vietnam, la URSS en Afganistán. Siempre ha sido así: el Imperio romano perdía batalla tras batalla y al Imperio español, donde nunca se ponía el sol, le daban por el culo sin parar.

—Y se vinieron abajo.

—Tardaron siglos en desaparecer. Y cuando cayeron, no fue por una guerra perdida, sino por el colapso de la economía. El dinero sostiene a los imperios. Y a todo lo demás. En este sentido, la economía soviética es mucho más sólida de lo que se cree. Aquí estamos acostumbrados a medir la salud económica por tonterías: si se venden muchos bolsos de cocodrilo y se ven muchos descapotables por la calle, todo va bien. La balanza de pagos, la deuda exterior, el producto interno bruto, bah, eso son minucias, comparado con el consumo de percebes y centollos. Y no es eso: en la URSS las reservas de materias primas, de recursos humanos y de *know-how* son infinitamente superiores a las de toda Europa y quizá a las de los Estados Unidos. Los americanos tratan de asfixiar a la Unión Soviética a base de aumentar el gasto militar. Ya veremos quién aguanta más.

The footman was impassively putting away my smoking-suit. I was too dazed to wonder what he thought of me.

A nuestro segundo hijo le pusimos por nombre Óscar.

Con Víctor habíamos pasado los temores e indecisiones propios de la inexperiencia. Con Óscar ya estábamos de vuelta de todo y, como nació y creció sano y no nos dio ningún sobresalto, de su niñez sólo guardo recuerdos felices. Cuando nació Óscar, Víctor tenía casi cuatro años y se mostró muy interesado en el recién llegado. Ya había alcanzado la edad del discernimiento y el círculo familiar se le quedaba estrecho. Era cariñoso de natural, pero todos le aburríamos, salvo Antonio, el mayordomo, cuando iba piripi.

Para entonces, Carol y yo estábamos mucho más compenetrados que al principio de nuestra vida matrimonial, cuando éramos dos desconocidos forzados por voluntad propia a compartirlo todo. Aquélla fue seguramente la etapa más dichosa de cuantas yo recordaba.

Como eran años de prosperidad, sobre el recién nacido llovieron los regalos, no sólo de parientes y amigos, sino de desconocidos deseosos de hacer méritos a los ojos de mi suegro. La casa se vio inundada de peluches y vestiditos. Un día llegó un paquete procedente de París. Al abrirlo apareció un sonajero antiguo, de plata labrada, sin duda un objeto valioso. Al regalo no le acompañaba ninguna tarjeta; todo el mundo hizo cábalas y se llegó a la conclusión de que el regalo procedía de alguien tan espléndido como despistado. Yo tenía otra idea, que me abstuve de expresar.

Rebusqué en el caos de mis objetos personales y al cabo de un rato encontré un papel amarillento con el número de teléfono que Monica Coover me había dado unos años atrás, en Nueva York, la noche en que ella y yo fuimos a bailar al Salón Borinquen. Calculé la diferencia horaria y cuando me pareció un momento adecuado, me encerré en la habitación destinada a despacho y llamé. Contestó una mujer con voz nasal. Pregunté por Queen Isabella. A mi pregunta siguió una pausa.

—¿Es una broma?

—No. ¿Está Monica Coover?

—No sé quién es.

—¿Y el príncipe Tukuulo?

—Oiga, voy a colgar, ¿okey?

—No, espere. Quizá la persona que busco cambió de domicilio y dejó el teléfono, o la compañía telefónica le asignó a usted un número en desuso.

—Ni idea. Yo llevo más de dos años en este apartamento. De los antiguos inquilinos no sé nada. Nunca los llegué a conocer. Cuando entré, el apartamento estaba vacío y recién pintado. Pregunte en información.

Le di las gracias, colgué y seguí su sugerencia. En información no me quisieron decir a quién pertenecía aquel número ni a quién había pertenecido anteriormente. Ni si el anterior abonado tenía contratado otro teléfono en la actualidad con aquella compañía.

Después de aquellos chascos ya no hice más intentos de localizar al príncipe y a su esposa. Al fin y al cabo, quizá la procedencia del sonajero no era la que yo me había figurado. Y yo mismo me daba cuenta de que no tenía sentido perseguir sombras del pasado cuando tantas cosas del presente reclamaban mi atención.

La prosperidad se dejaba notar por todas partes y, con la entrada de España en la Comunidad Económica Europea, parecía destinada a no tener fin. Al abrigo de aquella certeza se cometían despilfarros y desafueros con absoluta desfachatez. Como es natural, la bonanza beneficiaba a unos pocos; el resto había de sufrir las consecuencias de la inflación: los alquileres se dispararon y los artículos de primera necesidad subían de precio sin cesar, mientras crecía el desempleo.

Todo aquello hacía mella en la opinión pública y cundía el desencanto.

Aquel año hubo elecciones generales y el partido socialista volvió a ganar cómodamente, pero perdió un millón de votos respecto de las anteriores elecciones.

—La gente no cambia de partido. Los descontentos se abstienen. Así se acaba la democracia y empieza el reinado de los arribistas y los vendedores de humo.

La situación política y la coyuntura eran objeto de animado debate en unas reuniones plomizas que se celebraban en casa de mis suegros de cuando en cuando, con motivos nimios o sin ellos, y a las que asistían algunos representantes del empresariado catalán vinculados a la política local. Aquel año mostraban una moderada euforia porque, después de un periodo de vacilación, varias fuerzas dispersas del catalanismo se habían coligado y logrado en las elecciones un resultado que, según ellos, les permitiría negociar con el poder central desde una posición de fuerza. No faltaban quienes desconfiaban de la capacidad negociadora de Madrid e insistían en la necesidad de que Cataluña se independizara del resto de España de una puñetera vez: era imperativo recuperar la plena gobernabilidad en todos los terrenos, y especialmente en el económico; los términos medios no llevaban a ninguna parte. Sobre el último punto los independentistas y los partidarios del statu quo estaban de acuerdo: unos y otros se quejaban de las medidas que tomaba el Gobierno y buscaban soluciones de consenso. Lo otro quedaba en el plano teórico y cada cual se limitaba a respetar las ideas de los demás y a mantener las suyas. Todos, en cambio, compartían la preocupación por poner sus empresas a tono con los nuevos tiempos. Durante décadas habían actuado dentro de los parámetros de la economía franquista, de la que despotricaban, pero a la que se habían adaptado y a cuya evolución habían contribuido activamente y con excelentes resultados. Mientras duró el régimen, la política se hacía en los meandros del Palacio del Pardo, mientras los vascos y los catalanes llevaban las riendas económicas del país. Ahora, sin embargo, el sistema había dado un vuelco y el centro de gravedad se iba desplazando rápidamente de la periferia a Madrid y de los sectores agrícolas e industriales a unos suntuosos despachos donde se diseñaba la ingeniería financiera, se tejían los favores y las influencias y se organizaba la especulación en todos los campos de la actividad económica.

Frente a aquella deriva, la vieja izquierda se mostraba incapaz de hacer valer sus criterios.

Durante los años de la dictadura, la izquierda había tenido el monopolio de la rectitud moral y, como le pasaba al régimen contra el que luchaba, se había acostumbrado a no justificar unos fines y unos medios cuyo objetivo obvio e indiscutible era el bien común. De resultas de aquel triunfalismo, ahora carecía de argumentos para defender sus ideas y sus métodos y, a fuerza de contemplar en silencio el deterioro de los principios que la sustentaban, había acabado por no creer en ellos o por considerarlos obsoletos y, andando el tiempo, por imitar la conducta de quienes no tenían otro horizonte que el beneficio propio a corto plazo. Por toda justificación, la izquierda sostenía que las sucesivas crisis derivadas de los cambios recientes exigían medidas excepcionales. Primero salgamos de la crisis; luego ya pensaremos en hacer justicia. Pero nunca se acababa de salir de la crisis, o se salía de una para caer en otra peor, y los ideales reformistas se quedaban en meras promesas electorales.

En la imponente casa de las Tres Torres, dos criados filipinos con chaqueta blanca pasaban canapés y bebidas bajo la severa supervisión de Antonio, el mayordomo, mientras los caballeros hacían un repaso de la situación con aire taciturno y las señoras parloteaban sin levantar la voz. Cuando el último de los invitados se había ido, a mí me era imposible recordar nada de lo que se había dicho entre aquellas paredes adornadas por las obras más estridentes de nuestros pintores.

A aquellos cónclaves selectos éramos invitados indefectiblemente Carol y yo: Carol, para que ayudase a su madre en sus funciones de anfitriona y, en general, como elemento decorativo, y yo, según decía mi suegro, para decir patochadas y animar el cotarro. Mis opiniones, siempre contrarias al sentir general, no escandalizaban, pero provocaban exclamaciones y algunos exabruptos, expresados con benevolencia, por venir de mi persona. Yo no sé si con aquello cumplía o no mi cometido, pero un poco de animación no les venía mal a unas reuniones donde no se decía nada ni se expresaba una sola idea digna de ser recordada, pero de donde podían salir acuerdos y desacuerdos que influirían en la vida de muchas familias.

De aquel modo, de una manera casi imperceptible, mi suegro había conseguido introducirme en las actividades marginales de la empresa. Cada dos por tres requería mi presencia con la excusa de los idiomas, bien para mediar en una transacción, bien para dar palique a un visitante extranjero a quien había que llevar a cenar o mostrar los escasos encantos de la ciudad. En varias ocasiones le había acompañado en un viaje relámpago a una ciudad europea, en teoría como intérprete, pero, de hecho, como hombre de confianza, cuya función principal era escuchar la crónica de sus actos y algunas reflexiones sueltas sobre el asunto que se llevaba entre manos o sobre el funcionamiento de la economía mundial. No era un trabajo difícil ni exigente y me brindaba la ocasión de ausentarme unas horas de la rutina casera, marcada por la tiránica regularidad de los niños, y adquirir conocimientos repantingado en el bar de un hotel de cinco estrellas, saboreando un cóctel. Mis años de funcionario en la Delegación de la Cámara de Comercio en Nueva York me habían familiarizado con el vocabulario mercantil y me habían adiestrado en el arte de escuchar con deferencia y sin prisa.

Una noche cálida de finales de junio, mientras cenábamos en la terraza de Les Trois Rois, mi suegro me refería los detalles de la operación que nos había llevado a Basilea. Él había tenido reuniones para las que no me necesitaba y yo había aprovechado el día para visitar la ciudad y el Kunstmuseum, donde pasé un buen rato delante de un cuadro de Rembrandt, titulado *David ofrece la cabeza de Goliat a Saúl*, tratando de decidir si aquella escena tenía algo que ver conmigo. Ocupado en mis reflexiones, atendía a medias lo que él me contaba y miraba de reojo el curso acelerado del río que discurría a nuestros pies. Aunque el cielo estaba despejado y todavía era de un azul intenso, el agua del río era de color gris plomo.

—Rufo, lo que te estoy contando te importa un rábano.

—Perdona, Víctor. Me importaría si lo entendiera.

En la mesa de al lado bebían champán dos mujeres jóvenes, muy guapas, con la nariz, los labios y los pómulos retocados, peinadas y maquilladas con esmero, vestidas con una elegancia discreta, un poco excesiva para la ocasión. Mi suegro les lanzaba miradas fugaces.

—Víctor, dime la verdad. ¿Te sirvo para algo o sólo me paseas porque soy el padre de tus nietos?

Mi suegro se echó a reír.

—Hombre, la verdad..., servir, lo que se dice servir, más bien poco; pero para algo sí sirves.

Quizá animada por el aire festivo de nuestra conversación, una de las mujeres de la mesa contigua se inclinó hacia nosotros y nos preguntó la hora en un inglés con leve acento germánico. Como mi suegro no sabía idiomas, respondí yo.

—Las nueve menos cuarto.

—Gracias. En verano los días son tan largos que una no se hace a la idea, ¿no le parece?

—Sí, es fácil perder la noción del tiempo.

—¿Son ustedes italianos?

—Somos pareja de hecho.

—Ah, encantada. Buenas noches.

Las dos mujeres se levantaron, nos saludaron con una inclinación y una sonrisa y se metieron en el hotel. En cuanto se hubieron ido traduje el diálogo a mi suegro y él se llevó las manos a la cabeza.

—¿Cómo se te ocurre semejante majadería?

—Me ha parecido la mejor manera de zanjar la cuestión deprisa y sin ofender. Eran dos putones. Aún deben de estar en el bar, a ver si pescan a un millonetis.

—¿Cómo lo sabes? Podían ser dos clientas.

—No llevaban joyas. Las putas no llevan objetos de valor cuando trabajan, por si dan con un desaprensivo.

Mi suegro se quedó mirando con los ojos entornados el río, el puente y una parte de la ciudad en la orilla opuesta. Yo me preguntaba si no le habría hecho un flaco servicio. A lo mejor tenía ganas de echar una cana al aire. Al cabo de un rato se volvió hacia mí y reanudó la conversación como si la interrupción no se hubiera producido.

—Francamente, si no te hubieras cruzado en mi camino, yo no te habría ido a buscar, pero ya que te tengo, procuro sacar partido. Como estás en otro rollo, tienes una perspectiva distinta, por lo general equivocada y presuntuosa, pero de repente haces observaciones aprovechables, y eso ya me vale. A los que saben lo mismo que yo puedo contratarlos; las universidades los fabrican como salchichas; ESADE, Deusto, y si me da por las marcas, Harvard, Princeton, la tira. Pero a esa gente ya me la conozco, ya sé lo que me van a decir, ya sé lo que puedo esperar de ellos. Ya has estado en nuestras reuniones: todo sabido y discutido mil veces. Las señoras son más entretenidas, pero sólo un rato. Los hombres de mi clase estamos cortados por el mismo patrón. Para hacernos ricos y seguir siéndolo dedicamos todo el tiempo y toda la inteligencia al cálculo de beneficios. De jóvenes no pudimos irnos a Londres y a Nueva York a perder el tiempo y a vivir la bohemia dorada. Ya de mayores, cuando estamos situados y tenemos un rato de calma, nos buscamos aficiones: el arte, los barcos, la gastronomía, las chicas jóvenes. Tú has leído, has divagado, has visto películas insoportables, pides cócteles raros y, además, eres de casa.

Nunca supe si decía aquellas cosas porque las pensaba o sólo para hacerme sentir cómodo en mi esterilidad. Sí creo que, mal que bien, le presté buenos servicios. En mi fuero interno, me esforzaba por mantener una distancia prudencial. En presencia de terceros procuraba no adoptar una actitud servil, no echar el cuerpo hacia delante para escuchar sus palabras, no trotar a su lado y no reírle las gracias, como veía hacer a sus subordinados.

Más tarde, al recordar la conversación en la terraza de Les Trois Rois de Basilea, pensé que quizá sin saberlo mi suegro había dicho algo cierto. En el mundo de los negocios la idea de la eficiencia primaba sobre cualquier otra consideración; las empresas se obcecaban en reducir costes eliminando cuanto no fuese directamente rentable. En cambio, en la política no se escatimaba nunca lo superfluo si de algún modo contribuía a resaltar la importancia de lo que representaba. Un rey tiene poco sentido si no está rodeado de una corte de comparsas dedicados en cuerpo y alma a ahuecar las plumas y a papar moscas y, de este modo, consolidar su existencia. Por no hablar de la Iglesia. El despilfarro y la ineptitud conferían a las instituciones un carácter simbólico, que les permitía perdurar a lo largo de los siglos, en tanto que el mundo empresarial, ligado de un modo indisoluble a la realidad práctica, vivía a merced de su contingencia y sufría una elevada tasa de mortalidad.

Por mi extracción social, mi formación y mis merecimientos yo estaba destinado a ganarme la vida, con suerte, como chupatintas, de modo que mi posición en la empresa de Víctor Escolá me parecía una ganga. En cambio, Carol, nacida y criada entre algodones, se sentía en deuda con la sociedad. Con respecto a la empresa mantenía una actitud cuando menos aséptica. Como no era tonta y sabía de dónde provenía su bienestar, cumplía a conciencia sus funciones ornamentales, pero cuando se trataba de participar en los aspectos prácticos del negocio, se mostraba irreductible, como si sintiera por aquel mundo una íntima animadversión, que unas veces se manifestaba en forma de arrogancia y otras, de desasosiego. Su madre la consideraba rebelde; yo, más bien inadaptada. El mundo en el que había nacido no chocaba con sus convicciones, sino con su temperamento.

—En cuanto cumplió los dieciocho años, lo primero que hizo fue independizarse. A su padre y a mí nos dijo que se iba a Los Ángeles, a casa de unos conocidos, a perfeccionar el inglés. No la creímos, claro: la habíamos mandado no sé cuántos veranos a Inglaterra y hablaba inglés con muy buen acento, pero la dejamos ir para no ser como esos padres autoritarios que ahora está de moda criticar. Luego nos enteramos de que se había metido en una ONG y se había ido a Haití a cuidar enfermos.

—¿Y Víctor, cómo reaccionó?

—Huy, se puso furioso. Como no podía obligarla a volver, porque era mayor de edad y en Haití no conocíamos a nadie, quiso desheredarla. Yo se lo quité de la cabeza. Tal como es Carol, si la llegamos a desheredar, no nos vuelve a dirigir la palabra. Es feo decirlo, pero si entre nosotros el cariño y el respeto no son suficientes, al menos el dinero nos puede mantener juntos. Víctor me hizo caso y no tomó ninguna medida. Al cabo de un año, Carol volvió a casa, sin pedir perdón y sin reconocer el fracaso, y Víctor, que en el fondo es un pedazo de pan, la perdonó. Carol siguió de novia con el pobre Baltasar y durante un tiempo estuvo tranquila.

—Y entonces aparecí yo.

—No seas bobo, Rufo. No lo decía en este sentido. Tú le hiciste mucho bien a ella y, de paso, a nosotros. Con el pobre Baltasar no se habría lanzado a tener hijos.

—Pero no ha sido suficiente.

—Eso lo deberías saber tú mejor. Yo sé que a ti te quiere, y a los niños, con locura. Pero no puede evitar ese malvivir que la reconcome.

Yo veía a Carol distanciarse de nosotros y no sabía qué hacer ni a quién acudir. Tal vez Baltasar Ortiguella me habría podido ayudar a entender el modo de actuar de Carol, precisamente por haber experimentado un proceso similar. Hasta entonces yo había aceptado la versión de Carol, según la cual en su ruptura con Baltasar Ortiguella yo había sido un mero pretexto y él la causa real, por su desconsideración y su inconstancia. Ahora, a la vista de los acontecimientos, me preguntaba si los defectos de Bollo habían sido tan determinantes como ella me había dicho. Pero con Baltasar Ortiguella no tenía ocasión de hablar, porque llevaba un tiempo de pareja con una joven ejecutiva de Madrid afincada en Barcelona y, aunque la relación no parecía consolidada ni llevaba trazas de durar mucho, él había dejado de frecuentar nuestra casa, no sé si por voluntad propia o bajo presión. De las amigas de Carol tampoco podía esperar gran cosa: por diversas causas, muchas de ellas vivían en un estado de insatisfacción similar al suyo y en el malestar de una se canalizaba el de todas.

Cuando veía a Carol nerviosa y desabrida le preguntaba si ya se había hartado de nosotros y estaba planeando dejarnos en la cuneta y emprender un camino nuevo.

—No, no. Sois pesados, pero a mí este apaño ya me va bien.

—¿Este apaño somos los niños y yo?

—Sí, y todo lo demás.

Víctor iba al parvulario y Óscar empezó a ir a la guardería. Carol reorganizó su tiempo libre y se apuntó a un curso sobre enfermedades tropicales.

—¿Te gustaría volver a Haití?

Antes de contestar se quedó un rato mirando por la ventana con los ojos entornados. En aquella pose me recordó mucho a su padre. Luego se volvió hacia mí, pero la respuesta parecía dirigida a un interlocutor invisible.

—Aquello fue una chaladura. Quizá por eso mismo me atrae la idea de volver para reencontrarme con la loca que fui.

—Me parece razonable, siempre y cuando no te vuelvas a enamorar de un nativo.

—Oh, no, eso es agua pasada. Y yo no me enamoré de nada. Tenía dieciocho años, estaba en el trópico y ya que había ido hasta allí...

—Caíste en brazos del buen salvaje.

Se quedó pensando un rato y luego hizo un gesto afirmativo con la cabeza.

—Él no se habría considerado así, pero seguramente lo era en términos comparativos. Tenía veinte años más que yo, había estudiado en Francia y le gustaban las películas de Antonioni. Los demás sólo estaban pendientes del fútbol y los culebrones venezolanos. El mío, salvo por el color y otros detalles, era tan buen salvaje como tú.

—En resumen, un idilio de usar y tirar.

—No. La de usar y tirar era yo.

I now hasten to the more moving part of my story. I shall relate events that impressed me with feelings which, from what I had been, have made me what I am.

Tal vez una breve estancia en Haití habría servido a Carol para librarse de sus recuerdos, pero en aquella época había brotado en aquel país una enfermedad nueva y letal, que se estaba propagando a gran velocidad por el resto del mundo.

Un día recibí en casa una carta de Valentina. No sé cómo había averiguado mi dirección. Me escribía desde Nueva York para informarme de que nuestro común amigo Ernie padecía el síndrome de inmunodeficiencia adquirida y estaba muy mal. Hasta entonces no había querido divulgarlo, pero ante la inminencia del final, le había pedido que me escribiera en su nombre, porque él no se veía con ánimos de hacerlo dada la extrema debilidad física y anímica en que se encontraba.

Aquella misma noche llamé a Valentina. También descolgó el teléfono un desconocido, pero en aquella ocasión el servicio de información me pudo facilitar el nuevo número. No había hablado con ella desde nuestra separación y no sabía si el tiempo habría borrado la amargura de aquel momento. Como la sequedad de su tono me indicó que no era así, me ceñí al motivo de la llamada.

—¿Cómo está Ernie?

—Es cuestión de días.

—Iré a verle.

—Harás el viaje en balde. Está en el hospital, aislado. Además, él no quiere visitas. Prefiere que no le vea nadie. Está asustado.

—Iré de todas formas. ¿Cómo estás tú?

—A salvo. No me he expuesto de ninguna manera, pero me hice la prueba, por si las moscas, y salió negativa.

—Me alegro. ¿Te veré?

—Si vienes con señora, no.

—¿Quién te ha dado mi dirección?

—Rufo, no hay que ser la CIA para saber de tus andanzas.

—Bueno, pues cuídate mucho.

Aunque el servicio doméstico, encabezado por Sagrario, podía arreglarse sin nosotros, mi madre se instaló muy contenta en casa con la misión de fiscalizar el estricto horario de los niños frente al televisor y de leerles un cuento una vez acostados.

Aterrizamos en Nueva York una tarde radiante de mayo. A la puerta de la terminal nos esperaba una limusina para llevarnos al hotel. Durante el lento camino yo iba sumido en la tristeza: la muerte de Ernie me apenaba tanto por él y por la pérdida de un amigo como por la clausura de una etapa emocionante de mi vida ligada indisolublemente a su compañía.

Al llegar a un punto de la Long Island Expressway, apareció de repente el perfil de Manhattan recortado contra la puesta de sol. Yo ya sabía que aquello iba a ocurrir, por haberlo visto en muchas ocasiones cuando aún vivía allí, pero como iba absorto, la visión me cortó el resuello. Por un momento tuve la sensación de que no había pasado ni un instante desde que, en aquel preciso lugar, echando la vista atrás, había contemplado por última vez el mismo panorama. Entonces hacía el camino inverso, desde el minúsculo apartamento de Greenwich Village que había sido mi casa durante varios años hacia el aeropuerto desde el que volaría a Tokio y de allí a Bangkok y a Pattaya en compañía de Norito, con la que viviría un amor breve y frenético en la Piccola Isola de San Giovanni, para regresar contra mi voluntad a Barcelona, donde conocería a Carol, me casaría y tendría dos hijos. Ahora la insoslayable sensación de que entre aquellos dos momentos tan similares no había transcurrido el tiempo me llevó a dudar de si aquel largo periodo no habría sido un paréntesis tan insustancial y tan vacuo que no había dejado ninguna huella en mi memoria. Carol debió de advertir mi estado de ánimo, porque me apretó la mano; yo aparté la vista del horizonte para dirigirle una sonrisa y cuando volví la cabeza la limusina se había detenido en una garita de peaje a la entrada del Midtown Tunnel, el espejismo se había esfumado y yo había recobrado la cordura.

Desde la habitación del hotel, mientras Carol deshacía el equipaje, volví a llamar a Valentina. Por suerte saltó un contestador. Dejé dicho que acababa de llegar, que me alojaba en el Carlyle y que hiciera el favor de dejarme un recado si se producía el desenlace previsto. También le pedí que no informase a ningún conocido de mi presencia en Nueva York. Íbamos a estar allí muy pocos días y no quería emplearlos en un constante visiteo.

Hecho esto, salimos a la calle y como hacía una temperatura muy agradable y no estábamos cansados, bajamos caminando por Madison Avenue, nos desviamos para tomar un par de martinis en el Oak Bar del Plaza y luego nos fuimos a cenar al Four Seasons, un restaurante tan remilgado que cambiaban el mantel entre plato y plato si había caído una gota de vino.

No tuve noticias en los dos días siguientes, que dedicamos a pasear, visitar alguna exposición y entrar en muchas tiendas y almacenes, de donde salíamos aparatosamente cargados.

A pesar de su extraordinaria variedad, todos los neoyorquinos tienen algo en común. Yo los veía caminar con paso vivo, ademanes bruscos, concentrados y a menudo hablando consigo mismos, y volvía a caer en la ficción de que personas, vehículos y edificios habían estado congelados, como en un cuento de hadas, para recobrar el movimiento allí donde se habían detenido, nada más ver mi cara de pasmarote. Sin embargo, algunas cosas habían cambiado y yo más que nada: podía reconocer cada uno de los lugares por donde pasaba, pero yo ya no formaba parte del espectáculo colectivo.

El tercer día de nuestra estancia en Nueva York, al volver al hotel, a última hora de la tarde, encontré un mensaje telefónico de Valentina. Ernie había muerto aquella madrugada. Como su familia más próxima había venido de Madrid para estar con él en sus últimas horas, no convenía postergar el funeral, que tendría lugar al día siguiente, a las seis, en una funeraria de Park Avenue.

Carol optó por no acompañarme.

—Estarás mejor con tus amigos. Yo sería un estorbo. Ya me los presentarás en otra ocasión.

En la mañana del día del funeral anduvimos por el Village y le mostré a Carol los locales a los que Ernie me había llevado y le conté algunas anécdotas relacionadas con el ambiente heterodoxo y alocado de aquellos años. Muchos locales habían cerrado sin que otro negocio los hubiese reemplazado. En uno de ellos, a través de las ventanas, con los cristales sucios y cuarteados, se podía ver un espacio con cuatro muebles rotos y muchos papelotes amarillentos esparcidos por el suelo. Encontramos un bar abierto, oscuro y sin gente a aquella hora, en el que no entramos.

Después de comer volvimos al hotel. Carol hizo un par de llamadas y quedó para cenar con una amiga y su marido.

Un poco antes de las seis, fui a la funeraria. En el vestíbulo me encontré con Julio Alarcón, mi antiguo compañero en la Delegación de la Cámara de Comercio en Nueva York. Nos dimos un abrazo y expresamos nuestra mutua sorpresa. Él no esperaba verme allí.

—Me avisaron de lo sucedido y vine. Éramos muy amigos. No sabía que tú también lo conocías.

—¿Quién no conocía a Ernie? Era todo un personaje.

—No te hacía en la Delegación.

—De tu época sólo quedo yo. Por antigüedad o por méritos, yo no sé, ahora soy el jefe. Al final he acabado ocupando el puesto del señor Carvajal. ¿Te acuerdas de cómo nos reíamos de él? Pues ahí me tienes. ¡Qué vueltas da la vida!

—¿Has sabido algo del señor Carvajal?

—Volvió a Madrid, al cabo de unos años se jubiló y le perdí la pista. Como a los demás, incluido tú. Imma Fernández se casó y vive en Málaga, según oí decir. Yo también me habría ido, pero me casé con una americana y me quedé. Aquí las cosas han cambiado mucho. Con las reformas económicas y la entrada en la Unión Europea, España se ha ganado la confianza de Wall Street. Antes se invertía por la mano de obra barata y todo eso. Ahora ven en España un socio viable. El trabajo es interesante. De mi mujer me separé hace un año. Era cantante. Mi mujer, quiero decir. Cantante de ópera. No muy buena, francamente. ¿Y tú, qué me cuentas? ¿Cómo te ha ido? De coña, según parece. Vas muy bien vestido. Una ropa cojonuda. Claro que ya entonces ibas siempre muy peripuesto. Cuando entré a trabajar en la Delegación, el único que me inspiraba respeto eras tú.

—¡Anda ya!

—No lo digo para darte coba. Eso no tendría sentido. Si te ha ido bien, me alegro un montón. ¿Y te has casado o sigues siendo un rompecorazones?

Cuando me sobrestiman, cosa frecuente, experimento algo contrario a la vanidad, pero que no es la modestia. En aquella ocasión, la llegada de Valentina puso fin al diálogo.

Estaba más delgada, con las facciones afiladas, con algunas arrugas en las comisuras de los labios y una expresión menos confiada.

Dio dos besos a Julio Alarcón, a mí un abrazo fugaz, con la circunspección propia del lugar y la ocasión, y acto seguido un ujier nos condujo a la sala donde iba a dar comienzo la ceremonia. La sala era un espacio rectangular, con varias filas de sillas y un atril; el suelo de mármol, las paredes de madera clara y una iluminación indirecta y uniforme le daban un aire de elegante gravedad. Unos altavoces difundían música de órgano apenas perceptible.

En la primera fila se sentaban seis personas de riguroso luto. Valentina los identificó como los padres de Ernie, sus tres hermanos y la mujer de uno de ellos. Como los seis estaban cabizbajos y parecían estar rezando, no me pareció oportuno acercarme a darles el pésame. Julio Alarcón, Valentina y yo nos sentamos en la tercera fila.

Poco a poco la sala se iba llenando. Entre los asistentes reconocí a dos miembros de la antigua colonia española. El resto eran desconocidos. En total, debía de haber una veintena de personas. Cuando el acto estaba a punto de empezar, entraron en tropel varios hombres de la edad de Ernie y se sentaron aparte, en la última fila. Su aspecto y su atuendo contrastaban con su actitud recatada. A unos se les notaba el maquillaje y un par llevaban las uñas pintadas de un rojo carmesí. Nada más sentarse, uno de ellos rompió a llorar procurando reprimir los sollozos. El hermano mayor de Ernie volvió la cara y les dirigió una mirada de reprobación y de ira. Era evidente que los culpabilizaba de lo ocurrido.

Una vez sentados todos y restablecido el silencio, el maestro de ceremonias cerró la puerta, cruzó la sala, ocupó el atril, accionó el micrófono con una mano menuda, como de cera, y ofreció la palabra a quien deseara usar de ella para decir algo sobre el difunto. Al punto se levantó el hermano mayor de Ernie y fue hasta el atril que había dejado vacante el maestro de ceremonias. Desde allí pasó revista a los asistentes con el rostro ceñudo, como si estuviera en territorio enemigo, y a continuación empezó a hablar en tono firme.

—Nos hemos reunido para dar el último adiós a mi hermano Ernesto, prematuramente desaparecido, lejos de su patria y de los suyos, de resultas de una terrible enfermedad, que él supo sobrellevar con entereza. En vida fue siempre un hombre de voluntad independiente, dominado por inquietudes que le llevaron a buscar su suerte en otros ámbitos. Si en pos de sus afanes cometió algún error, no me cabe duda de que al final puso su alma en paz con Dios.

Hizo una larga pausa antes de proseguir en un tono menos declamatorio.

—Poco más puedo agregar. En nombre de mis padres, aquí presentes, en el de sus hermanos y en el mío propio, en el de mi esposa y en el de toda la familia, transida de dolor, les ruego que unamos nuestras plegarias para rogar al Señor que perdone los pecados de Ernesto y le conceda el descanso eterno. Unamos nuestras voces con las palabras que nos enseñó Jesús: Padre nuestro, que estás en los cielos...

Un murmullo entrecortado acompañaba la oración. Valentina acercó la boca a mi oído.

—Esto es intolerable. ¡Menudo cabrón! Sal y di algo.

—¿He de ser yo?

—Eres el único que sabe cómo hacerlo. Y alguien tiene que tapar la boca a estos transidos de los cojones.

No soy pendenciero ni arrojado, pero Valentina tenía razón.

Cuando el hermano de Ernie volvió a su asiento, me levanté y lo reemplacé delante del atril.

—Buenas tardes. Como ya hemos rezado por el alma del difunto, me limitaré a hablar del amigo. Si cometió errores y pecados, yo no lo sé. Tampoco sé si Dios existe, pero tal como lo pintan, no parece un ser dispuesto a delegar en nadie la potestad de juzgar y condenar, porque le encanta hacerlo y porque si no lo hiciera, no tendría nada más que hacer. De modo que sólo nos queda valorar a las personas con nuestros pobres criterios. Y en este terreno no hay errores que reprochar, sino al contrario. Cuando alguien lo necesitó, Ernie estuvo a su lado; del mismo modo que nosotros, sus amigos aquí presentes, estuvimos a su lado cuando él nos necesitó. Lo demás son cuentos, créanme. Ernie participaba de nuestras alegrías y nos dio muchas. A su lado aprendí cosas importantes. Y útiles. En muchos pasos él fue mi guía. Con pastores así, no me hacen falta otros. Hoy lo despedimos los que estuvimos con él, los que le comprendimos y los que le quisimos tal y como era, sin reformas ni reproches; los que estamos orgullosos de haber sido amigos suyos.

Al ir hacia mi asiento miré de reojo a la familia de Ernie. La madre lloraba, el padre mantenía la cabeza baja y se llevaba un pañuelo blanco a los labios. Los hermanos miraban fijamente al frente.

Quizá animado por mi intervención, se levantó un miembro del grupo de desconocidos y avanzó hacia el atril a pasitos cortos. Llevaba unos pantalones azul cielo, muy ceñidos, y unos zapatones con plataformas. Ante el micrófono estuvo un rato callado y luego empezó a recitar un poema. Hablaba cuchicheando y estaba tan alterado que apenas se entendían las palabras. Finalmente llegó a unos versos que decían:

Men come, men go;
All things remain in God.

Allí se le quebró la voz y no pudo seguir. Las lágrimas le surcaban el maquillaje. Dejó el atril, se fue corriendo y el maestro de ceremonias anunció que el acto había concluido y agradeció a todos la asistencia.

Poco a poco fuimos abandonando la sala. Julio Alarcón, Valentina y yo nos quedamos en el vestíbulo mientras los demás ganaban la calle con la misma ligereza con que habían entrado. Finalmente salió la familia. Formaron un grupo compacto, algo alejado de nosotros. Al cabo de unos instantes, el hermano de Ernie que había hablado antes que yo se destacó del resto y vino directamente a mi encuentro. Confié en que me insultaría sin recurrir a la agresión física. Cuando estuvimos frente a frente, me miró de hito en hito.

—A mi madre, a mi padre y a todos nosotros nos ha conmovido mucho lo que ha dicho. Es un gran consuelo ver que el pobre Ernesto era tan querido.

—Él supo ganarse nuestro cariño con su generosidad y su nobleza.

El hermano meditó mis palabras y luego hizo una mueca con los labios apretados.

—Sí. Entiendo lo que me dice. Las circunstancias son muy otras. También ustedes nos deben entender.

Me estrechó la mano con fuerza, saludó con una inclinación de cabeza a mis dos acompañantes y fue a reunirse con el resto de su familia.

Aquella intervención no disipó el enfado de Valentina.

—Por lo menos son del Opus.

—Lo mismo da. Ya han sufrido lo suyo. Déjalo correr.

Me despedí de Julio Alarcón con la vaga promesa de mantenernos en contacto y Valentina y yo salimos a la calle y echamos a andar en la misma dirección. Yo me proponía volver al hotel, pero no quería llegar con Valentina colgada del brazo. Anduvimos un rato en silencio. Le pregunté si estaba muy afectada por la muerte de Ernie.

—He tenido tiempo de despedirme; han sido unos meses espantosos; al final sólo pides que se acabe pronto el sufrimiento. Ya he llorado todo lo que tenía que llorar. ¿Y tú?

—Aún no me he hecho a la idea.

—Claro. Estás en el Carlyle, ¿eh? Vaya suerte. Y en una suite de puta madre, ¿a que sí? Una cama como un estadio y una bañera con grifos dorados, como si lo viera.

—Ca. Un cuartucho con goteras y telarañas. ¿Cómo están China y Allan? Nos felicitamos todos los años por Navidad, pero no sé más.

—Están como siempre. En estos momentos, en Las Vegas. Él tiene clientes en los casinos... Ya te puedes figurar.

—Vamos del Opus a la Cosa Nostra sin salir de tu cabecita malévola. ¿Y tú?, ¿cómo estás? ¿Tienes pareja fija?

—Pareja, sí. Lo de fija ya es otro cantar. Estoy en un impasse: se me pasó la edad de tener algo formal y aún no he llegado a la edad de renunciar. Si lo de

Ernie fueron errores, no sé cómo llamar a lo mío. Tú supiste cambiar a tiempo, de ciudad, de vida... No quiero dar pena, ¿eh? Te doy el parte y punto.

—Las cosas cambian cuando menos lo esperas.

—Las cosas, no sé, pero tú sigues igual de escurridizo. No tengas miedo. Aquí nos despedimos. En Lexington y la 86 hay un metro que me deja en casa con un solo transbordo.

But chimpanzees aren't what they used to be.

En la recepción del hotel me entregaron una nota de Carol. Estaba cenando con unos amigos en Bouley. Si tenía hambre y ganas, podía reunirme con ellos. Una reunión con desconocidos me daba mucha pereza, pero pensé que me vendría bien distraerme y apartar de mi cabeza el recuerdo de Ernie y el reencuentro con Valentina.

Como no conocía el restaurante, pregunté la dirección al recepcionista.

—Duane Street con West Broadway.

—En mis tiempos aquello era una porqueriza.

—Sí, señor. Ahora es el barrio de moda. Lo llaman Tribeca. ¿Le pido un taxi?

A aquella hora la circulación era escasa. Recorrimos dando tumbos y casi sin detenernos la Quinta Avenida, doblamos por la calle 13 y seguimos bajando por la Séptima Avenida. Hundido en el asiento de cuero sintético, vi a un ritmo desenfrenado la Frick Collection, el Rockefeller Center, la

Biblioteca, el Empire State, el Flatiron, el Arco de Washington Square: hitos fugaces de mi pasado.

Me apeé en una calle desierta y mal iluminada, oprimida por la doble mole del World Trade Center. Por fortuna, el restaurante era amplio, claro y acogedor. Un cesto de manzanas colocado en la puerta difundía un aroma fresco y saludable.

Carol me hizo señas desde una mesa que compartía con una pareja formada por una chica joven y un hombre maduro.

—Disculpen la intrusión. No quería interrumpirles.

El hombre me estrechó la mano con vigor.

—No se disculpe, por favor. Nos alegra mucho que haya podido venir. Carol nos ha estado contando sus proezas y nos moríamos de ganas de conocerle.

Era alto, enjuto, con una espesa mata de cabello blanco y el rostro, surcado de arrugas verticales, muy moreno, como si acabase de volver del trópico.

—No le hagan caso. A Carol le gusta embellecer las historias más triviales.

Nos sentamos y Carol me dio la carta del restaurante.

—Hemos terminado el primer plato hace media hora y todavía no han traído el segundo. En los restaurantes nuevos y famosos suele pasar. Sírvete una copa de vino y pide algo rápido.

—¿Es cierto que estuvo preso de unos piratas y que conspira con un rey depuesto contra la Unión Soviética?

—Es como en el cine: el enunciado promete y la película defrauda.

Conseguimos atraer a un camarero y le pedí una ensalada de langostinos.

—No tengo más hambre.

—Es natural. Sabemos que viene del funeral de un amigo. Es un hecho lamentable y por desgracia recurrente en estos tiempos. Estábamos tan felices y de repente... plaf. Es como si Dios hubiera enviado una plaga para recordarnos nuestra triste condición.

—¿Es usted creyente?

—¿Yo? No, de ningún modo. Soy un ateo recalcitrante, pero por mi trabajo, vivo inmerso en un mundo donde el sentimiento religioso es una constante insoslayable. Casi podría decir que es el tema sobre el que giran mis estudios. A veces temo por mi equilibrio mental.

La amiga de Carol se llamaba Amparín Lasarte. Se habían conocido en Barcelona, en el Club de Polo, en una época en la que a Carol le había dado por montar a caballo. Amparín era una apasionada de la hípica. Por amor a los animales había empezado a cursar Veterinaria. En el primer curso de la carrera, la lectura de Jane Goodall la llevó a especializarse en el estudio de los grandes simios. Recién licenciada, trabajó como asistenta de Frans de Waal en Arnhem y, con la recomendación de éste, se trasladó a Nueva York para proseguir sus estudios bajo la tutela del profesor Basile Froubier, un eminente primatólogo, autor de varios tratados de referencia sobre la materia y el hombre con quien ahora hacía manitas e intercambiaba carantoñas en nuestra mesa.

Era viernes y el restaurante estaba muy animado. El vocerío nos impedía mantener una conversación fluida, especialmente al profesor Froubier, que era un poco duro de oído.

—Esta ciudad se ha convertido en una gigantesca discoteca. Aquí mandan los jóvenes, qué le vamos a hacer. Nosotros tenemos una casita en el campo. Un paraje idílico, se lo aseguro. Pensábamos ir a pasar allí el fin de semana y nos gustaría invitarles, si no tienen otros planes. Amparín y Carol no se han visto en años y tienen muchas cosas que contarse, y a nosotros nos vendrá bien un poco de paz. Así me podrá contar la peripecia de los piratas con pelos y señales. Vamos, anímense. Iremos en nuestro coche. El viaje nos llevará un par de horitas, a lo sumo. Y en la zona también hay buenos restaurantes.

Ante tanta insistencia no nos podíamos negar. A todas luces la invitación era sincera, el campo estaría en todo su esplendor y a mí me vendría bien salir de una ciudad que la muerte de Ernie había vuelto repentinamente sombría.

Nos acompañaron al hotel en su coche y quedamos para el día siguiente a las 10. Ya en la habitación, le pedí a Carol que me pusiera en antecedentes de aquella singular pareja.

—¿Qué quieres saber?

—Ella es tu amiga, pero él, ¿quién es? Le lleva por lo menos treinta años.

—No tantos. Y la diferencia de edad no importa. Amparín le admira y a él se le cae la baba. Se les ve felices y eso es lo esencial.

—No tendrías que haberles contado mis desafortunadas andanzas.

—Quería que te encontraran tan atractivo como te encuentro yo.

—Me miraban como si tuviera monos en la cara.

—No empieces con tus chistes.

—Aunque la mona se vista de seda...

—Uno más y te vas a dormir al sofá.

El viernes amaneció soleado y cálido.

Mientras colocábamos nuestro reducido equipaje en un maletero repleto de bolsas y cajas, Amparín Lasarte nos anunció que haríamos una pequeña desviación en el camino para recoger a una buena amiga de la pareja con la que compartiríamos el fin de semana.

—Madeleine es encantadora y muy culta, ya veréis.

Madeleine Chakos era una mujer de mediana edad, pelo gris, tez sonrosada, ojos azules y 120 kilos de peso. El coche de Froubier era un 4×4 bastante grande, pero no fue fácil embutir a tres personas en el asiento de atrás. Como las tres mujeres me habían cedido gentilmente el asiento delantero, el viaje se me hizo corto. A partir de un momento la autopista discurría entre bosques extensos y tupidos, de árboles altísimos y hierba crecida y húmeda, de un verde brillante.

A la casa de Froubier se llegaba por un camino de tierra batida. Era una construcción tosca, de dos plantas, paredes de madera pintada de gris y tejado de zinc a dos aguas. En la parte trasera el porche daba a un rectángulo llano, cubierto de césped, que lindaba con el bosque abierto. Junto al porche había una barbacoa.

Como era tarde, comimos unos sándwiches que Amparín y Froubier habían traído en el coche, deshicimos el equipaje en la habitación que nos habían asignado y salimos a pasear por una carretera vecinal, estrecha y sinuosa, en dirección a Rhinebeck, una población que se encontraba a unos cuarenta minutos de distancia a pie. Yo iba delante, con el profesor Froubier; Madeleine nos seguía jadeando, y Carol y Amparín se iban quedando rezagadas, entre risas y cuchicheos.

Froubier me dijo que me mantuviera en el sendero, lejos de los matorrales.

—En el bosque viven muchos venados y los venados están llenos de garrapatas.

—No tengo la intención de tocar un venado.

—Ni él se dejaría, pero las garrapatas saltan y están por todas partes. Son unos animales asquerosos. La naturaleza, en general, es asquerosa.

—Me sorprende oírle hablar así, profesor. Yo le hacía un amante de la naturaleza.

El eminente primatólogo se detuvo en seco y levantó un dedo en señal de apercibimiento.

—Como nos conocemos poco, pasaré por alto

su error. Pero me permitiré corregirlo. Mi especialidad es el comportamiento social de los primates. Como individuos, los monos me parecen unos seres repelentes que sólo sirven para hacer reír a los niños y a los idiotas en el circo.

Como la aclaración no contenía ofensa sino puntualización, y después de haberla hecho el eminente primatólogo proseguía su camino alegremente, me puse a su lado y traté de saber algo más sobre los conocimientos que le habían dado prestigio internacional.

—Usted sabrá mejor que nadie cómo son los monos, puesto que ha convivido con ellos y los ha visto actuar en su elemento.

—¿Quién? ¿Yo? ¡De ningún modo! Yo no he estado nunca en África ni tengo la menor intención de ir a la cuna del atraso y la barbarie.

—Perdone mi error. Como está tan moreno y va vestido como Clark Gable en *Mogambo*, he supuesto que acababa de volver de un safari.

—¿Un safari? ¡Eso es para turistas ricos! Yo soy un científico y si estoy moreno es porque juego al golf dos o tres veces por semana. A los simios los estudio en cautividad.

—Cada vez estoy más perplejo, profesor Froubier.

—Intentaré aclararle las ideas. El meollo de mi actividad profesional consiste en corregir los errores en que caen los primatólogos que hacen labor de campo. Los chimpancés son muy listos: al que los observa desde el suelo, le muestran lo que les conviene. Nadie sabe lo que pasa en las ramas más altas, por muy potentes que sean los prismáticos. Y el resultado, a la vista está. Los primatólogos de referencia son más ingenuos que san Francisco de Asís. Jane Goodall, la que más. Es inteligente, tiene una formación sólida, habría podido ser una científica importante. Pero se pasó una temporada en Gombe y luego ha escrito literatura juvenil, nada más. Y lo mismo podríamos decir de Frans de Waal o de Craig Stanford. Los simios les han engañado de mala manera. Si los bonobos fueran como ellos los describen, se habrían extinguido hace milenios. ¡Simios pacifistas! La agresividad es un elemento esencial en cualquier ser vivo. Hasta en las florecillas del campo. La evolución es una lucha continua. ¿O no han leído a Nietzsche? En el caso de los seres humanos, Homero convirtió en literatura una brutalidad que existía, en su forma más extensa y descarnada, desde el origen de los tiempos. Hoy los primatólogos tratan de hacer lo mismo con la conducta de los primates. Pero no nos engañemos: si los primates siguen evolucionando y alcanzan el raciocinio humano, cosa que está por ver, lo harán gracias a la ferocidad y a los bajos instintos. Si algo distingue a los humanos de las fieras es la capacidad de empatía, de generosidad y de perdón. Unas cualidades que no habrían desarrollado si la existencia no estuviera regida por la enemistad y la guerra. Sin la selva no habría tal cosa como la ley de la selva, y sin la ley de la selva, no habría ley.

—Entiendo su argumentación, pero sigo sin saber sobre qué material trabaja usted.

—Básicamente, me paso el día encerrado en la biblioteca. Alguna vez he visitado centros donde hay chimpancés en cautividad. Unos sitios malolientes y muy poco gratos de ver, créame; pero por razones empíricas he de observar a los primates en su elemento natural.

—¿El elemento natural de los primates no es la libertad?

—No, no, todo lo contrario. Los primates son seres sociales, como nosotros y como la mayoría de los animales. Su elemento natural, como el nuestro, es una estructura predeterminada, limitada y sometida a normas muy rígidas. ¿Quién es más representativo del ser humano, Mowgli o un vendedor de enciclopedias a domicilio? El individuo es un ovillo enmarañado de impulsos contradictorios, acciones instintivas y autoengaño. Como máximo es material para novelistas. A los científicos sólo nos debería interesar el ser social, cuya conducta se puede reducir a unas pautas verificables y susceptibles de ser reducidas a patrones más o menos fijos.

Entretenido por la instructiva plática del eminente primatólogo, habíamos alcanzado, sin que yo me diera cuenta, las primeras casas de Rhinebeck, y allí nos detuvimos, Froubier y yo, a esperar a Madeleine y luego a Carol y Amparín, cuya tardanza permitió a aquélla recobrar el aliento.

Una vez reagrupados, anduvimos los cinco por la calle principal. A derecha e izquierda se alineaban casas señoriales, separadas de la acera por un diminuto jardín. Algunas casas eran de estilo neoclásico, con frontón triangular y columnas macizas, y otras, de madera enjalbegada, de una artificiosa elegancia rural. En la fachada de muchas casas colgaba de un mástil una bandera enorme, limpia y cuidada, y no sucia y harapienta como suelen estar las banderas y colgaduras dejadas a la intemperie. El conjunto constituía un decorado caro, representativo de la afluencia sin apocamiento de los protestantes enriquecidos gracias a su viveza y su tenacidad.

Por la calle no circulaba nadie y las casas parecían cerradas. Froubier me explicó que aquél era un lugar de vacaciones: en verano no se podía dar un paso, añadió, mientras yo, sin proponérmelo, recordaba las calles de Pattaya, con el gentío y el tráfico febril, los bocinazos de las motocicletas y las voces estridentes de los vendedores, las prostitutas y los borrachos y el olor a gasolina mala, sudor, pescado frito y basura.

En un trecho de calle había varias tiendas abiertas, donde se vendían artículos bonitos y superfluos. Carol y Amparín anunciaron su intención de no desaprovechar la ocasión y Froubier propuso al resto que las esperásemos tomando algo en el bar del Beekman Arms.

El Beekman Arms se ufanaba de ser el albergue más antiguo de América. Era un hotel bonito y acogedor. En un saloncito había dos parejas jugando a las cartas y en el bar, un par de hombrones con chupa de cuero bebían cerveza en la barra sin perder de vista a través de la ventana sus respectivas Harley Davidson.

Nos instalamos al otro extremo de la barra y saludamos con un gesto a los motoristas. Uno de ellos nos preguntó si veníamos de Nueva York. Tenía un enorme bigote rubio. Yo respondí por todos afirmativamente.

—¿Y siguen camino?

—No. Mis amigos tienen una casa por aquí y nos han invitado a mi mujer y a mí.

—Éste es un buen sitio. Tranquilo. Nosotros venimos de Poughkeepsie y vamos a Saratoga Springs, y de allí a Lake George. Luego, de vuelta a Poughkeepsie. Viajamos por el gusto de viajar. Somos hombres de familia: mujeres, hijos. Entre los dos tenemos seis, cuatro chicas y dos chicos. Casi todos en la adolescencia. Agotan la paciencia a cualquiera. Así que, de cuando en cuando, decimos, ¿qué?, ¿vamos? Nos subimos a la moto y a correr y a que nos dé el aire. Tres o cuatro días y vuelta al redil. Yo me llamo Noah, y mi amigo, Jerry.

—Encantado. Yo soy Rufo; él es el profesor Froubier y ella, Madeleine. ¿Podemos invitarlos a otra ronda?

—No, gracias. Hemos de volver a la carretera. ¿Dónde da usted clases, profesor?

—No doy clases. Investigo y escribo artículos para revistas científicas.

—Buen trabajo. Nosotros no somos de leer mucho. Los amigos, la moto, la tele... y la familia, claro. ¿Ustedes tienen hijos?

—Yo tengo dos. Dos chicos. Todavía son pequeños y dan poca guerra.

—Es una bendición verlos crecer.

—Estoy de acuerdo.

Apuraron sus cervezas, pagaron, saludaron y se fueron. El barman, que se había mantenido a la espera, nos preguntó qué queríamos. Froubier y yo pedimos sendas cervezas. Madeleine pidió un agua Perrier con una rodaja de limón. Cuando el barman se disponía a servirnos, Madeleine le detuvo.

—Olvídese de la Perrier y póngame también una cerveza, una bolsa de patatas y unos cacahuetes para picar.

El barman no pudo reprimir una sonrisa. Madeleine lo advirtió, le hizo un guiño y se volvió hacia mí.

—Las personas como yo estamos siempre de dieta. Una dieta, como ha visto, es un ceremonial.

La obesidad le daba un aire aniñado y como hasta aquel momento sólo había pronunciado monosílabos, yo la tenía por lerda, pese a la deferencia con que la trataba el eminente primatólogo. Ahora, sin embargo, en su rostro beatífico brillaban unos ojillos burlones.

—Pero no vaya a creer que siempre he sido así. Díselo tú, Froubier.

El eminente primatólogo volvía de colgar su sombrero de una percha.

—Es bien verdad. En el instituto de enseñanza media era una sílfide.

—Hombre, no te pases.

—Una sílfide rellenita. Muy atractiva.

—A los treinta y tantos tuve una enfermedad rara, no sé si orgánica o mental. El tratamiento me curó y me dejó hecha un globo. El resto ha sido una batalla perdida. Al final me rendí. No se puede vivir siendo el enemigo de una misma.

Froubier le dio una palmada cariñosa en el antebrazo, el barman sirvió las cervezas y su acompañamiento y durante un rato bebimos y comimos en silencio. Luego Madeleine tomó de nuevo la palabra para dirigirse a mí.

—He observado cómo hablaba con los motoristas. Ha estado bien. Me ha gustado su actitud: un interés mínimo pero genuino. Los europeos suelen mirar a los americanos con un cierto aire de superioridad, sobre todo si advierten algún elemento local y pintoresco, como en nuestros amigos de la Harley. Para un europeo un americano es un individuo rico, ingenuo y tosco. Si una obra merece su admiración o incluso su beneplácito, como el Empire State o el Golden Gate, en seguida dicen que el ingeniero que la construyó era francés o alemán.

—Viví unos años en Nueva York y estoy vacunado contra esta prevención y otras similares. ¿A usted le incomoda?

—Fuera de mi propia persona no me incomoda casi nada. Lo encuentro divertido. Después de la Gran Guerra Europa se llenó de americanos. Sobre todo los sitios más bonitos: París, Florencia, Roma... Los europeos miraban a los americanos con una mezcla de disgusto y condescendencia. Como los consideraban unos catetos podridos de dinero, se burlaban de ellos y procuraban estafarles. Al cabo de unos años los catetos americanos habían comprado la mitad del tesoro artístico de Europa por un precio ridículo y se lo habían traído aquí, y en Europa habían dejado la Coca-Cola, la pizza y los *hot-dogs*. ¿Qué le parece?

—No lo sé. Yo tampoco me incomodo fácilmente. ¿Se dedica a la antropología cultural?

Antes de responder, Madeleine se rio silenciosamente, como si se hubiera contado un chiste a sí misma.

—Sólo en su manifestación más extrema. Soy experta en arte contemporáneo, si el término no le asusta. En la práctica, asesoro a algunas galerías, monto exposiciones y escribo artículos deliberadamente oscuros para ocultar que no sé de lo que estoy hablando.

—¿Es pesimista ante el futuro de las artes plásticas?

Madeleine hizo señas al barman para que le trajera otra cerveza y otra ración de patatas y mientras esperaba suspiró y me miró con una mueca de desgana.

—Pesimista, no. Digamos que con los años he perdido en entusiasmo lo que debería haber perdido en masa corporal.

Lo decía con un deje de cinismo, pero parecía a punto de llorar. Froubier intervino.

—Madeleine no se ha repuesto de la muerte de Andy. Ha sido muy reciente.

Andy Warhol había muerto en febrero. Madeleine retomó el hilo de su discurso.

—Perdone. Éramos amigos. Conocí a Andy apenas llegado a Nueva York desde su Pittsburgh natal, allá por el cuarenta y tantos, y fui una de sus primeras patrocinadoras. No lo digo para atribuirme méritos. Su talento fue reconocido de inmediato. En este aspecto tuvo suerte. Le tocó vivir una época de abundancia. La oferta era descomunal: Rothko, Pollock, Rauschenberg, Jasper Johns, Roy Lichtenstein, Frank Stella..., no acabaríamos nunca; y no obstante, la demanda aún era mayor. No me malinterprete: todos los artistas que he citado tenían un gran talento, digan lo que digan algunos críticos. Yo así lo creo y, si me equivoco, la posteridad se encargará de desmentirlo. Me da lo mismo. Pero Andy era otra cosa.

—¿En qué sentido?

Madeleine dio unos sorbos a su nueva cerveza, se enjugó los labios y sonrió. Se notaba que le gustaba hablar de aquel tema.

—Andy Warhol fue el último artista que habló el lenguaje de su clase. Me refiero a su clase social. Andy era el representante de la clase media y su portavoz en el campo de la expresión plástica. Su imaginario no era el de los intelectuales ni el de los visionarios, sino el de la clase media. Andy era un hombre modesto. Se rodeó de tipos exuberantes, pero él era de una modestia provinciana. En el Studio 54 seguía siendo un monje de clausura. Como artista pertenecía a un modelo que empezó en el Renacimiento y acabó hace unos meses, cuando enterramos a Andy en el cementerio de su pueblo. Entre los retratos de Marilyn, de Elizabeth Taylor o de Mao y los frescos de Piero della Francesca hay diferencias técnicas, pero unos y otros responden a una misma razón. Todos los que he citado antes, los Rothkos, los Rauschenberg, pintan su visión de la realidad, su universo interior, son profetas. Andy pintó lo que había visto en la cocina de su madre y se quedó tan ancho. Detergentes, sopa enlatada y portadas de revista dominical. El mundo lo celebró como si hubieran aterrizado los marcianos en Times Square. Él se cuidó mucho de deshacer el malentendido. Usted me ha preguntado si soy pesimista. No lo sé. No sé lo que vendrá ahora. Eso lo decidirán el mercado y las tendencias...

Calló y yo me abstuve de contradecirla, como habría hecho en circunstancias normales, porque tenía los ojos húmedos, no sé si por el recuerdo de un ser querido y admirado, o por el lamentable estado de las artes, o por sus propias circunstancias personales. Afortunadamente, Froubier alivió la tirantez del ambiente al anunciar la llegada de Carol y Amparín.

—Ya están aquí las chicas. A ver qué traen.

Entre las dos acarreaban un envoltorio largo y pesado. Lo depositaron en el suelo, a la entrada del bar, y se reunieron con nosotros en la barra. Yo le pregunté a Carol qué habían comprado.

—Una ganga. Es una alfombra preciosa. Para nosotros.

—¿Cómo nos la llevaremos?

—Haremos que la envíen. ¿No somos transportistas? Y la alfombra vale la pena. Amparín, díselo tú.

—Es una monada. Con figuras geométricas y colores vivos. Un diseño típico de la artesanía amish.

—¿Dónde la pondremos? En casa ya no nos cabe nada más.

—En el cuarto de los niños quedará genial y a ellos les encantará cuando les digamos que la han tejido los indios. ¿Los amish cortaban cabelleras?

—¡Por el amor de Dios, Carol! Los amish son blancos, anabaptistas, y tienen prohibido matar moscas.

—No importa. Los tendremos engañados hasta que vayan a la universidad.

People lose teeth talking like that.

Regresamos a la casa de los Froubier cargados de comida comprada en varias tiendas del pueblo y procedimos a la laboriosa preparación de una barbacoa. Cuando finalmente pudimos cenar, ya era de noche. Las lámparas del porche estaban equipadas con bombillas amarillas para ahuyentar a los insectos y Amparín reforzó la defensa con unos bastoncitos de lenta combustión y aroma estomagante, si bien tantas precauciones no impidieron que la cena estuviera presidida por una nube de polillas. No obstante, el paseo nos había abierto el apetito y comimos con ganas. En la casa había una buena bodega y durante la cena cayeron una botella de Meursault y dos botellas de Zinfandel, antes de pasar al champán.

Con tanta comida y bebida, Madeleine había recuperado el buen humor y nos entretuvo con el manido anecdotario a que da lugar el arte contemporáneo: obras valiosas devoradas por un perro, visitantes que confunden una instalación con el aseo, etcétera. Su disposición, sin embargo, era menos sombría de lo que daban a entender aquellas ridículas historietas y la reciente disertación en Beekman Arms sobre el estado de la cuestión.

—Si bien se piensa, el arte es un disparate en todas sus manifestaciones y en todas las épocas. Todo artista, por definición, interpreta erróneamente la voluntad de quien le hace un encargo también erróneo; ejemplo: la Capilla Sixtina; y si el artista está libre de ataduras y sólo obedece a sus propios impulsos, peor que peor. Si el arte tiene algún sentido, es el que le damos los críticos. No es un elogio. Describo una función tan modesta como necesaria. Una obra de arte auténtica y original no serviría para nada si los críticos no la banalizaran hasta ponerla al alcance de la percepción común. ¿Sería mejor dejarla en el limbo de lo inefable? Yo creo que no.

Se había zampado la mitad de un cheesecake comprado en la pastelería del pueblo a instancias suyas y con cada mordisco crecía su animación.

—Por supuesto, en esta película a los teóricos del arte nos ha tocado el papel de malvados. Somos el chivo expiatorio, como les suele suceder a quienes hacen el trabajo sucio. En el etéreo mundo de la creatividad somos inmigrantes ilegales. Ahora bien, ¿es culpa nuestra si las cosas están como están?

Se enjugó los labios con la servilleta y bebió un trago de champán antes de proseguir.

—¿Está el panorama tan mal como lo pinta el consenso general sobre el fin de los tiempos? No lo sé. Hace unos años los museos estaban vacíos: una tragedia. Hoy están a rebosar: otra tragedia. ¿Cómo han de estar los museos? Mejor dicho, ¿han de existir los museos? En el antiguo Egipto se hacían las obras más exquisitas para enterrarlas con la momia de un mindundi; su destino era no ser vistas jamás. ¿Tiene eso más sentido que hacer cinco horas de cola para ver el sarcófago de Tutankamón? ¿Las creencias dominantes o el sentir general en un momento concreto de la Historia son un criterio válido para enjuiciar una obra de arte, su encaje en la sociedad y, en definitiva, su destino último? ¡Ah! Si no fuera por los denostados críticos, el arte estaría a merced de las supersticiones y de las arbitrariedades del poder.

Miró uno a uno a los presentes y al ver que nadie parecía dispuesto a contradecirle ni a añadir nada, abandonó su asiento con no poco esfuerzo.

—Con su permiso, me retiro. He comido demasiado, he bebido demasiado, he hablado demasiado y, como la mayoría de las mujeres, estoy convencida de que los mosquitos sólo me pican a mí. Buenas noches.

Siguiendo su ejemplo, Carol y Amparín levantaron la mesa y anunciaron su decisión de lavar los platos. Nuestra oferta de colaboración fue rechazada de plano. Como eran dos niñas ricas, las labores domésticas ocasionales les parecían una cosa muy divertida, explicó Carol. Froubier y yo nos quedamos solos. El eminente primatólogo había sustituido su atuendo de explorador de la sabana por otro de leñador canadiense, más acorde con la temperatura. Parecía satisfecho con la velada y para demostrar su intención de prolongarla, fue a la bodega y regresó con dos copas esféricas y una botella de Bas Armagnac. Saboreamos el licor sin decir nada. Del bosque llegaba el canto de los grillos y el ulular de un búho. Al cabo de un rato opté por romper el silencio.

—He creído notar que no estaba usted conforme con el discurso de Madeleine.

—Es usted perspicaz. En efecto, por la naturaleza de mis estudios, he de estar por fuerza en contra del arte. No de tal o cual interpretación, sino del arte en sí. Soy humano, claro está, y no puedo escapar siempre a su influjo. La música, la pintura, la arquitectura, si me pillan con la guardia baja, pueden llegar incluso a emocionarme. Luego reacciono y rechazo su influencia perniciosa. Lo mismo pienso, dicho sea de paso, de la religión, de la moral y, muy en especial, del lenguaje. El hombre es un simio que se ha complicado la vida innecesariamente. Un chimpancé oye un trueno y corre a refugiarse de la lluvia. Un hombre primitivo oye el mismo trueno, lo identifica con la voz de un dios implacable y corre a sacrificar al vecino para apaciguarlo. De ahí salen la religión, la filosofía, el arte. Pero ¿compensa el precio que hemos pagado?

Entornó los párpados y pareció adormecerse. Al cabo de unos segundos, su rostro se distendió en una sonrisa, abrió los ojos y me miró con aire guasón.

—Por otra parte, sea cual sea mi opinión, Madeleine es una especialista de renombre y es una temeridad llevar la guerra a territorio enemigo. Precisamente acabo de recordar una historia que viene muy a cuento. Me sucedió a mí, hace ya bastantes años, en los inicios de mi carrera como primatólogo. Yo había escrito un *paper* muy serio y bien fundamentado y, antes de entregarlo a una revista especializada para su posible publicación, me pareció aconsejable presentarlo en forma oral en un congreso al que había sido invitado y, de este modo, recoger y aprovechar las reacciones y comentarios de mis colegas. En esencia, el *paper* venía a demostrar que de todas las organizaciones sociales humanas, la más parecida a la de los chimpancés era sin duda la sociedad tradicional japonesa, como se puede ver en muchos de sus rasgos distintivos: la apariencia externa y la fanfarronería brutal del samurái, la conducta esquiva y a la vez sumisa de la geisha, una religión autóctona naturalista y muy simple, un idioma gutural apenas comprensible, la música... y, por último, la capacidad de mimetizar formas de comportamiento y pautas culturales foráneas, ora de la China, ora de Occidente. Usted conoce el país y estará de acuerdo conmigo. En resumidas cuentas, sobre esto versaba la tesis que me disponía a presentar. Como el departamento se encargaba de la logística y yo estaba muy ocupado ultimando los detalles de la ponencia, no me preocupé por averiguar la sede del congreso hasta que, ya en el avión, descubrí que se celebraba en la Universidad de Kioto, bajo la presidencia del doctor Kinji Imanishi. Como ya no podía volverme atrás, al llegar a Kioto me acredité ante la organización y asistí a los actos inaugurales. Al cabo de dos días me llegó el turno y leí la ponencia, acompañada de gráficos y diapositivas, en un anfiteatro ocupado por un centenar de primatólogos de todo el mundo, pero mayoritariamente japoneses. Al concluir la exposición reinó un largo silencio, hasta que el profesor Imanishi se levantó y abandonó el anfiteatro seguido de los demás congresistas. Me quedé solo, ordenando el material y, cuando me disponía a salir, vino a mi encuentro una mujer vestida con un elegante kimono, hizo una reverencia y, en nombre de la organización del congreso y de su presidente, el profesor Imanishi, y en un inglés impecable, me dio las gracias por mi excelente ponencia y me pidió mil disculpas: debido a un imperdonable fallo técnico, no había funcionado el sistema de traducción simultánea y, como ninguno de los asistentes entendía el inglés, nadie se había enterado de su contenido, que todos leerían con sumo interés tan pronto fuese publicada. Al día siguiente regresé a Nueva York. El *paper* nunca llegó a ver la luz. No quise publicarlo porque no pude determinar con certeza si el comportamiento de los congresistas confirmaba o desmentía mi tesis.

¿Parécete que me hallarías ahunque me buscasses? Pues yo te digo que si todos los del mundo me demandassen no me hallarían si yo no quisiesse.

Una tarde húmeda, nubosa y desapacible de finales de noviembre, cuando me disponía a cruzar la Rambla Cataluña, a la altura de Aragón, me abordó un mendigo.

Normalmente los ahuyentaba, con mayor firmeza cuanto mayor era su tenacidad. Desde hacía un tiempo había proliferado en el centro de Barcelona un tipo de mendigo abúlico, adscrito a un lugar determinado, obtenido mediante una oscura forma de arrendamiento, que esperaba recibir una limosna en actitud pasiva, ajeno a su obligación ancestral de conmover al transeúnte escenificando de un modo teatral no sólo su infortunio evidente, sino los trágicos golpes de la vida que le habían impelido a mendigar. Esto me sucedió a mí; a ti, todavía no; pero nadie está a salvo de los zarpazos del destino. No digas: esto a mí no me puede pasar. Apiádate de este pobre desgraciado y el Señor te protegerá cuando llegue la ocasión, y otros epigramas similares. Pero, desde sus orígenes, la caridad va de la mano de la religión, y en aquel prosaico final de siglo, ni los curas ni los mendigos se tomaban en serio el papel que Dios les había encomendado.

Sin embargo, el que se interpuso en mi camino aquella tarde de noviembre conservaba los antiguos modos del pordiosero de retablo. Sin detener el paso, saqué una moneda y se la di. El mendigo la guardó en el bolsillo, siguió trotando a mi lado y trató de ponerme en la mano un papel doblado. Lo rechacé y él insistió. Mientras pugnaba, mascullaba algo apenas inteligible con acento extranjero.

—No tiras. Oreja, oreja.

Con aquella extraña admonición me obligó a tomar el papel, dio media vuelta y se perdió entre el flujo de viandantes. Lo seguí con la mirada y comprobé que no parecía interesado en pedir limosna a nadie más. Desdoblé el papel y vi escrita una cifra de once números. No me costó reconocer por los prefijos un teléfono de París. Al llegar a casa llamé. Respondió una voz de hombre.

—Hôtel Santiago, *bonsoir.*

—Llamo de Barcelona.

—Ah, monsieur Batalla, gracias por llamar. Sólo queríamos confirmar que la habitación que usted reservó para el próximo lunes está a su disposición. Ya conoce la dirección de otras veces: *Hôtel Santiago, 21 rue de Labardie. À bientôt, monsieur.*

Llevaba tiempo esperando un mensaje de aquella naturaleza.

En contra de los pronósticos más bien fundados, a principios de aquel mes se había venido abajo el muro de Berlín, que unas décadas antes yo había franqueado, convencido de estar haciendo una proeza.

En aquel momento, la caída del muro causó estupor. Más tarde muchos aseguraban haberlo predicho: lo raro era que no hubiera ocurrido antes. En realidad, había sucedido lo mismo que sucedió treinta años atrás en Hungría, luego en Checoslovaquia, y recientemente en Polonia; pero en todas aquellas ocasiones Moscú había reaccionado con serena rapidez y contundencia y ahora había vacilado, no por falta de fuerza, sino de convicción.

Con la caída del muro de Berlín culminaba un proceso de transformación en la Europa del Este, y la pasividad de Moscú presagiaba el inminente descalabro de la URSS. La vieja guardia, heredera de Lenin y centinela de la doctrina, estaba formada por un grupo senil, paranoico y desorientado, que había agotado tristemente su ciclo, y la nueva generación, crecida y educada en la propaganda gubernamental y el pragmatismo más descarado, carecía de argumentos, incluso frente a sí misma, para defender la continuidad de un régimen que había fracasado en la práctica, y de un proyecto que el tiempo había disuelto en el cinismo. Desinflada la retórica leninista, el comunismo real no podía ofrecer nada, salvo chapuzas como Chernóbil y Afganistán, a una población harta de sacrificarse en aras de un futuro que a los ojos de todos era un señuelo. Los nuevos dirigentes esbozaron unas reformas que sólo sirvieron para poner de manifiesto la vaciedad de un sistema ineficaz que se sostenía por inercia. La producción estaba en ruinas: la deuda externa no dejaba de crecer y aun así faltaba de todo. Todos querían salir de aquel atasco, pero nadie conocía el camino. La economía centralizada no funcionaba y la iniciativa privada, después de un largo periodo de parálisis, era anémica y rudimentaria. A escala social, la tímida apertura generó un impulso difícil de detener. El coloso que había amedrentado al mundo trastabillaba y nadie parecía dispuesto a salir en su defensa.

Yo estaba estupefacto y mi suegro se burlaba de mi desconcierto.

—Lo que pasa se veía venir y la culpa únicamente es de ellos. La economía es lo de menos. Lo importante es la gente. Al pueblo puedes pedirle cualquier cosa, pero has de mostrarle respeto. Si lo tratas con desdén, no te lo perdonan. El objetivo de la publicidad no es pregonar las cualidades de un producto, sino hacer que la gente se sienta importante: que se merece un perfume, una alhaja, un objeto cualquiera. Mira lo que pasó en España con el 600. El pueblo no quiere justicia; quiere una mascota. Lenin era un intelectual; de negocios no tenía ni idea. Se creía que el capitalismo consistía en ganar dinero explotando al obrero, y eso no es verdad. El capitalismo consiste en tener las riendas de los medios de producción de la riqueza. Si Lenin hubiera leído bien a Marx, lo habría entendido así y a los soviets les habría ido mejor.

Antes de emprender el viaje a París, tomé precauciones.

En primer lugar, llamé al hotel George V y reservé una habitación a mi nombre. Luego fui a ver a mi suegro.

—Me voy a París un par de días. ¿Quieres algo para Solsona?

Solsona era el representante de la empresa para toda Europa y por aquel motivo había fijado su residencia en París. Según la leyenda, Solsona, de joven, había tenido un tórrido romance con una vedette del Moulin Rouge, cosa difícil de creer cuando yo lo conocí. Estaba casado con una española encantadora, pero él era aburrido de trato y de una tacañería enfermiza. El matrimonio Solsona tenía dos hijas, ambas casadas, y un par de nietos.

—Nada de particular. Pero llámale. Si le invitas a cenar se llevará un alegrón. ¿Carol va contigo?

—Voy solo. Lo de Solsona es una excusa. El propósito del viaje es comprar un regalo de Navidad para Carol. Falta un mes y todavía no han empezado las aglomeraciones.

—Muy bien: organización y previsión. Si no fueras un vago, habrías podido llegar a donde hubieses querido.

—Donde estoy ya me gusta.

—Lo digo para hacerte rabiar. Avisaré a Solsona. ¿Te alojas en el George V?

—Por supuesto.

Aterricé en Orly a media mañana del lunes, con las primeras nieves. Un taxi me dejó en la puerta del George V. Me registré, subí a la habitación y deshice una de las dos maletas que había llevado conmigo. La otra, más pequeña, contenía ropa vieja y un pequeño neceser, por si debía abandonarla. Con la maleta pequeña salí del hotel, tomé otro taxi y di la dirección del hotel Santiago.

La rue de Labadie estaba en un barrio algo deteriorado, de calles estrechas y edificios no muy altos, a mitad de camino entre l'Étoile y el Boulevard Pereire. El hotel ocupaba una casa gris, de cuatro plantas, entre una farmacia y un restaurante libanés. En el mostrador no había nadie. Pulsé un timbre y acudió una mujer de mediana edad, con el cabello teñido de rubio y los labios pintados de un rojo intenso. Le di mi nombre y consultó el libro de reservas.

—Ah, *oui*. Bienvenido, monsieur Batalla. Su habitación es la número 12, segundo piso. El desayuno se sirve en la salita, al fondo de este corredor, de 7 a 9, y los sábados y domingos, de 8 a 10.

—¿Ha venido alguien preguntando por mí? ¿Hay algún recado?

—No, monsieur.

—No importa. ¿Quiere que le pague algo por adelantado?

—De momento no hace falta, monsieur. Cuando su secretaria llamó para reservar dejó pagadas las dos primeras noches con cargo a su tarjeta de American Express.

La habitación era pequeña, con una cama, un armario y una silla. El cuarto de baño era diminuto, pero limpio. Comparado con el George V, daba pena, pero en épocas no tan lejanas yo había dormido en sitios mucho peores que aquél.

Deshice la maleta y bajé. El mostrador volvía a estar desierto. Había dejado de nevar y en la calle hacía un frío glacial. Recordé los inviernos de Nueva York y decidí andar para volver a experimentar aquella sensación. Me detuve en una cafetería para comer un sándwich y seguí hasta la Avenue Montaigne. Mientras caminaba tuve la sensación de que alguien me seguía.

La Avenue Montaigne estaba iluminada con

motivos navideños. Los escaparates de las tiendas también estaban engalanados.

Entré en Christian Dior. Una dependienta acudió a recibirme y después de un buen rato, compré un vestido para Carol y pedí que me lo enviaran al hotel George V.

Al salir de la tienda me llamó la atención un hombre apostado en la esquina de la Avenue Montaigne y la rue François 1er. Era bajo, gordo, de cara redonda, facciones anodinas y espeso bigote. Llevaba gabardina y sombrero de ala corta; en una mano sostenía un paraguas plegado y en la otra una cartera. Parecía estar esperando a alguien y nada justificaba mi sospecha, salvo su aspecto vulgar y su aire mustio y hastiado, que desentonaba en aquel ambiente de lujo y alegría.

Seguí caminando sin volver la vista atrás y, al pasar frente a una joyería, me detuve bruscamente, como atraído por el escaparate, y fingí examinar las piezas expuestas. El reflejo me permitió ver cómo el hombre gordo también se detenía y hacía un patético intento de ocultarse tras un árbol escuálido tachonado de bombillitas blancas.

Continué a paso vivo hasta la tienda de Caron, donde compré un frasco de colonia y un pomo de perfume. Al salir no había rastro del hombre gordo, ni yo hice nada por averiguar si aún me seguía.

En la recepción del George V pregunté si había algún recado para mí. El recepcionista respondió negativamente en tono compungido, como si lamentara echar a perder mis expectativas. Hice un gesto vago, para restar importancia al hecho, y le pregunté si me podía conseguir una entrada para el Louvre a cualquier hora de la mañana siguiente. También a esto respondió con talante pesaroso: haría todo lo posible, pero no podía garantizar el resultado.

En marzo del año anterior, y precedida de una prolongada controversia, el presidente Mitterrand había inaugurado la pirámide que daba entrada al museo. La opinión dominante era que la gigantesca estructura de acero y cristal no encajaba en el conjunto arquitectónico, que su propósito evidente era convertir el Louvre en un gran centro comercial y, por añadidura, que era muy difícil de limpiar. La singularidad del proyecto y la polémica atraían a miles de visitantes. De la famosa pirámide salía a todas horas una larga cola de personas, dispuestas a resistir a la intemperie para poder visitar un museo cuya existencia y contenido les había traído sin cuidado hasta entonces.

Agradecí al recepcionista sus explicaciones, subí a la habitación y llamé a Solsona. Prevenido por mi suegro, me agradeció mucho la atención, se interesó por toda la familia y se deshizo en finezas. Quedamos para cenar al día siguiente; él se encargaría de reservar mesa en un buen restaurante y me dejaría en la recepción del hotel nota del lugar y la hora.

A continuación, llamé a casa y hablé con Carol; no había ninguna novedad. Me preguntó cuándo pensaba volver.

—Depende de las gestiones. Por mi gusto, lo antes posible. Hace frío, te echo de menos y París siempre me deprime un poco.

—Venga, no seas cenizo y pásalo bien. Tráeles un regalito a los niños. Y otro a mí.

Perdí una hora viendo la televisión y cuando vino el servicio a disponer la habitación para la noche, bajé al bar y me tomé un dry martini. Luego volví a subir, me bañé, me cambié y, al salir, colgué en la puerta el letrero de no molestar.

En el vestíbulo no estaba el hombre gordo. Si me esperaba en la calle, ya debía de haber muerto de congelación.

Cené en una *brasserie* en una esquina de la Place de l'Alma y volví en taxi al hotel Santiago. Aunque no era tarde, tuve que llamar varias veces al timbre para que me abriera un jovencito mal afeitado. Subí a la habitación, me metí en la cama y me dormí al instante.

Look at those black lines and the dirty rags hanging on them out of the sky — they are a warning; look at the smoke on the water; the devil is brewing mischief.

Me desperté poco antes de las siete y lo primero que hice fue mirar por la ventana. Todavía estaba oscuro, caía una lluvia fina y la luz verdosa de las farolas se reflejaba en el adoquinado. No me costó mucho descubrir la silueta del hombre gordo en la acera opuesta al hotel, cobijado bajo un saledizo, con el cuello de la gabardina subido y el sombrero calado hasta las cejas.

Bajé al comedor, un cuartucho mal ventilado con cuatro mesas, y me senté en la única que estaba libre. Una pareja joven, una señora anciana y un tipo estrafalario, vestido con pantalón rosa, americana verde, camisa marrón y foulard amarillo, ocupaban las otras tres. Después de una breve espera apareció la recepcionista de la víspera y colocó sobre el mantel de hule una cesta con dos rebanadas de pan, una pastilla de mantequilla y dos envases de mermelada de fresa. Me preguntó si quería café o té y le respondí que tomaría un café y que podía llevarse la bandeja, porque había quedado para desayunar con un amigo. Con expresión ofendida retiró la bandeja y trajo una cafetera repleta de un líquido semitransparente y muy amargo. Bebí dos sorbos, saludé a mis compañeros de hotel y salí a la calle. La lluvia había cesado. Sin hacer caso del hombre gordo, caminé hasta encontrar un taxi y me hice llevar al George V. Una vez en el hotel, subí directamente a la habitación, deshice la cama como si hubiera dormido en ella, me afeité, me duché, me vestí, retiré de la puerta el cartel de no molestar, bajé al restaurante, y a las ocho en punto estaba desayunando huevos con jamón, fruta fresca, embutidos, un café delicioso y un exuberante surtido de bollería.

Finalizado el desayuno, pasé por la recepción: monsieur Solsona había llamado la noche anterior para confirmar nuestra cita a las veinte horas en el Lucas Carton, Place de la Madeleine; también me habían conseguido una entrada para el museo del Louvre aquella mañana a las once treinta.

Leí la prensa y salí nuevamente a la calle. El cielo estaba nublado, con algunos claros, y la temperatura no era excesivamente baja. Como era temprano, fui hasta el Louvre dando un paseo, con el hombre gordo pegado a mis talones. Como de costumbre, había una cola larga para acceder al museo por la pirámide. Me salté la cola con mi entrada y dejé chasqueado al hombre gordo. Con el rabillo del ojo le vi dar unos golpes con el pie en el suelo cubierto de escarcha. Aquella visión me alegró el día.

En el interior del museo había grupos numerosos que hacían el periplo de las piezas más conocidas sin dejar de cotorrear. Di vueltas por las zonas menos concurridas, sin prestar atención a las obras expuestas, y cuando me harté de recorrer salas y pasillos y de subir y bajar escaleras, salí a la explanada. En la Place du Carrousel vi al hombre gordo junto a un tenderete, mordisqueando una salchicha envuelta en un papel grasiento. Su imagen patética me dio a entender que ya era la hora del almuerzo, pero el copioso desayuno y el nerviosismo de aquella situación absurda me habían quitado el apetito. Vagué por la rue de Rivoli y luego me detuve en un bistró del Palais Royal para tomar un *croque-monsieur* y una cerveza. Luego seguí hasta Au Nain Bleu y compré unos juguetes para los niños. Al salir y ver una vez más al hombre gordo plantado en la acera, me asaltó una súbita irritación y, abandonando toda cautela, fui derecho hacia él. Pero el hombre gordo era ducho en su oficio y, al percatarse de mis intenciones, se metió en una boutique de lencería femenina. Habría sido ridículo seguirle y armar un escándalo en un lugar tan poco adecuado, por lo que me resigné a mi suerte y proseguí mi paseo. En una librería perdí un buen rato e hice varias compras. Regresé al George V cargado de paquetes y en la habitación encontré el de Christian Dior.

Descansé, me aseé, me vestí y me fui a cenar con el señor Solsona.

Florenci Solsona me esperaba, solo: su mujer se disculpaba, pero una ligera indisposición le impedía cenar con nosotros. Lo lamenté sinceramente, porque ella me caía bien y él era un pelmazo. Apenas nos hubimos sentado, empezó a hablar y no paró en toda la cena. La excelente calidad de la comida y del vino me permitieron soportar la perorata de buen talante.

—De verdad te lo digo, Rufo, llevo toda la vida en este negocio y cada día entiendo menos lo que está pasando. No en la empresa, cuidado. Ahí todo funciona como un reloj suizo. Me refiero a lo que está pasando en el mundo. Vamos a ver: el comunismo se ha ido a la mierda. Eso debería ser bueno, ¿no te parece? Pues yo no sé qué pensar, francamente. No es que a mi edad me haya vuelto comunista, ojo. Yo, rojo, ni de coña. Pero ¿cómo te diría?, se ha perdido el equilibrio. Uno ha de tener un punto de referencia, en la política, en la economía, en la vida privada. Miras a tu mujer, miras a la del vecino y ya sabes a qué atenerte, no sé si me explico.

—Sí, ya veo a dónde vas a parar.

—Desde luego, se avecina un gran cambio. El Telón de Acero se ha venido abajo y detrás ha aparecido un mercado colosal. No sólo para colocar mercancía, sino para invertir, para entrar en una red de comunicaciones y servicios que hoy por hoy debe de ser una birria. Eso supone un desembolso tremendo, una carrera enloquecida. El primero que llegue se lleva el botín; el segundo, las migajas; el tercero, se pilla los dedos.

—Estoy seguro de que saldremos adelante.

—Sí, claro. Si sólo fuera eso... Pero el mundo, mira cómo está: patas arriba. Se acabó la amenaza soviética y ahí están los árabes. Los Estados Unidos no tendrían que haber permitido que depusieran al shah de Persia. Jomeini era el coco. Suerte que se ha ido al paraíso de Mahoma. Veremos sus sucesores. Pero de ahí no vendrá nada bueno. Los árabes nos la tienen jurada y no hay forma de reducirlos ni hacerles entrar en razón, porque el dinero les sale por las orejas ¿y en qué lo van a gastar, si se sientan en el suelo, comen con los dedos y esconden a las mujeres?

Suspiró y miró a su alrededor como si en la decoración y los comensales del Lucas Carton estuviera representado el desvalimiento de la condición humana.

—Hemos perdido el norte, Rufo. Todo lo que he aprendido no sirve para una mierda. Ya sabes, siempre he sido un capitalista convencido, y, de repente, a mi edad, después de una vida entera de desvelos, el capitalismo me deja tirado. En mis tiempos el mercado se regía por la ley de la oferta y la demanda, ¿vale? Pues hoy ya no. Hoy aprietas una tecla del ordenador y el dinero de París se va a Hong Kong, el de Hong Kong, a Zúrich, el de Zúrich, a San Francisco, y así, sin causa alguna, ganas o pierdes auténticas fortunas. Un juego de azar, Rufo, como la ruleta. El dinero ha salido del sistema económico y va por libre, y si el dinero ya no es un referente, ¿cómo coño vamos a funcionar?

Me miró fijamente y luego, al ver que yo no tenía respuesta para aquella duda existencial, prosiguió en tono fúnebre.

—Lo más curioso del asunto, Rufo, es que todos estos cambios los ha hecho mi propia generación. Hemos trastocado el mundo que heredamos de nuestros padres y nos hemos hecho un lío. De modo que le pasamos la pelota a la siguiente generación y le decimos: hala, venga, a ver si ponéis orden en este desbarajuste. De verdad te lo digo, Rufo, he cumplido sesenta y tres años y ya estoy pensando en mandarlo todo a la mierda. Me jubilo y me retiro a mi casita de Benisafua.

—No digas tonterías, Florenci. Yo no sé cómo

será el futuro, pero sea como sea, tú eres irremplazable, en la empresa y en el Moulin Rouge.

A mí me parecía tan prescindible en un sitio como en el otro, pero mi trabajo consistía en lubricar con buenas palabras los oxidados engranajes de la maquinaria empresarial y aquella burda lisonja, que dicha por mí era como si la hubiera dicho mi propio suegro, surtió su efecto: Solsona se ruborizó, sonrió, bajó los ojos y recobró la alegría perdida.

Al salir, y a pesar de mi insistencia, se empeñó en llevarme al hotel en su coche. No tuve más remedio que aceptar. Me apeé a la puerta del George V y, en cuanto se hubo ido, subí a un taxi y, con gran disgusto por mi parte, di al taxista la dirección del hotel Santiago.

A la mañana siguiente miré por la ventana y vi al hombre gordo apoyado en un árbol, concentrado en la lectura de *L'Équipe*.

Con el paso de los días, mi situación se hacía cada vez más insostenible. No podía prolongar mi estancia en París sin otro motivo que cenar con Solsona y hacer unas compras navideñas y, a la vista de los resultados, mantener la incómoda estrategia de los dos hoteles no servía para mucho.

Decidí regresar a Barcelona sin tardanza. Me duché, hice la maleta y bajé a desayunar.

En el pequeño comedor sólo estaba el estrafalario individuo del pantalón rosa y el foulard amarillo. Al verme entrar hizo amago de levantarse para saludar sin apartar la mirada del plato. Le devolví el saludo y pensé que si era tímido y vestía de aquella manera no debía de estar en sus cabales.

Acepté el pan con mantequilla cuando me lo sirvió la patrona, le pedí un café y le informé que dejaba la habitación aquella misma mañana. Antes de que la patrona expresara su conformidad, mi compañero de comedor dio un respingo.

—¡Cómo! ¿Se marcha usted?

—Sí, señor.

—¿Regresa a Barcelona, monsieur Batallon?

—¿Cómo sabe mi nombre y que vengo de Barcelona?

Sin decir nada, el hombre del vestido chillón se levantó y vino a sentarse a mi mesa.

—No piense que me meto donde no me llaman, monsieur Batallon. Se lo preguntaba para saber si ya podía desmontar el dispositivo.

Mientras pronunciaba aquellas enigmáticas palabras, sacó una tarjeta del bolsillo superior de su americana verde y la depositó en la mesa.

—¿Policía?

—Comisario De Broc, provisionalmente adscrito al Deuxième Bureau. Veo que le sorprende. Ja, ja. Para ustedes todos los policías franceses nos tendríamos que parecer a Jean Gabin. Por fortuna, no es así.

—¿Y ese tipo gordo que me sigue a todas partes? ¿También es *un flic*?

—Si se refiere al agente Hashim, es nuestro especialista en seguimientos.

—Pues conmigo lo ha hecho fatal.

—Oh, no, no, monsieur. Todo lo contrario. Pero no quiero retenerle por más tiempo en este hotel de mala muerte. Arregle cuentas con madame Santiago, recoja su equipaje y vayamos al George V, donde podrá desayunar como Dios manda. El agente Hashim vendrá con nosotros y por el camino procuraremos aclarar cualquier posible malentendido.

Mon cher, me répondit en riant le commissaire, j'ai entendu faire bien des châteaux en Espagne, mais aucun jusqu'à présent ne m'a semblé aussi invraisemblable que le vôtre!

Al salir del hotel Santiago con mi maletita, el comisario De Broc y el hombre gordo discutían acaloradamente en la acera. De vez en cuando el hombre gordo mostraba a su superior una página de *L'Équipe*, como para fundamentar su opinión. Me quedé callado junto a ellos hasta que se detuvo frente a nosotros un Citroën Berlingo de color negro. El hombre gordo se sentó al lado del conductor y el comisario De Broc y yo en los asientos de atrás. El comisario dio la dirección del George V al conductor y, en cuanto arrancó el auto, inició las explicaciones que me había prometido un momento antes.

—Ante todo, monsieur Batallon, quiero pedirle disculpas por las molestias que le hayamos podido causar. Usted es un ciudadano honorable, forastero, la tradicional hospitalidad francesa, ah... Y para colmo, el objeto de nuestras acciones no es usted, sino otra persona, en concreto, la persona que le instó a venir a París para ponerse en contacto con usted, ya sabe a quién me refiero... Por esta razón, y no por otra, dispuse que le siguiera el agente Hashim.

El aludido se dio la vuelta y me dedicó una sonrisa jovial.

—Ha sido un honor, monsieur.

—La especialidad del agente Hashim es seguir sin pasar inadvertido. En una ciudad como París, en estos barrios, atestados de gente, y en estas fechas, hay que ser muy hábil para que alguien se dé cuenta de que le siguen.

—En su caso, monsieur, fue fácil. Usted es una persona aguda: en seguida me echó el ojo y, a partir de ahí, se comportó de un modo ejemplar. Ah, cuando se encaró conmigo en el Faubourg, me pilló desprevenido. *Nom de Dieu!*, me metí en el primer sitio que encontré y temía que usted también entrara en la boutique de lencería. No había puerta trasera y no habría sabido cómo resolver la situación.

—Perdonen, pero no entiendo este seguimiento.

El comisario De Broc dejó escapar su risita femenil.

—Es un procedimiento habitual. Usted se percata de que una persona le sigue a todas partes; se deshace de ella; el otro se cree a salvo y entra en contacto con usted. Entonces salen los dos que le siguen sin que usted se dé cuenta y le echan el guante. Esta vez, sin embargo, tanto despliegue ha sido inútil. A usted le hemos importunado para nada y a mí me espera la bronca de los jefes.

—¿Tres hombres me han estado vigilando todos estos días?

—Cinco, si incluye al agente Hashim y a mí. Los demás estaban en todas partes: en el George V, en el Louvre, en el Lucas Carton, en Dior. También hemos grabado sus conversaciones telefónicas. Puede decir con orgullo que ha tenido en jaque a la Gendarmerie.

—Si su plan hubiera surtido efecto, ¿qué habrían hecho con nosotros?

—Estamos adscritos al Deuxième Bureau, ya se lo he dicho. Lo nuestro son los chorizos y algún tipo sórdido que mata a su suegra. En el caso que ahora nos ocupa, los habríamos entregado y ellos se habrían hecho cargo. A usted seguramente no le habría pasado nada. A su amigo, no lo sé. Allí tienen otros métodos. A nosotros se nos va la mano de tanto en tanto, no lo voy a negar. Pero en ese departamento la gente desaparece que da gusto.

Habíamos llegado a la puerta del hotel. Se detuvo el coche y vino corriendo un ujier a abrir la puerta.

—Comisario De Broc, creo que debería ser más explícito. ¿Por qué no me acompaña y me lo explica todo mientras desayunamos? Yo le invito. Y si el agente Hashim se quiere unir a nosotros, será un placer.

Aceptaron y entramos. Los dejé en el vestíbulo y fui a la recepción para anunciar que dejaba la habitación y pedir que me consiguieran un vuelo a Barcelona lo más pronto posible. Luego los tres nos fuimos al restaurante, casi vacío por lo avanzado de la hora.

Me serví un desayuno abundante del bufet y el comisario De Broc y el agente Hashim me imitaron, algo cohibidos por la presencia del maître, que los consideraba mis invitados y se limitaba a observarlos con tolerante desdén.

El comisario comía haciendo remilgos y el agente devoraba los manjares. Ambos parecían abrumados por la decoración.

Finalmente, el comisario De Broc se enjugó los labios con la servilleta e inició la explicación prometida.

—La peligrosidad de su amigo de usted, monsieur, depende del contexto. Una cerilla es inocua contra la muralla de una fortaleza, pero puede ser un arma terrible en un polvorín. Utilizo el símil o parangón porque una parte del mundo que ayer era una fortaleza, hoy está a punto de devenir un polvorín. La Unión Soviética poseía, contra muchos defectos, una gran virtud: la de tener a medio mundo bajo su férreo control. Si se viene abajo, como parece inevitable que suceda, el potencial de conflictos es incalculable. Yo lo llamaría, si me lo permite, una verdadera caja de Pandora. En varias repúblicas, donde la población musulmana es numerosa, el islamismo lleva tiempo en ebullición. La intervención soviética en Afganistán, encaminada precisamente a recortar la cresta a los talibanes, acabó en un desastre, exacerbó los ánimos y ahora los talibanes sólo esperan que se abra un resquicio para tomarse la revancha en el Turkmenistán. Es sólo un ejemplo. Livonia, para pasar de lo general a lo específico, está libre de extremistas islámicos, pero no de problemas. Al acabar la guerra, Rusia quedó arrasada y Stalin trasladó de grado o por fuerza a millones de rusos a las repúblicas bálticas, que habían salido mejor libradas de la contienda y podían proporcionar alimentos y cobijo a los desplazados. Como puede suponer, nunca hubo entendimiento entre la población autóctona y los refugiados rusos, a los que aquélla consideraba tan invasores como a la Wehrmacht. Un movimiento independentista de carácter nacionalista y monárquico, como el que encarna el príncipe Tukuulo, podría provocar una masacre, una auténtica guerra de exterminio, una intervención de Moscú necesaria pero nefasta, etcétera, etcétera. El mundo no está para nuevos conflictos. De ahí que no queramos perder de vista a su amigo, monsieur Batallon.

—¿Qué tiene que ver con Livonia la policía de París?

—Oh, su amigo le pidió que viniera a París y saltaron todas las alarmas. Ya se lo he dicho: el Quai des Orfèvres colabora con el Deuxième Bureau. Y el Deuxième Bureau colabora con la CIA, con el

MI6 y, si me promete guardar el secreto, también con la KGB. Hoy por ti, mañana por mí. A todos nos conviene mantener la estabilidad. Espero que lo entienda.

Me quedé un rato en silencio, considerando lo que acababa de contarme el comisario De Broc. Un empleado del hotel se acercó a decirme que habían reservado un vuelo París-Barcelona para las dos de la tarde. Le di las gracias y miré el reloj. Eran las once menos cuarto.

—He de irme si no quiero perder el avión.

—Es usted libre de hacer lo que quiera. Antes de separarnos, sin embargo, le daré mi tarjeta y un par de consejos. No los eche en saco roto. El primero es éste: procure mantenerse lejos del príncipe Tukuulo y de las personas que le rodean. Usted es un hombre de gustos refinados, monsieur Batallon: el George V, el Lucas Carton, Dior, Caron. Gustos refinados y medios para disfrutarlos. Tiene una hermosa mujer y dos hijos encantadores. No ponga en peligro tantas bendiciones.

—¿Y el segundo consejo?

—Si por casualidad ve a su amigo, avíseme. En la tarjeta verá mi teléfono. O dígale a su amigo que se entregue. Y que se entregue a la policía francesa. Muchos le buscan. Tarde o temprano darán con él. Mejor que eso pase en Francia.

—¿Tan peligroso es?

—La política es peligrosa. El mundo es peligroso.

But in Paris, as none kiss each other but the men
— I did what amounted to the same thing — I bid
God bless her.

En la puerta del George V me despedí del comisario De Broc y del agente Hashim con grandes muestras de civilidad y mi promesa de no echar en saco roto sus recomendaciones. Partió el Citroën; un empleado del hotel montaba guardia con mis dos maletas y la bolsa de Dior. Sin decir nada se dirigió a un Mercedes estacionado a pocos metros de la puerta, metió el equipaje en el maletero, abrió la puerta, recibió la propina con una reverencia y cerró en cuanto yo hube entrado. El coche arrancó de inmediato. A mis pies había un bulto grande cubierto por una manta. El conductor advirtió mi extrañeza por el espejo retrovisor y habló entre dientes sin volver la cabeza.

—No haga ningún movimiento brusco, siga mirando al frente.

—¿Qué pasa? ¿A dónde estamos yendo?

—A Orly. No se inquiete.

Di un golpe al bulto con el zapato y una voz femenina dejó escapar un reniego.

—¡No me pegues, idiota!

A pesar del tiempo transcurrido desde nuestro último encuentro, no me costó reconocer la voz de Monica Coover. En aquella ocasión yo le había propuesto que nos fugáramos juntos; ella no se tomó en serio mi proposición y yo siempre se lo agradecí.

El cielo estaba encapotado y el tráfico era denso.

—Al menos asómate para que te vea la cara.

Hizo lo que le pedía, pero siguió en el suelo. Después de lo que había contado el comisario De Broc hacía un rato, no pude reprocharle aquel exceso de cautela. Mientras avanzábamos lentamente, le referí lo ocurrido desde mi llegada a París, e hice especial hincapié en la reciente conversación. Cuando acabé, ella guardó silencio antes de responder.

—Algo de eso imaginaba. En realidad, te hice venir por esta razón. Tengo miedo. Por mí, por mi marido, por todos. Has de hablar con Bobby. Hazle entrar en razón. A ti te hará caso. Eres la única persona en quien confía de verdad.

—¿Cómo voy a hablar con él si me estoy volviendo a Barcelona? ¿Y de qué le tengo que disuadir?

Se había incorporado un poco y apoyaba la cabeza en mis rodillas. Durante el trayecto al aeropuerto me puso al día de los últimos acontecimientos y de su efecto sobre su marido.

Ante la evolución de la Europa del Este y la probable desintegración de las repúblicas soviéticas el príncipe Tukuulo veía llegado el momento de hacer realidad un proyecto en el que había creído, contra la opinión de todos y contra el propio peso de la Historia. Ahora, sin embargo, aquella prolongada expectativa debía dar paso a una acción decidida. Si se producía un vacío de poder en los territorios periféricos de la URSS, habría que actuar con celeridad y contundencia para tomar la delantera a cualquier posible competidor. El camino a seguir era confuso. La etapa de embaucar al sector más superficial de la opinión pública había quedado atrás, pero tampoco podía actuar como un simple aventurero o como un político oportunista. Tenía que hacerse con el poder efectivo sin perder aquella imagen trabajosamente construida, que le confería una pátina de legitimidad, le ponía al margen de cualquier ideología política e imprimía a su persona un carácter puramente decorativo.

—En contra de las apariencias, lleva toda la vida preparándose para este momento. No sabes con cuánto ahínco ha estudiado: historia, economía, derecho constitucional, urbanismo... Todo se lo ha tomado siempre muy en serio. Una vez, no hace mucho, llamó a Stiglitz para ofrecerle el Ministerio de Finanzas de Livonia, y cuando Stiglitz lo rechazó, se puso como una fiera y le llamó imbécil.

—Aún no me has dicho qué está haciendo y dónde se ha metido.

—No lo sé. Ni una cosa ni la otra. Pero me temo que está organizando un grupo armado por si tiene que tomar el poder por la fuerza.

—¡Eso es una locura!

—Claro, te lo acabo de decir, pero nunca me escuchas.

—¿Y no sabes dónde está?

—No. Durante un par de semanas estuvo haciendo llamadas, siempre desde teléfonos públicos, no me preguntes a quién. Luego, sin previo aviso, retiró el dinero de todas las cuentas y desapareció. A mí me ha mantenido al margen de todo para no comprometer mi seguridad. Esto es lo que más me inquieta. Hasta ahora siempre me había confiado sus planes. Si se ha pasado a la clandestinidad, será porque hay peligro. Tú mismo me has dicho que varias organizaciones le van detrás, y no con buenas intenciones.

—¿Y si lo han capturado ya?

—Si estuviera preso el Deuxième Bureau lo sabría y no habría gastado tiempo y dinero en seguirte. Una operación como ésta cuesta una barbaridad, el Ministerio del Interior ha de aprobar el gasto, ya sabes cómo son estas cosas.

Entretenidos en la conversación no me di cuenta de que ya habíamos llegado al aeropuerto. Faltaban cuarenta minutos para la salida de mi avión y tenía que facturar el equipaje y recoger la tarjeta de embarque. El coche se había estacionado en doble fila delante de una de las puertas de salida de viajeros. Después de cavilar un rato tomé una determinación.

—En estas circunstancias, no hay nada que yo pueda hacer. Aunque pudiera localizar a Bobby y hablar con él, sería inútil. Nada impedirá que trate de hacer realidad sus fantasías. Los demás le hemos seguido la corriente por ligereza, por vanidad, convencidos de que la conquista del reino de Livonia sólo era un juego. El destino nos ha gastado una broma y lo que parecía una locura se ha vuelto posible. Sólo nos queda sentarnos a mirar el espectáculo, asumir nuestra vergüenza y confiar en que la suerte le sea propicia.

Monica me miraba con ojos de tristeza.

—No haré nada por él, pero estoy dispuesto a hacer algo por ti. Ven conmigo a Barcelona. Si sigues aquí corres peligro. Allí te puedo proteger.

—Es la segunda vez que me lo propones, Rufo. Me siento halagada. Pero ¿qué dirá tu mujer si nos ve aparecer juntos?

—Le explicaré la situación. Las cosas han cambiado y lo que hubo entre tú y yo se acabó hace tiempo.

Al decir aquello me invadió una pesadumbre que no guardaba relación con mis sentimientos pasados ni presentes.

—Es posible, sí... No estábamos hechos el uno para el otro, ¿verdad?

—Eso pienso yo.

Había vuelto a nevar, como el día de mi llegada. La confortable penumbra del coche, rodeado de copos de nieve que bailaban en el exterior, tenía algo de irreal. Monica suspiró.

—Así es la vida. Las cosas pasan y ya no vuelven a pasar nunca más. Da lo mismo si eres una persona sensata o alocada.

En su actitud no detecté la ironía que solía usar conmigo.

—Ya tendrás tiempo de filosofar. Ahora has de decidirte o perderemos el avión.

—No tengo nada que decidir. Me quedo en París. No puedo abandonar a mi marido, y menos ahora. Le debo mucho. Sin él, no sé cómo habría acabado.

Le hice prometer que me tendría informado del desarrollo de los acontecimientos, bajé del coche, recogí mis cosas y entré corriendo en la terminal. Antes de buscar el mostrador de Iberia, volví la cabeza, pero el coche ya había desaparecido.

Die Fee, bei der er einen Wunsch frei hat, gibt es für jeden. Allein nur wenige wissen sich des Wunsches zu entsinnen, den sie taten.

Aquellas Navidades fueron tan alegres y tan armoniosas que me invadió una angustia soterrada al pensar que aquel momento no se repetiría nunca más, como había dicho de un modo irreflexivo Monica Coover unos días antes en el aeropuerto de Orly.

Los festejos dieron comienzo el veintitrés de diciembre por la mañana con la llegada de Agustín, Greta y su hijo Hans, que tenía cinco años, y su ruidosa y desordenada instalación en casa de mi madre. Greta estaba embarazada de nuevo y, como al parecer esperaba gemelos, su volumen era enorme, lo cual, sin embargo, no había mermado su innata energía: aquella misma tarde reunió a todos los niños de la familia, es decir, a mis dos hijos, a los dos hijos de Anamari y al pobre Hans, que apenas entendía nada de lo que le decían, y empezó a ensayar una función, entre teatral y circense, para ser representada antes o después del banquete navideño. Con gran sorpresa por mi parte, los interesados no sólo aceptaron la propuesta sin protestas, sino que se sometieron a una disciplina férrea con una mezcla de entusiasmo y reverencia. Era obvio que Greta les había contagiado su pasión de artista y su dinamismo de saltimbanqui. A mí me alegró verla con tan buena disposición de ánimo. En los últimos años, Agustín y Greta habían pasado por altibajos en el terreno profesional y también en el personal. Cuando Greta se salió con la suya y tuvieron un hijo, ella decidió hacer un alto en su carrera teatral, que por entonces atravesaba un bache, y dedicarse a criar al pequeño Hans. A los pocos meses cayó en una ligera depresión. Como no trabajaba e iba al psicoanalista, los ingresos de Agustín, algo menguados por aquellas fechas, apenas cubrían unos gastos que la llegada de un bebé había incrementado notablemente. Para superar su depresión, con el beneplácito de Agustín y del psicoanalista, Greta decidió volver a pisar los escenarios y dejar a Hans al cuidado de Agustín, cuyo trabajo era casero y sedentario. Después de llamar a varias puertas, Greta fue contratada para representar el papel protagonista en *La señorita Julia*, a las órdenes de un director alemán de origen turco llamado Özgür, cuyos montajes atrevidos gozaban de mucho predicamento en los ambientes más avanzados de la cultura alemana. La obra recibió una buena acogida en un círculo minoritario y Greta dejó atrás su decaimiento para enamorarse locamente del director. En la subsiguiente crisis matrimonial, yo me mostré partidario de la neutralidad. Anamari no estaba de acuerdo. Nuestro deber, según ella, era apoyar a Agustín por todos los medios.

—Metiendo las narices sólo conseguiremos enconar los ánimos. Si acaban separándose, Greta se llevará a Hans y Agus se vendrá abajo.

—Los tribunales no permitirán tal cosa. Están casados legalmente; el padre tiene tanto derecho a la custodia del niño como la madre; él es un escritor reconocido en toda Europa y ella, una actriz en horas bajas. Y la causante de la ruptura.

—Pero ella es alemana. Los tribunales se inclinarán a su favor. Hace unos años la habrían lapidado por adúltera; hoy la transgresión por parte de la mujer se considera un mérito.

Prevaleció mi opinión, permanecimos a la expectativa y al final el lío se arregló solo: Greta reconsideró su posición y volvió a casa, Agustín la recibió con los brazos abiertos y el osado director de escena tuvo el magnánimo detalle de enredarse de inmediato con otra actriz.

Agustín no era rencoroso.

—Es el signo de los tiempos. Una pareja sin crisis es como una casa sin televisor. Y Greta siempre ha sido un poco golfa.

Mientras duró la separación y el desenlace era incierto, Agustín lo pasó mal. Hablábamos a menudo por teléfono y conmigo desahogaba sus penas sin estridencias.

—¿Qué tendrá Özgür que no tenga yo, aparte de las diéresis?

El buen humor no le impedía sentirse desamparado en Alemania. Pero no quería abandonar el país, por si Greta decidía volver o por si intervenía la judicatura.

Para distraerse de sus preocupaciones, Agustín se refugió en la escritura. Por diversas razones, el teatro se le había atragantado, de modo que se puso a escribir un relato sin un plan, sin una idea previa y sin otro objetivo que llenar el vacío emocional y ocupar las horas que le dejaba libres el cuidado de su hijo. En menos de dos meses completó algo parecido a una novela que él mismo juzgó desastrosa. Lo mismo había ocurrido con la primera obra de teatro que escribió, y luego fue un éxito. Animado por la experiencia anterior, llevó la novela a una editorial. A pesar de su fama, fue recibido con frialdad y reserva: a los editores les inspiraba desconfianza un autor que cambiaba de género inopinadamente. Después de varios rechazos, un editor antepuso el valor de su nombre a los prejuicios literarios y la novela vio la luz sin aparato publicitario. Unas pocas reseñas escuetas coincidieron en el desconcierto; un crítico se preguntó si el autor no habría perdido el juicio. Con tan malos auspicios, el libro se vendió poco en Alemania y fue rápidamente descatalogado. No obstante, en Francia, donde las comedias de Agustín habían dado considerables beneficios, la novela fue prontamente traducida y publicada. Las críticas la encontraron delirante y al cabo de poco se dispararon las ventas. Italia y Dinamarca siguieron el ejemplo de Francia, y luego una docena de países, entre ellos España, donde la novela se iba a publicar en breve con el título de *El turcomano insidioso*.

Por lo visto, la novela resultaba incomprensible a los adultos, pero conectaba de inmediato con los adolescentes, unos lectores desprejuiciados, ávidos y muy fieles.

Yo la leí en su momento, en alemán, y la encontré muy estúpida. Aun así, como había hecho anteriormente, me tomé el trabajo de traducir un fragmento para que mi madre pudiera leerlo. Cuando lo hubo leído no supo si sentirse orgullosa o abochornada.

—No sé cómo se le ocurren tantas tonterías.

—Será porque no pierde el tiempo pensando en cosas serias.

El éxito de la novela culminó una buena racha. Agustín recobró la confianza en sí mismo y la economía familiar se estabilizó de nuevo. Greta encontró un trabajo tranquilo y duradero en una serie de televisión alemana de tema policiaco. Más adelante, con sentido germánico de la organización, calculó la etapa final del nuevo embarazo para hacerla coincidir con una pausa en el rodaje, entre la cuarta y la quinta temporada.

Ahora, con la misma energía y el mismo método, había puesto a trabajar a los cinco niños en una obra donde la lógica brillaba por su ausencia, pero donde no cabía la improvisación. Como el tiempo acuciaba, los ensayos eran largos y arduos, pero nadie protestaba para no ser excluido del elenco. Ni siquiera Lisa, la hija de Anamari, que a sus cinco años era muy femenina y muy coqueta y siempre llevaba las uñas pintadas de un rojo chillón. Como era la única niña de la función, le correspondía un papel doble, de araña y de cacatúa. Ella habría preferido hacer de hada y de princesita, pero su implacable tía no transigía con el teatro comercial.

Por no haber tratado a sus primos y por sus dificultades con el idioma, Hans era el más torpe de la compañía, si bien compensaba sobradamente sus carencias por haber vivido entre candilejas desde que había venido al mundo. Como su padre, era retraído de carácter y propenso a la melancolía. En seguida hizo buenas migas con Óscar, que tenía su misma edad. Óscar era muy desenvuelto y siempre iba a su bola. A mi suegro le hacía mucha gracia.

—Este cabronazo ha salido a mí. Será un buen comerciante o será un gran macarra, ya lo veréis.

Yo le seguía la corriente.

—Si puedo, influiré para que elija lo segundo.

Como Greta monopolizaba a los niños, mi madre, con ayuda de Sagrario, montó el belén y puso las colgaduras del árbol.

Mientras tanto Agustín y yo nos fuimos a dar vueltas por Barcelona.

Agustín estaba muy impresionado de verlo todo patas arriba.

Al amparo de la prosperidad económica de aquellos años y con la complicidad del gobierno socialista, el Ayuntamiento de Barcelona, presidido por Pasqual Maragall, se había propuesto cambiar la ciudad. Con aquel objetivo, había presentado la candidatura de Barcelona como sede de los Juegos Olímpicos de 1992.

La operación había empezado años atrás y, como habían avanzado a buen ritmo, no había barrio donde las grandes obras públicas no impusieran su presencia. Agustín contemplaba aquella locura con asombro y escepticismo.

—¿Tú crees que todo esto servirá para algo?

Yo compartía sus dudas. Como otros muchos, temía que aquel gasto exorbitante fuera inútil, si Barcelona no era la ciudad elegida por el Comité Olímpico Internacional, o que, aun siendo elegida, sólo sirviera para unos días de esplendor que al concluir dejaran un conjunto de pabellones deportivos vacíos y una deuda monumental. El proyecto respondía, en buena parte, a la utopía urbana de la socialdemocracia, pero también abordaba una necesidad acuciante. Condenada a convertirse en un centro postindustrial, Barcelona no tenía más remedio que reconvertirse en una ciudad de ocio y turismo. Mientras se levantaban construcciones destinadas a fines deportivos, se desmantelaba el viejo puerto y sus instalaciones con la finalidad de transformar el frente marítimo en una extensa playa. También se ampliaban las vías de acceso a la ciudad por tierra y aire. Una vez más, el lema era: Vengan, vengan a veranear todo el año a Barcelona.

En épocas remotas Barcelona había sido una de las ciudades más violentas de Europa: desde los orígenes de la revolución industrial, e incluso antes, cuando las guerras carlistas ensangrentaban sus calles por razones que ni los propios contendientes habrían sabido explicar, o cuando las famosas algaradas que no conducían a nada, pero dejaban a su paso un rastro de huesos rotos, comercios maltrechos e iglesias incendiadas; hasta las postrimerías de la guerra civil, cuando los habitantes de la ciudad, dando la espalda al enemigo en puertas, se enfrentaban a tiros entre sí y levantaban barricadas donde ahora se construían pabellones deportivos y hoteles de lujo. Pero desde entonces hasta el presente, Barcelona había arrastrado una existencia pacífica y modosa, como una caduca y casi anónima ciudad de provincias, cordial entre sus gentes, vital para unos pocos, y libertina a su manera, sin renunciar a sus correspondientes dosis de mezquindad y miseria.

Ahora las calles céntricas estaban profusamente adornadas y relucían los escaparates. En las tiendas de las calles menos ostentosas, los arreglos navideños tenían el aire desmayado de lo que ha sido usado, guardado y vuelto a usar año tras año, pero el ambiente seguía siendo festivo y la decoración conservaba el encanto de nuestra infancia.

En las Ramblas había poca gente. El suelo estaba mojado, los árboles habían perdido las hojas y del puerto subía un aire frío. Como venía de Alemania, Agustín había calculado mal la temperatura y llevaba una ropa demasiado ligera.

—De verdad, Rufo, yo no podría volver a vivir aquí. No hay un motivo concreto, pero la sola idea de pertenecer a esta ciudad ya me deprime. Para mí Barcelona es como una tía vieja, a la que uno va a ver con cariño, pero procura no alargar la visita.

—No exageres. Peor se está en Stuttgart.

—No creas. Allí el tiempo es infame, la comida es infame, casi todo es desagradable. No engaña. Aquí, en cambio, todo parece maravilloso y luego no lo es tanto. Mira este maldito clima mediterráneo: el aire es húmedo y la tierra, seca. ¿A esto le llamas tú buen clima?

—Lo mejor de Barcelona son los interiores: la luz a través de las persianas, el olor de las cocinas. Somos un país de mercaderes: lo bueno se queda en casa y al forastero le vendemos las apariencias.

Después de dar un largo paseo y tomar un cóctel en Boadas, en Victori o en el Dry Martini, volvíamos a casa a la hora de cenar. Los niños estaban derrengados, pero se resistían a separarse para ir con sus respectivos padres. Con el abrigo, la bufanda y los guantes, aún proseguían sus charlas en el recibidor.

—El verano pasado, cuando aún era pequeño, quería ser barrendero, pero ahora me parece que de mayor seré vampiro.

—¡Los vampiros son malos!

—No es verdad. Llevan capa, tienen unos dientes muy largos y siempre están comiendo galletas.

*

EL TURCOMANO INSIDIOSO

El señor secretario entró sin llamar en el despacho del señor alcalde.

El señor alcalde levantó la cabeza, sorprendido por semejante irregularidad.

—¿Qué sucede, señor alcalde? —preguntó el señor alcalde. Era nuevo en el cargo y todavía se extraviaba en el laberinto jerárquico de la Casa Grande.

—Algo terrible, señor alcalde —respondió el señor secretario tan pronto hubo recobrado el aliento—: La definición de la palabra pinga se ha escapado del diccionario y está sembrando el pánico en la ciudad.

—¡Sapristi!

El señor alcalde se acarició pensativo el mentón antes de tomar una determinación.

—El caso requiere medidas urgentes. Llamen a Barbazul Reconstituido.

—¿A BR? ¡Imposible, señor alcalde! Usted sabe que después del asunto de la vaca, BR se niega a cooperar con el consistorio. Sin embargo, estoy de acuerdo con usted, señor alcalde: no tenemos otra salida. Me pondré en contacto con BR ¡y sea lo que Dios quiera!

—¡Espere! Podemos obligarle. Es incorruptible, pero adora a su hijita. Si la secuestramos, hará lo que le pidamos. Sin rechistar.

—Usted no conoce a BR, señor alcalde. Hace cinco años ya secuestramos a su hijita y todavía la tenemos metida en un zulo.

—¡Me cago en la mar salada!

Mientras tanto, en su refugio de montaña, ajeno a la conjura que en aquel preciso instante se urdía contra él en el despacho del señor alcalde, BR manipulaba su potente furgoneta, la cual, de origen, disponía de cuatro marchas: la primera, para arrancar; la segunda, para andar despacito; la tercera, para no sé qué, y la cuarta, para ir un poco deprisa. BR invirtió el orden de las marchas. En sus labios finos se dibujaba una sonrisa, pensando en el desconcierto de quien se atreviera a robársela. A continuación, reparó el dispositivo de extracción de CD, atascado desde el momento mismo de la compra, lo que durante diez años le había obligado a escuchar siempre el CD que venía incluido en el precio del vehículo. ¡Oh, cuántas veces no había emprendido una vertiginosa carrera, ora como perseguidor, ora como perseguido, a los acordes de *Qué bonito es Badajoz*, *La vendimia* y otros hits de las hermanas Portañuela!

Ahora, mientras se disponía a entrar en acción, recordaba la cadena de incidentes desafortunados que habían marcado su destino. En forma de rápidos fogonazos, revivió el juicio y la inapelable sentencia.

—¡Póngase en pie el acusado!

La muchedumbre que llenaba la sala guardó un silencio expectante, sólo interrumpido por ronquidos, toses y algún regüeldo aislado.

El juez colocó sobre su peluca un paño color escarlata, sobre el paño, el código penal, y sobre el código penal, un vaso lleno de agua.

—Los hechos probados constituyen una falta grave. ¡Siete mujeres! Dos o tres, pase, ¡pero siete! Tentado estoy de calificarlo de reincidencia.

El juez hizo una pausa solemne antes de continuar.

—En vista de lo cual, le condeno a prestar, durante un año, servicios a la comunidad. Perseguir delincuentes, desatascar cañerías, expulsar alienígenas, etcétera. Ahora bien, si me entero de que ha habido siete más, le encierro por una buena temporada. ¿Me ha entendido, señor Azul?

—Sí, señoría.

(continuará)

Does... the one... that wins... get the crown?
Dear me, no! said the King. What an idea!

Para las personas desmemoriadas el cómputo de las fechas adquiere una especial importancia.

—Hoy hace quince años que murió tu padre, Rufo. ¡Cómo pasa el tiempo!

Mi madre había aprendido a ocupar sus horas, pero lo que hacía le parecía provisional. Para todo conservaba la cabeza clara, salvo para la contabilidad de sus magros ingresos y sus gastos aún más magros. Casi a diario me llamaba por teléfono para preguntarme si aquel mes había pagado la factura de la electricidad, o algo por el estilo.

—Claro que está pagada. Los pagos regulares están domiciliados. Anamari se encarga de estas cosas. Tú no te has de preocupar.

—Ya lo sé, pero a veces los bancos se arman líos. Ahora todo va por ordenador y a los ordenadores les da igual un cero más o un cero menos.

En el fondo no le inquietaba la aplicación de la informática a la gestión de los depósitos bancarios sino la constatación de su propia inseguridad.

—Tú confía en el capitalismo, mamá.

—Sí, búrlate. Como tú no tienes que pensar en el dinero...

—Ni tú tampoco. Ni nadie, por lo que se ve.

Aquéllos eran años de despilfarro en una España enloquecida, que utilizaba el folklore para ocupar su sitio en el concierto universal de las naciones. En cuanto cerraba la Feria de Abril empezaban los Sanfermines, el verano duraba doce meses y el mundo se asombraba de nuestra capacidad para comer mariscos y tirar cohetes.

Como seguía sin noticias de Monica y menos

aún del príncipe Tukuulo, a primeros de marzo llamé al teléfono que unos meses atrás había deslizado en mi mano un presunto mendigo. De inmediato respondió una voz femenina.

—*Confiserie Pampelune, bonjour!*

—¡Déjese de cuentos! Cuando llamé la otra vez esto era un hotel de pulgas y ahora es una confitería.

—Debe de haber un error, monsieur.

—No hay ningún error. Soy Rufo Batalla y quiero hablar con Queen Isabella.

Al otro extremo de la línea oí un cuchicheo, luego un carraspeo.

—Aquí no hay nadie con este nombre, monsieur. Y si lo hubiera, habría salido. No le puedo decir más. *Bonjour.*

Colgué. El mensaje había llegado a su destino y sólo me quedaba esperar.

Al cabo de una semana, poco antes de que los niños volvieran del colegio, Sagrario interrumpió mi apacible lectura de Chéjov para anunciar que un señor quería hablar conmigo.

—¿Quién es?

—No se lo he preguntado.

Aquel detalle insólito por su parte y el modo de referirse a él me indicaron que el visitante había infundido respeto o temor a Sagrario. No era para menos. Recorría con irritada impaciencia el recibidor un hombre de elevada estatura, enfundado en un largo gabán de paño negro algo gastado. En las manos sujetaba un par de guantes, un sombrero negro y un paraguas. Sus facciones eran toscas; sus cejas, pobladas; su barba, cerrada y su mirada, feroz y enajenada. Sin embargo, aquel personaje, entre diabólico y cómico, no me resultaba desconocido. Mi presencia pareció calmar su enojo y mi evidente duda le provocó una risa seca y oscura.

—Jo, jo, jo. Trata de ubicarme en vano, señor Batalla. Su memoria no puede ser tan buena. Usted y yo coincidimos hace mucho en una entidad bancaria. En aquella ocasión ambos actuábamos por cuenta de un tercero. En su día compartimos una cuenta corriente.

—Ah, sí, ya recuerdo: el banco, la cuenta y también a usted. Pero no su nombre.

—Soy el staretz Porfirio. Seguramente recordará mejor a mi antecesor, el staretz Protasio.

—A ése lo recuerdo bien: un payaso. ¿Qué ha sido de él?

—Ascendió a los cielos. No sé si a dar cuentas al Altísimo o a pedírselas. Ahora yo ocupo su lugar en la tierra, con un estilo menos idiosincrático y más higiénico. ¿Podemos hablar en un lugar discreto y confortable?

—No se ofenda, pero antes de invitarle a pasar del recibidor, me gustaría conocer el motivo de su visita.

—No me ofendo. En realidad, no he venido con intención de imponerle mi presencia, sino en respuesta a una llamada telefónica de usted. Si me brinda su hospitalidad, le referiré una historia.

Ocurrió hace sólo unos días. No le afecta de un modo directo. O tal vez sí. Eso depende de muchos factores. Usted es un hombre de familia y goza de una excelente posición. Si no me quiere escuchar, lo entenderé, me iré por donde he venido y no me volverá a ver nunca más.

Pasamos al saloncito azul. Lo llamábamos así por el color de la tapicería y por carecer de cualquier otra connotación: se utilizaba para recibir visitas de cumplido y éstas no venían casi nunca. Con su mobiliario clásico, su atmósfera cálida y su luz tenue, podría haber servido de escenario a una pieza de Terence Rattigan.

Mientras yo cerraba la puerta, el staretz se dejó caer en un sillón, estiró las piernas, cruzó las manos sobre la hebilla del cinturón y cerró los ojos. Pensé que se pondría a roncar, pero apenas me hube sentado empezó a hablar con una voz profunda y monótona y me refirió lo siguiente.

Unos días antes, el príncipe Tukuulo, cuyo paradero sólo conocían unas pocas personas de probada lealtad, había sido convocado por carta a una reunión donde habían de ventilarse asuntos de la máxima trascendencia para el futuro inmediato del reino de Livonia, cuyo trono aquél reivindicaba.

El staretz Porfirio, pese a pertenecer al círculo más íntimo del príncipe, no supo explicarme la procedencia de la carta ni por qué medio había llegado a su destinatario. Al parecer estaba ausente y sólo con posterioridad fue convocado a consejo. El staretz no vio la carta; al llegar le notificaron su recepción y su contenido y le preguntaron si, en su opinión, era aconsejable acudir a la convocatoria. Su respuesta inicial fue una rotunda negativa: sin duda se trataba de una trampa para sacar al príncipe de su escondrijo con objeto de apresarlo y tal vez acabar con él, bien por la violencia, bien por otros métodos más sutiles, como inocularle un virus letal o inducir en él estados psíquicos anómalos mediante sustancias psicotrópicas. Aquellas ponderadas razones, sin embargo, no prevalecieron en el ánimo del príncipe Tukuulo. Si los supuestos adversarios conocían su paradero, no tenía sentido atraerlo a otro lugar para acabar con él, cuando podrían llevar a cabo un atentado allí mismo, sin recurrir a artilugios. La reunión debía celebrarse en una estación de esquí, en Suiza, en plena temporada: el marco menos apropiado para cometer un crimen sin llamar la atención. Por último, no conducía a nada permanecer escondido e inmóvil; era preciso establecer contacto con los partidarios y los detractores del príncipe sin distinción, tanto si ello llevaba aparejado un riesgo como si no.

En la fecha convenida partió el príncipe, acompañado del conde Salza y el staretz Porfirio, hacia el hotel Mon Repos, situado en el macizo de Mont Bonvin, a pocos kilómetros de la estación de Crans-Montana, donde unos años antes se había celebrado el Campeonato Mundial de Esquí Alpino.

En el aeropuerto de Ginebra alquilaron un coche. Recorrieron el lago Lemán por la ribera suiza y en Montreux, por razones de seguridad, cambiaron de coche. El último tramo lo hicieron por una carretera sinuosa y bordeada de precipicios. Por fortuna, la nieve era escasa, no había hielo y no hubo necesidad de hacer uso de cadenas.

Al llegar a su destino comprobaron con alarma y desaliento que el hotel Mon Repos estaba en un paraje aislado, había cerrado tiempo atrás y se encontraba en un estado de irreparable abandono. Era una vasta construcción del más puro estilo local, con paredes de madera sobre una sólida base de granito, lo que le había permitido resistir pasablemente los embates del tiempo, si bien una parte del ancho alero de pizarra se había desprendido, los postigos de las ventanas colgaban de los goznes y una de las chimeneas parecía haber volado por los aires. En la fachada norte del edificio, donde no daba el sol, montones de hielo se acumulaban contra el muro.

A lo lejos oyeron aullar los lobos. Tal vez sólo era el sonido del viento entre los árboles. O una reunión de banqueros, sugirió el príncipe con su incorregible desenfado; esto es Suiza, señores.

Como rehacer el camino de noche era impensable, decidieron pernoctar en el hotel y regresar en cuanto amaneciera. Ocultaron el vehículo en un cobertizo y se llevaron consigo una linterna y una palanca. Con la palanca forzaron una puerta lateral y entraron en el sombrío edificio. No había agua ni electricidad, pero al menos estaban protegidos de la temperatura glacial del exterior. El príncipe propuso hacer fuego en la chimenea del salón con la madera carcomida de los muebles, pero el conde Salza juzgó temerario poner de manifiesto su presencia. Cansados, hambrientos y ateridos, se retiraron a una habitación del piso más alto, antaño destinada al servicio. Del salón habían arrancado una cortina polvorienta para taparse. Deslizaron un armario hasta la puerta y se acostaron los tres juntos en una cama de hierro donde apenas cabía uno. Borras de lana sucia y apelmazada asomaban por los descosidos del colchón. El conde Salza pidió estar en medio, porque tenía un miedo irracional a los fantasmas.

Transcurrido un periodo imposible de calcular, oyeron pasos y voces. Rodeados de la más completa oscuridad, no sabían qué hacer. Por temor a un registro de la estricta policía suiza, ninguno de los tres había acudido armado a la cita. Serán fantasmas, bromeó en un susurro el príncipe; a lo que respondió el staretz: ojalá. Luego guardaron silencio.

El ruido de un disparo retumbó en las vacías estancias del viejo caserón. Cuando se acalló el eco de la detonación, hubo gritos, carreras y de nuevo silencio. Finalmente, ronroneó en el exterior un motor de arranque; después otro. Al menos dos vehículos se alejaban rápidamente del lugar.

Después de aquella breve intrusión, ninguno de los tres se atrevía a salir del cuarto ni conseguía conciliar el sueño. Cuando apuntaron las primeras luces del alba, se animaron a salir. Desbloquearon la puerta de la habitación y se asomaron al angosto corredor. Al no ver ni oír nada, se aventuraron a recorrer una parte del hotel abandonado a la incierta claridad matutina que se filtraba por los polvorientos cristales de las ventanas sin postigos. En la mugrienta alfombra de la escalera que llevaba al vestíbulo creyeron distinguir manchas recientes de algo que podía ser sangre. El rastro se perdía en la puerta de entrada al hotel. Fuera, las gotas seguían en el espacio cubierto por el alero; la nieve recién caída ocultaba el resto, así como las roderas de los vehículos. El suyo estaba donde lo habían dejado la víspera y no presentaba señales de haber sido violentado. Sin pérdida de tiempo quitaron la nieve, subieron y emprendieron el camino de vuelta por la sinuosa carretera. La nieve los obligaba a avanzar con lentitud. Cuando la carretera se adentró en un espeso bosque de coníferas, el staretz vio algo de reojo que llamó su atención o tuvo un presentimiento que más tarde atribuyó a la intercesión divina, y ordenó al conde Salza, que iba al volante, que detuviera el coche ipso facto. Hizo éste lo que el otro le decía y los tres descendieron. En pos del staretz se adentraron en la espesura por una trocha abierta violentamente en la vegetación. No tardaron en dar con un Skoda 4×4 con el motor empotrado en el tronco de un grueso abeto. Se acercaron con cautela por si alguien acechaba oculto entre la maleza.

El vehículo estaba vacío. En el asiento trasero había un charco de sangre. Posiblemente allí viajaba la persona que había resultado herida por el disparo efectuado unas horas antes en el hotel. Por aquella carretera infernal, de noche y con alguien que se desangraba en el asiento trasero, no era raro que el conductor hubiera perdido el control y se hubiera salido del camino. Pero ¿dónde estaban ahora los ocupantes del vehículo siniestrado? Si uno de ellos había perdido tanta sangre, por fuerza habría dejado un reguero visible, puesto que el follaje impedía que la nieve se acumulara en el suelo. Una breve inspección sobre el terreno les recompensó con un siniestro hallazgo.

A la vista del cuerpo ensangrentado oculto entre la maleza, lanzó un agudo chillido el conde Salza y se santiguó el staretz. Sólo el príncipe Tukuulo conservaba la calma. No te espantes, dijo, un fantasma es un muerto con ganas de parranda y éste aún no ha tenido tiempo de asumir su condición.

Recobrada la serenidad, procedieron a examinar el cadáver. Era el de un hombre de entre treinta y cuarenta años de edad, complexión atlética, cabello rubio, fisonomía eslava, de facciones regulares y muy pulcro de aspecto. Bajo una parka ordinaria, tal vez comprada in situ, vestía un traje gris de buen corte y una camisa de popelín blanco, ahora empapada de sangre.

¿Quién anda así vestido de noche por la montaña?, preguntó el staretz.

Un alto ejecutivo, respondió el conde Salza, o su secretario; en este caso, probablemente un chófer particular. Al resultar herido, no pudo conducir a la vuelta. Quien le reemplazó al volante no tenía la pericia necesaria. Otra posibilidad es que fuera un asesino a sueldo. Algunos son muy presumidos, auténticos petimetres.

Disipado el temor a los fantasmas, el conde Salza no tuvo reparo en manipular el cuerpo del difunto. Al darle la vuelta lanzó un silbido. ¡Debí suponerlo!, dijo, este infeliz no murió a causa de la herida producida por el disparo. Vean: alguien lo remató golpeándole la base del cráneo con un objeto contundente. Seguramente lo hizo su compañero o compañeros, al ver que no podía seguir a pie, para evitar que alguien lo encontrase aún con vida y le pudiera sonsacar información. Fue abatido y luego arrastrado a cierta distancia del vehículo, con la esperanza de que pronto lo cubriera la nieve. En este clima y en un lugar tan apartado, un cuerpo puede permanecer enterrado durante meses, por no decir años.

Mientras hablaba, iba metiendo la mano en los bolsillos del interfecto. El registro no dio fruto: quien se aseguró de su silencio se aseguró también de no dejar nada que permitiera identificarlo.

El conde Salza recabó la ayuda del staretz para desvestir al muerto. Accedió aquél no sin escrúpulos. La operación dio un magro resultado: las etiquetas cosidas en el forro de la americana y el pantalón indicaban que las prendas habían sido confeccionadas en la sastrería Bauer de la Spiegelgasse. La documentación del vehículo siniestrado también había desaparecido.

El staretz musitó un escueto responso junto al cadáver, regresaron a su coche y en menos de tres horas lo devolvían en el aeropuerto de Ginebra, desde donde el príncipe Tukuulo y el conde Salza regresaron a su residencia secreta y el staretz, siguiendo instrucciones del príncipe, voló a Barcelona para entrevistarse conmigo y contarme el turbulento lance vivido en la alta montaña.

—¿Para qué?

El staretz entreabrió los ojos y me lanzó una mirada colérica.

—¿Para qué va a ser? ¡Para recabar su ayuda!

Mi reacción fue instantánea.

—Imposible. Es la hora de cenar.

En varias ocasiones la puerta del saloncito azul se había entreabierto y por la rendija habían asomado por turno los ojos inquisitivos de mis hijos, primero atraídos por el extraño visitante y luego por el apetito. Más tarde oímos a Carol carraspear con insistencia en el pasillo. Finalmente, sonaron unos discretos golpes en la puerta. El staretz dio muestras de nerviosismo y desconcierto. Se había levantado y recorría la estancia a grandes zancadas.

—Aún no le he dicho en qué consistiría su participación.

—Hágalo si le complace, pero de mí no sacará nada. Por la reconquista del reino de Livonia he recorrido medio mundo y he hecho más que cualquier otro ser humano, incluida Su Alteza Real y su augusta esposa. Dígaselo así mismo de mi parte.

Me puse de pie. El staretz me sacaba media cabeza y me miraba con el ceño fruncido, como un maestro iracundo y fatigado a su alumno más díscolo.

—Sería muy poca cosa, de veras. Una simple gestión. Y no ahora mismo. El asunto reviste tanta urgencia como gravedad, por supuesto, pero se podría postergar un día o dos. A lo sumo.

Fui hacia la puerta del saloncito azul. El staretz me cerró el paso.

—Es el príncipe quien se lo pide. Se lo ruega, se lo implora, en aras de su vieja amistad. Sólo se trata de hacer una pesquisa. Si sale bien, magnífico; si no sale bien, no pasa nada.

—¿Qué debo averiguar?

—La identidad del muerto. Quién era en vida, cuáles eran sus intenciones aquella noche aciaga, para quién trabajaba. Sólo así podremos evitar nuevas añagazas, peligros ciertos. Los atentados no cesarán y tarde o temprano caeremos todos si no nos adelantamos.

La puerta se abrió de golpe y el staretz recibió un golpe en el hombro. Por la abertura sacó la cabeza Sagrario.

—La cena está servida, señor.

—Ahora mismo voy.

Agarré al staretz por el codo y lo fui llevando hacia el recibidor.

—Le invitaría a cenar, pero no esperábamos a nadie y, como usted ha dicho, ésta es una casa de familia.

El staretz agachó la cabeza.

—Así lo entiendo y de inmediato haré llegar a Su Alteza la respuesta.

Ya en el rellano se volvió hacia mí. De sus ojos había desaparecido el brillo febril para reflejar el temor y la súplica humilde del perro que comprende su abandono. Me tendió la mano, se la estreché y se fue. Mientras esperaba el ascensor, permanecí en el vano de la puerta. Cuando se abrieron las puertas automáticas del ascensor y el staretz iba a desaparecer en su interior, me asaltó una duda.

—¡Espere! ¿Dónde diablos está la Spiegelgasse?

But is he reliable?
Reliability is much overrated. He is inspired.

Mientras recorría la habitación para familiarizarme con el mobiliario y la disposición del cuarto de baño, iba pensando que el cauce de mi vida parecía discurrir por una larga cadena de habitaciones de hotel. En realidad, la proporción de mis días y mis noches sin hogar no era tan alta, pero por alguna razón, cada vez que entraba en la habitación de un nuevo hotel tenía la impresión de haber regresado a la normalidad después de un periodo de expatriación en mi propia casa. Esta sensación no tenía nada que ver con el deseo de abandonar mis plácidas circunstancias, sino con una anomalía emocional congénita que me impulsaba a creer que había nacido para llevar una existencia errabunda y sin propósito. Sólo en la árida provisionalidad de los hoteles me sentía conforme con mi situación y aliviado por la sensación de haber vuelto al lugar que me correspondía.

El hotel Wallenstein era discreto, como convenía a la naturaleza de mi misión. Ni lujoso ni modesto, estaba ubicado al otro lado del Schottenring, junto detrás de la Votivkirche, cuyas torres me recordaban las de la iglesia de mi colegio. La habitación no era muy amplia, pero tenía una buena calefacción y ventanas dobles. Apenas hube deshecho el equipaje, salí a la calle. El invierno tocaba a su fin, pero el frío era intensísimo.

El clima riguroso le sienta bien a Viena. Los edificios barrocos recobran la taciturna dignidad imperial con que fueron concebidos, los parques sin hojas, con el suelo gris cubierto de escarcha, adquieren un empaque funerario, y en el aire fino e inmóvil hasta los repelentes valses de Strauss dejan presentir un eco lastimero. Siempre me gustó Viena en invierno, quizá porque era el reverso de Barcelona. Formal, silenciosa, altiva, introvertida, con la ostentación propia de la augusta capital de un imperio absurdo y desmembrado, en la exagerada ornamentación de sus palacios y la delicadeza de sus pastelillos, la ciudad, encopetada y decrépita, ponía de manifiesto una decadencia de tonos velazqueños.

La Spiegelgasse era una calle relativamente corta que partía del Graben, cambiaba de nombre a medio camino e iba a morir en la Augustinerstraße. En su breve trayecto había varias tiendas elegantes: libros viejos, ropa de caza, grabados antiguos. Ninguna de ellas se correspondía con la sastrería Bauer, cuya etiqueta estaba cosida a la ropa del muerto y cuyo nombre me había anotado cuidadosamente el staretz Porfirio.

Después de recorrer la calle en uno y otro sentido varias veces, se me ocurrió leer los rótulos de latón que se alineaban en el quicio de los enormes portalones de las casas de pisos. Así encontré el anuncio de la sastrería Bauer, junto con media docena de establecimientos más. Pulsé el timbre de entrada, sonó un clic, se entreabrió una de las hojas de madera labrada, empujé y entré en un zaguán en penumbra, al fondo del cual arrancaba una suntuosa escalera de mármol en espiral. No obstante haber en el hueco de la escalera un diminuto ascensor añadido recientemente, opté por subir a pie para inspeccionar el terreno, por si debía desandar el camino con precipitación.

La sastrería ocupaba uno de los cuatro locales del tercer piso, entre la consulta de un oftalmólogo y una asesoría jurídica. El cuarto local no tenía placa que identificase la actividad de su ocupante.

Me abrió un hombre entrado en años, encorvado, calvo y de piel apergaminada, vestido con un pantalón de pana y una chaquetilla tirolesa de lana rígida. Llevaba una cinta métrica colgada del cuello y un alfiletero sujeto por un brazalete metálico a la manga de la chaqueta. Su expresión revelaba una resignada tristeza.

—*Grüß Gott.*

—Herr Bauer?

—Yo mismo. Pase, por favor.

Entré en un recibidor semicircular, del que partía un pasillo oscuro. El sastre cerró la puerta y se me quedó mirando a la espera de que yo hablase.

—Verá, Herr Bauer, tengo un amigo a quien usted hizo un traje. Me gustó mucho el género y el corte, de modo que le pregunté dónde se lo había hecho. Él me dio su dirección y he venido con la intención de encargarle un traje idéntico.

—Será un placer, señor. Dígame cómo era el traje de su amigo.

—Oh, es difícil de describir. Pero seguramente usted tiene la ficha del cliente. Si la pudiésemos consultar, ganaríamos tiempo e iríamos sobre seguro.

—Buena idea. Si le hice el traje, tendré su ficha. Deme el nombre y la iré a buscar.

—En este preciso momento, no lo recuerdo. Soy buen fisonomista, pero para los nombres, una calamidad. Mi amigo es alto, fuerte, de rasgos eslavos.

Herr Bauer parpadeó desconcertado.

—Si no me da más datos...

—No se me ocurre ninguno más.

—Algún rasgo distintivo. ¿Bigote, barba?

El staretz había sido algo parco en su descripción del muerto.

—Depende. A mi amigo le gusta variar de aspecto.

—Pues, francamente, no atino... Pero le puedo enseñar el muestrario. Usted elije el tejido, yo le tomo las medidas y estoy seguro de que no quedará descontento con el resultado. Sígame, por favor.

Se dirigió al pasillo; yo no me moví del recibidor.

—Espere, Herr Bauer. No me quiero arriesgar. El traje ha de ser exactamente como el de mi amigo.

Herr Bauer regresó a mi lado. Su expresión de tristeza se había acentuado.

—En tal caso, señor, sólo se me ocurre sugerirle que hable con su amigo, anote su nombre y vuelva cuando tenga las ideas más claras.

—Tiene usted razón. *Auf wiedersehen.*

Una vez en la calle, salí a la Kärntner Straße y me fui paseando, satisfecho de mi gestión. Había hecho lo único posible para cumplir el encargo del príncipe y ya no me quedaba sino disfrutar de la ciudad. Como la situación se había puesto peligrosa, a juzgar por lo que me habían contado el comisario De Broc y el staretz Porfirio, no había pedido a mi suegro ni ayuda ni complicidad. No tenía derecho a meter en aquel enredo a mi familia, ni la menor intención de hacerlo. Me limité a decirle a Carol que me iba unos días a Viena por un asunto particular. Asintió, no me preguntó nada y yo me sentí liberado de una parte de mis escrúpulos: si iba a hacerme callados reproches, mi deber era darle motivos para hacerlo.

Había oscurecido y a causa del frío el número de transeúntes era escaso. Algunas mujeres llevaban abrigos hasta los tobillos, botas altas y gorros de piel. Caminaban erguidas, con un aire decimonónico muy distinguido. En la etapa terrible de la inmediata posguerra, cuando la Ópera, la Catedral y muchos palacios rococó formaban una cordillera de cascotes, muchas vienesas, guapas y elegantes, merodeaban entre las ruinas vestidas con sus mejores galas para atraer a los miembros de las fuerzas de ocupación y de este modo hacerse con unos dólares para comprar comida, medicinas o tabaco en el mercado negro. Ahora de todo aquello ya no quedaba ni siquiera el recuerdo. Los antiguos monumentos habían sido cuidadosamente reconstruidos y Viena mostraba la serena elegancia de su esplendor perdido. Sólo el forastero curioso creía percibir en aquella estética digna y antigua la pesada sombra del siglo xx.

En la Ópera daban *Il trovatore*. Detesto la música de Verdi, pero como no tenía nada mejor que hacer y en la taquilla me ofrecieron una buena localidad, la compré. En el Sacher tomé una tarta y un té antes de la función. Aguanté dos actos, cené un *tafelspitz* en un restaurante de la Mahlerstraße, tomé un taxi y me fui a dormir.

A la mañana siguiente llamé a casa. Contestó Sagrario y a mis preguntas respondió que los niños estaban bien y que Carol había salido de viaje sin decirle a dónde iba ni cuándo tenía pensado volver. Le dije que yo regresaría en un par de días, que no se preocupara por nada y que llamara a mi madre si lo creía oportuno.

En los dos días siguientes visité el Museo de Arte, la Albertina y el palacio Schwarzenberg, entré en la cripta de los capuchinos, me asomé a varias iglesias, fui a un concierto en el Musikverein, di paseos sin rumbo fijo y compré peluches para los niños en una juguetería del Graben y unos pendientes antiguos para Carol en el Dorotheum. Comía y cenaba sin un plan fijo, en algún café. La tarde del tercer día decidí que había llegado la hora de abandonar Viena. Antes, sin embargo, reservé mesa para mí solo en Zu den Drei Husaren.

Zu den Drei Husaren estaba en la esquina de la Kärntner Straße y la Weihburggasse. Había sido fundado a finales del siglo XIX por un empresario que se asoció con su padre y con su tío, y, como los tres habían sido húsares, bautizaron el restaurante con aquel nombre. Conoció un largo periodo de gloria, aunque cambió de manos; durante los bombardeos de la Segunda Guerra Mundial sufrió grandes daños; nuevos dueños lo redecoraron y volvió a ser uno de los restaurantes más célebres de Viena hasta su desaparición. La comida era pasable; el servicio, exquisito; el ambiente, aristocrático. En conjunto, Zu den Drei Husaren era una institución confortablemente kitsch: el que cenaba allí creía estar en el centro del mundo, si alguna vez hubiera existido un mundo así.

Cuando el maître me acompañaba a mi mesa, oí pronunciar mi nombre.

—¡Rufo Batalla! ¡Por el amor de Dios, Rufo Batalla!

Al darme la vuelta vi a un comensal levantarse de una mesa y venir hacia mí con aspavientos de júbilo. A pesar del tiempo transcurrido, reconocí de inmediato a Miguel Ángel Giménez de la Huerta, un diplomático español con quien había mantenido una cordial amistad en Nueva York y cuya pista había perdido a raíz de mi marcha. Había engordado un poco y había perdido algo de cabello, pero conservaba la buena planta de antaño y seguía vistiendo como un dandi.

Nos abrazamos en mitad del restaurante.

—¡Miguel Ángel, qué alegría! No sabía que te habían destinado a Viena.

—Sólo a ratos. Oye, estoy cenando con unos colegas de otras delegaciones. Tú ve a lo tuyo y en cuanto acabe, me reúno contigo. No tardaré. Ya vamos por el segundo plato y éstos se retiran temprano. Me has de contar un montón de cosas.

Miguel Ángel regresó a su mesa. Tal como había anunciado, concluyeron pronto la cena, se levantaron, se despidieron y salieron todos menos él, que vino a la mía, se sentó y pidió un café. A mis preguntas respondió que asistía a una reunión de OSCE.

—¿Qué es eso?

—Unas siglas y poco más. La Organización para la Seguridad y Cooperación en Europa. Si vienes mañana, te hago entrar. Interés, no tiene ninguno, pero nos reunimos en el Hofburg y el lugar tiene su gracia. Por raro que suene, España tiene tres embajadas en esta ciudad: una ante el Estado austriaco, otra ante las Naciones Unidas y una tercera en la trilateral, que es donde estoy yo. Cosas de Viena.

Apuró el café y, antes de proseguir, miró hacia uno y otro lado para cerciorarse de que nadie podía oír sus opiniones.

—Desde que acabó la guerra, Viena se quedó en nada. Mucha pompa, pero pompa de jabón. Por fuera, palacios; por dentro, hambre y frío. Los jóvenes se largaban en busca de aire fresco. Para dar un poco de vida a la ciudad, la ofrecieron como sede de la Naciones Unidas. Pensaban que un montón de funcionarios venidos de todo el mundo, sin arraigo y bien pagados, convertirían aquel cementerio en un burdel. Otro error. A diferencia de los diplomáticos, los funcionarios internacionales no sienten ningún interés por el país donde trabajan. El puesto de trabajo, el sueldo y el escalafón es todo su horizonte. Aunque vivan treinta años en el mismo sitio, lo consideran una residencia provisional, no aprenden una palabra del idioma local, añoran su tierra a todas horas, se quejan sin cesar y sólo piensan en ahorrar dinero para el regreso. Tú conoces a los funcionarios.

—Anteayer fui a la Ópera y estaba a tope. No me dio la impresión de que las cosas fueran mal.

—Ah, no. Desde hace unos años, todo ha cambiado. Las ciudades se han puesto de moda. Recuerda lo que pasó con Nueva York: cuando vivíamos allí, no había lugar más abyecto; y ahora, sin que nada haya cambiado, todo el mundo la considera el no va más. Por supuesto, Viena siempre tuvo mucho que ofrecer desde el punto de vista cultural, pero ¿cómo te explicas que los museos estuvieran vacíos hasta hace poco y hoy haya colas de un kilómetro para ver los Brueghels? Y eso por no hablar de la ópera. Por cierto, mañana dan la *Elektra* de Strauss. Puedo conseguirte una entrada.

—Gracias, Miguel Ángel. La tentación es fuerte, pero tenía pensado regresar a Barcelona.

—¿Tan pronto? Pues, ¿a qué has venido?

Estaba buscando una respuesta verosímil a su pregunta, cuando me interrumpió.

—Espera, no empieces por el final. Ponme al día. Alguien me dijo que te habías casado con una chica rica.

—Ella no. Su padre.

—Ya la palmará, hombre, ten paciencia. ¿Has venido a Viena por trabajo? ¿Asuntos de familia?

—No. Vamos a otro sitio y te lo contaré.

Anduvimos unos minutos hasta el café Hawelka, que, según decían, había frecuentado Kafka. No estaba muy concurrido. Nos sentamos, pedimos dos schnapps y mientras bebíamos hice un resumen de mis andanzas. Miguel Ángel me escuchó con una sonrisa burlona y cuando hube acabado, me palmeó la espalda.

—Eres un campeón, Rufo. Y yo me alegro. Pero no me has dicho cuál es el motivo de tu viaje. Si no son negocios y no es turismo, será un lío de faldas.

Dudé entre seguirle la broma o contarle la verdad y al final, como había bebido varios schnapps y llevaba varios días dando vueltas al asunto, opté por la indiscreción.

—Quizá te suene el nombre del príncipe Tukuulo. Hace años te presenté a su esposa, Queen Isabella, no creo que la recuerdes.

—¿Cómo no me voy a acordar? En casa de Piniés, en vísperas de Navidad. Me dejaste plantado, me hiciste quedar mal con el embajador y te llevaste a la más guapa de la fiesta. Los delitos prescriben, pero las putadas no, Rufo.

Sin hacer caso de su actitud burlona, le puse en antecedentes de mi larga amistad con el príncipe Tukuulo, de sus utópicos planes para recuperar el trono de Livonia y de las actividades delictivas que yo había llevado a cabo por su cuenta en un remoto islote del mar de Siam; a renglón seguido le conté lo sucedido en mi reciente estancia en París, mi conversación con el comisario De Broc y el relato del staretz Porfirio; y concluí con el recuento de mis desafortunadas pesquisas con el sastre de Viena y la razón de mi estancia en aquella ciudad. A medida que yo hablaba, Miguel Ángel iba adoptando una expresión cada vez más seria. Al final, permaneció un rato en silencio, concentrado, como si quisiera poner en orden sus ideas antes de tomar la palabra, y cuando lo hizo, su tono revestía la máxima gravedad.

—Lo que me cuentas no me pilla de nuevas. Desde hace años corren por las cancillerías bulos diversos sobre Livonia y su sedicente monarca. Hasta hace poco nadie les prestaba la menor atención, como se suele hacer con los centenares de bulos que llegan todos los días a nuestros oídos. Últimamente, sin embargo, lo que hasta ahora era una anécdota pintoresca ha ido cobrando visos de realidad hasta convertirse en una cuestión de alcance internacional. La URSS se tambalea y es natural que el Kremlin esté preocupado por lo que antes parecían fábulas. No me atrevería a afirmar que esa preocupación llegue al extremo de disponer la neutralización de tu amigo por la vía rápida, pero tampoco excluyo esta posibilidad. Sea como sea, yo te aconsejo encarecidamente que no te sigas inmiscuyendo en el asunto.

—Estoy de acuerdo contigo, pero ya he llegado muy lejos para desentenderme y abandonar a su suerte al príncipe y a su esposa. He de elegir entre la tranquilidad y la lealtad.

Miguel Ángel guardó silencio de nuevo. Al cabo de un rato, como no decía nada, di el tema por zanjado y llamé por señas al camarero para saldar la cuenta, porque era tarde y en el local sólo quedábamos nosotros dos. Cuando hube pagado y me disponía a levantarme, Miguel Ángel me sujetó del brazo.

—Tengo una buena relación con un colega de la delegación soviética. Es un diplomático joven, de la nueva generación. Pasa de Lenin, pasa de Marx y ni siquiera sabe quién fue Stalin. No lo dice, pero está convencido de que la URSS se desintegra. Hablaré con él, sin citar tu nombre, por supuesto. Como cosa mía. A ver qué me cuenta. Tú no hagas nada. Retrasa la vuelta a Barcelona. La invitación a la ópera sigue en pie. Luego vamos a cenar y, si he averiguado algo, te lo cuento.

Twice, from phone boxes, he made dummy calls, checking the pavement. Once he entered a cul-de sac and doubled back, watching for the slurred step, the eye that ducked his glance.

Después de dos horas sumergido en la música de Richard Strauss salí de la Ópera tan contento que olvidé la promesa de Miguel Ángel Giménez de la Huerta y no la habría recordado si durante la cena él no hubiera sacado el tema a colación.

—Esta mañana, aprovechando que estábamos los dos en el mismo grupo de trabajo, he hablado con Yuri. Me ha costado un poco sonsacarle, pero, finalmente, algo ha dicho y algo ha insinuado.

Le presté atención por pura cortesía: estábamos cenando en el Kervansaray, llevábamos una botella de vino blanco casi liquidada, estábamos esperando una langosta y me costaba concentrarme en el reiterativo embrollo del falaz monarca de Livonia.

—Según Yuri, es probable que alguien haya intentado realmente asesinar a tu amigo y, si salió mal, es probable que vuelvan a intentarlo, tantas veces como sean necesarias. Naturalmente, Yuri negó cualquier intervención gubernamental en la tentativa, y yo me inclino a creerle por lo que se refiere al Gobierno. Con Gorbachov en la presidencia del Soviet Supremo, las cosas ya no son como antes. Sin embargo, la autoridad de Gorbachov está muy mermada. Nada que ver con Brézhnev o con Andrópov. Ésos tenían la sartén por el mango. Ahora el Gobierno va por un lado; el Ejército, por otro, y la KGB sigue a lo suyo. Si hubo un atentado, uno en seguida percibe el largo brazo de la Lubianka. De todos modos, se me hace raro que la cosa saliera tan mal. La KGB no falla, a menos que...

Dejó la frase en el aire y aquello despertó mi interés.

—¿A menos que qué?

—Que el fallo no fuera accidental, sino deliberado.

—¿Y el muerto? ¿Cómo lo explicas?

—¡Vete a saber! También puede formar parte del plan. Para justificar unos presupuestos desmesurados, los servicios de inteligencia han de demostrar continuamente su valía y su necesidad y, llevados por esta obsesión, se arman unos líos que ni ellos mismos entienden. ¿Sabes cuántos miles de personas trabajan para la KGB? ¿O para la CIA?

—No.

—Yo tampoco. Pero un montón, seguro. Y todos secreteando. Figúrate el berenjenal que se debe armar ahí.

—Y Yuri, ¿no dijo nada más?

—Fue sólo un primer contacto. Se mostró prudente y yo no quise insistir para que no se cerrara en banda. Si sabe algo más, nos lo dirá con cuentagotas y siempre a cambio de algo.

—¿Dinero?

—Yo estaba pensando en un intercambio de información. Bien es verdad que nadie le hace ascos al dinero.

—El intercambio de información sería sobre el príncipe, claro: sus planes, su paradero...

—No se me ocurre otra cosa que le pueda interesar.

—No me gusta ni pizca.

—Pues déjalo correr.

Reflexioné mientras bebía a sorbos una copa de vino.

—No. Ya hemos puesto en marcha la máquina; ahora no podemos parar. Dime cuál ha de ser el paso siguiente. ¿Podrías concertar una cita con Yuri? Quizá hablando, cara a cara, podríamos llegar a un acuerdo.

—Lo intentaré. Todo es posible en el mundo de la diplomacia, pero hay que ser muy tortuoso. No esperes resultados a corto plazo.

—Ah, en tal caso, no hay trato. No puedo prolongar la estancia en Viena indefinidamente. Mi familia no lo entendería.

—Tienes razón: la vida de familia y la de agente secreto no son fáciles de compaginar. Por otra parte, es mejor que no te enfrentes a Yuri. Parece tonto, pero ha pasado por una buena escuela: te sonsacaría lo que quisiera y no te daría nada a cambio.

—Pues no se hable más del asunto.

Durante el resto de la cena la conversación discurrió por los cauces habituales cuando dos amigos se reencuentran después de un largo periodo de separación. Miguel Ángel tomó la palabra y me refirió sus andanzas por los países en los que había estado destinado; uno de sus hijos estudiaba ya en la universidad; los vaivenes de la política española hacían incierto su futuro inmediato, pero su carrera se desarrollaba bajo buenos auspicios; su mujer estaba en Madrid.

Ya era tarde cuando nos despedimos con la promesa de no volver a perder el contacto mutuo. Miguel Ángel anotó mis señas y mi teléfono en una libretita y me entregó su tarjeta, y, como iba a permanecer aún dos semanas en Viena, garrapateó al dorso de la tarjeta el teléfono de la legación, por si surgía alguna contingencia. Luego nos despedimos apresuradamente, porque soplaba un viento helado.

Un taxi me dejó a la puerta del hotel Wallenstein, donde pensaba pasar la última noche.

Cuando pedí la llave de la habitación al portero, éste me dijo que alguien había llamado en repetidas ocasiones y, en vista de que no lograba dar conmigo, había dejado un número de teléfono y el encargo de que tuviera la bondad de llamarle, fuera cual fuera la hora de mi regreso al hotel. Pregunté si quien llamaba había dejado algún nombre, si había dicho algo relacionado con el objeto de la llamada, si era un hombre o una mujer y en qué idioma se había expresado, a todo lo cual respondió el portero que él hacía el turno de noche y que las llamadas las había recibido la recepcionista de la tarde.

Me entregó la nota, le di las gracias y subí a la habitación.

El teléfono al que debía llamar tenía prefijo de Viena. Dudé un rato y finalmente marqué el número. Al punto respondió una voz masculina.

—Oh, Herr Batalla, es usted. Gracias por llamar y disculpe el apremio. Éstos no son modos ni éstas son horas, bien lo sé. A mí poco me importa la hora, porque duermo poco y me gusta aprovechar la calma nocturna para adelantar trabajo.

—Oiga, antes de seguir, dígame quién es usted y cuál es el motivo de la llamada.

—Es verdad, perdóneme una vez más. Soy Dieter Bauer, el sastre que usted visitó hace unos días. Y le llamo porque ayer, hablando con mi hija, que trabaja conmigo en el taller, se me ocurrió comentarle su visita y ella, que tiene una memoria prodigiosa, de inmediato recordó al cliente cuyo nombre usted no supo decirme, y esto nos permitió recuperar los datos que usted deseaba comprobar. Las telas, las hechuras, todo. ¿No es una feliz casualidad, Herr Batalla?

La cena, el vino y la fatiga me impedían captar con rapidez el alcance de aquella proposición.

—¿Qué sugiere, Herr Bauer?

—Lo natural: que venga usted mañana a la sastrería, si le viene bien; sobre las 10. Usted habrá descansado y yo estoy convencido de que encontrará lo que busca.

—Entiendo que estaremos solos, usted y yo.

—No hace falta nadie más, Herr Batalla. La relación de un caballero con su sastre se basa en el conocimiento, la confianza mutua y la confidencialidad.

Dormí un sueño profundo y tranquilo. Me desperté temprano, me duché y me afeité. Luego llamé por teléfono a la oficina de Austrian Airlines; tenía una reserva abierta; la confirmé para el vuelo de las siete cuarenta y cinco. Hice la maleta y bajé al hall. Antes de desayunar, pagué la cuenta del hotel y dije que pasaría a recoger el equipaje por la tarde, para ir directamente al aeropuerto.

El día era claro y frío. Fui caminando hasta la Spiegelgasse y subí directamente a la sastrería. El propio sastre me abrió la puerta y sin decir nada me hizo pasar al sombrío recibidor. Cerró la puerta y echó a andar por el pasillo. Yo le seguí y desembocamos en una pieza amplia, cuyo centro lo ocupaba una mesa rectangular y sobre ella, varas de medir, tijeras, carretes y retales. En un rincón había una máquina de coser; en otro, una tabla de planchar y una plancha grande de vapor. En unos anaqueles se alineaban los muestrarios. Junto a la ventana había un espejo alto de tres cuerpos. Una cortina espesa impedía la entrada de la luz exterior, reemplazada por unos tubos fluorescentes suspendidos del techo.

Herr Bauer arrancó a hablar súbitamente, con evidentes muestras de nerviosismo.

—Este feliz reencuentro, como le dije anoche, se lo debemos por entero a mi hija Olga. Ella misma, si lo desea, le expondrá el proceso deductivo. Voy a llamarla, con su permiso.

—Habíamos quedado en vernos a solas, Herr Bauer.

—En efecto, así quedamos. Pero mi hija es mi mano derecha. No hago nada sin consultar con ella. Sin su presencia, no sabría cómo llevar nuestro trato a una fructífera conclusión. Se lo ruego.

Se había deslizado hasta una puerta lateral; abrió una rendija.

—¡Olga, *meine Tochter*! ¡Herr Batalla está aquí!

De inmediato se vio arrollado por la brusca entrada de una joven rubia, pálida, de ojos grandes y facciones regulares, vestida con un jersey de lana muy ceñido y unos pantalones de cuero. A unos pasos de la puerta se detuvo y me saludó sin desarrugar el entrecejo. Ni siquiera mi pobre conocimiento de la lengua alemana me impidió notar un marcado deje extranjero en su entonación.

—Olga, muéstrale a Herr Batalla la ficha de nuestro cliente. Yo, mientras tanto, voy a buscar unas piezas que me gustaría que viera.

Salió el sastre apresuradamente y la muchacha se me acercó sin apartar los ojos de los míos. Con la proximidad me invadió un perfume exagerado.

—Dígame la verdad, Herr Batalla, ¿a qué ha venido?

—A lo que su padre le ha dicho. El resto no es de su incumbencia.

—¿Es usted casado?

—¿Qué más le da?

—Oh, Viena es una ciudad de secretos y perversiones. A menudo renovar el vestuario encubre un pretexto para los hombres casados.

—¿Amores mercenarios? ¿Eso me está ofreciendo, Fraulein Olga?

Se apartó como si hubiera recibido una descarga eléctrica y enrojeció vivamente.

—Señor, no sea malpensado. ¿Qué le ha hecho suponer tal cosa?

El regreso del sastre, acompañado de dos desconocidos, puso fin a aquel embarazoso malentendido.

—Herr Batalla, nada me place tanto como presentarle a dos caballeros cuya ayuda le será de gran servicio. Éste es el Doktor Jorba, tratante de las mejores lanas del mundo. Lanas del Kurdistán y de Mongolia, no le digo más. Y éste es Herr Koblentz. Los afamados algodones de la península de Crimea y las suntuosas sedas de Tashkent pasan por sus manos. Que ambos honren mi establecimiento no debe sorprenderle. Hasta hace poco, en términos históricos, se entiende, Viena bien podía reclamar para sí el título de epicentro del mundo. Del Atlántico cerúleo a las áridas estepas del Asia Central, del gélido Báltico al sensual Mediterráneo, todas las rutas se cruzaban en Viena. Y si el comercio enriqueció y embelleció esta ciudad, no fue menor su contribución a la cultura y a las artes. Aquí grandes músicos compusieron obras inmortales: no ya Mozart y Schubert, ambos prematuramente fallecidos, sino los robustos Mahler y Bruckner, así como Berg y Schönberg, heraldos de la modernidad. Aquí Wittgenstein concibió y redactó su mundialmente difundido *Tractatus*.

Mientras el sastre peroraba, el Doktor Jorba se había colocado a mi derecha y Herr Koblentz a mi izquierda y ambos me observaban con fijeza. Eran dos sexagenarios y vestían ropa de ínfima calidad, arrugada y cubierta de lamparones; el primero era tripón y mofletudo y el segundo, enjuto y enfermizo. Este último llevaba unas gruesas gafas. El aspecto de ambos era tan chocante que en su presencia Fraulein Olga no podía contener la risa.

—¿A qué viene todo esto, Herr Bauer?

—Una reunión amical a la par que práctica. Sólo queremos que usted salga de aquí bien trajeado. Y eso no se condice con la precipitación. Precisamente iba a pedirle a mi esposa que nos obsequiara con unas tacitas del reputado café vienés. El aroma de Arabia con un rico copete de esponjosa nata.

Sin esperar a ser convocada, entró una matrona de mediana edad, robusta y tosca de facciones; llevaba el pelo recogido en dos moños prietos, tenía un párpado caído y torcía la boca al hablar. Iba empujando un carrito cuyas ruedas brincaban en los intersticios del viejo entarimado. Sobre el carrito tintineaban tazas y platos y una cafetera de loza blanca sucia y agrietada. Sin hacer caso de los presentes, situó el carrito junto a la mesa y fue trasladando allí el servicio con tan poca destreza y un pulso tan tembloroso, que los retales quedaron salpicados de café, para mortificación del sastre.

Fraulein Olga fue solícita a su encuentro.

—Deja que te ayude.

La matrona se volvió enojada hacia la joven.

—¡Puedo valerme por mí misma, Nastassia Fiodorovna!

—Me llamo Olga, *Muti.*

—¿Y a mí qué me importa?

Herr Koblentz se puso de puntillas para cuchichear algo a mi oído.

—Bébase el café sin rechistar. Frau Bauer, también llamada Agrafena Ivanovna, es de carácter inestable.

El Doktor Jorba, que había captado el sentido de las palabras de su colega, lo confirmó en un susurro apenas perceptible.

—Convendría retirar de la mesa las tijeras e incluso los alfilericos.

La matrona me había puesto una taza de café delante de las narices. Fraulein Olga me hizo señas para darme a entender que más valía que me bebiese aquel brebaje. Yo aparté la cabeza.

—¡Están locos si creen que me voy a tragar esta pócima!

Herr Bauer, con el reiterado pretexto de ir a buscar unas piezas de tela, abandonó la sala. La matrona rebuscó en los bolsillos de la bata y sacó un estuche de hojalata. El estuche contenía una jeringa con una aguja bastante larga y una ampolla con un líquido ambarino. Con mucha destreza rompió el cuello de la ampolla y empezó a rellenar la jeringa mientras daba instrucciones tajantes a sus cómplices.

—¡Inmovilizadlo! ¡No lo dejéis escapar! ¡Y tú, Nastassia Fiodorovna, bájale los pantalones!

La aludida vacilaba.

—¿No deberíamos tratar de persuadirle antes de recurrir a métodos extremos? Se nos dijo que obráramos con delicadeza.

Los dos viajantes de comercio me habían agarrado de los brazos sin mucha fuerza, como si quisieran darme a entender que en su proceder no había mala fe, sino obediencia. La matrona no atendía a razones.

—¿Persuadirle? Pues qué, ya tuvo su oportunidad. A ver, Herr Batalla, ¿cómo nos gusta el café?

Lo peor del caso era que yo habría podido solventar la situación fácilmente: en fin de cuentas, mis cuatro raptores eran dos hombres flojos desmotivados, una matrona rolliza y pesada de movimientos, y una joven de aspecto atlético que aparentaba estar de mi parte. Sin embargo, mis miembros estaban paralizados, como si el cerebro se negara a impartir las órdenes oportunas, más atento al espectáculo que allí se desarrollaba que a mi propia integridad. Y tal vez me habría dejado pinchar sin resistencia si, en el último instante, Fraulein Olga no se hubiera interpuesto y, dando un empujón al Doktor Jorba y tomándome de la mano, no me hubiera sacado de mi letargo con una exclamación angustiada.

—¡Sígueme, Rufo, si en algo aprecias tu vida!

¡Baste, no le deis con el palo!
Que yo, según me trataban, creí dellos que lo harían.

En vez de llevarme hacia el pasillo que conducía a la puerta de entrada al piso, Fraulein Olga me arrastró en dirección contraria, hacia las cortinas que, según mis cálculos, ocultaban el balcón. Llegados allí, las apartó de un manotazo y, con gran asombro por mi parte, vi en la pared una abertura angosta y un corredor largo y estrecho, sumido en la oscuridad. Perseguidos por los aullidos de la matrona, avanzamos a tientas por el corredor hasta chocar con una pared. Otro corredor, que partía en ángulo recto, nos condujo a un tercero y luego a un cuarto, hasta desembocar en un espacio más amplio, también en penumbra, donde nos detuvimos. Nadie parecía habernos seguido. Cuando hube recobrado la tranquilidad, miré a mi alrededor y vi que nos encontrábamos en un hemiciclo de enormes dimensiones, cerrado por una gran compuerta de acero, y sembrado de objetos de diversos tamaños, difíciles de identificar.

—Nunca habría imaginado que una sastrería fuera tan grande.

Fraulein Olga respondió con naturalidad.

—Sí, estos pisos antiguos están llenos de recovecos.

—Pero este lugar tan extraño, ¿qué es?

Las facciones de Fraulein Olga se iluminaron con una amplia sonrisa.

—Tonto, ¿no lo reconoces? Es el escenario de la Ópera de Viena. Ayer mismo estuviste aquí, aunque del otro lado, claro. Mira: el telar, los reflectores, la concha del apuntador. Esta compuerta metálica es el telón de boca. Están montando el decorado para la función de hoy. Aquello parece la proa de un barco. Quizá dan *El holandés errante*. Ten cuidado, no vayas a tropezar ni a romper nada.

Mientras ella hablaba, salió de la sombra un individuo a quien reconocí de inmediato.

—¡Herr Bauer! ¿Cómo es posible que su taller comunique directamente con la Ópera?

El sastre, que parecía haber depuesto su actitud timorata, lanzó una alegre carcajada.

—¡Su extrañeza está plenamente justificada, Herr Batalla! Pero tiene una sencilla explicación: además de sastre, soy el director artístico de esta nobilísima institución. A decir verdad, le hice venir a la sastrería con engaños, porque deseaba pedirle un favor muy especial relacionado precisamente con la ópera.

El Doktor Jorba y Herr Koblentz se habían unido a nosotros y corroboraban con vehementes ademanes las palabras del sastre.

—Estos caballeros, a los que ha conocido hace un rato en su doble personalidad de tratantes de géneros textiles son, respectiva y simultáneamente, el director musical y el gerente de la Ópera. Fraulein Olga, con quien según veo va intimando a grandes pasos, a juzgar por cómo ella le mira a usted embelesada y usted a ella con ojitos taimados, es la directora de Relaciones Públicas. Más tarde, si lo desea, le mostrará los entresijos de este vasto coliseo, y otras cosas vedadas al gran público.

No hacía falta ser muy agudo para comprender, llegado a aquel punto, que cuanto me ocurría no era más que un sueño. Pero tener conciencia de su verdadera naturaleza no me permitía librarme de participar en él, lo cual me tranquilizaba, en la medida en que sabía que nada de cuanto allí sucediera podía afectarme realmente, y, al mismo tiempo, me producía una asfixiante sensación de impotencia. Desde que soy adulto considero los sueños un fenómeno sobrevalorado: no contienen mensajes del más allá ni prefiguran acontecimientos futuros, como se creía en el mundo clásico, ni enmascaran nuestros deseos, temores y frustraciones, como afirma la psicología moderna. Para mí son, pura y simplemente, una molestia superflua de la que prescindiría con gusto, si bien, como cualquier persona, no estoy libre de su influjo y cuando me sobrevienen, experimento el correspondiente desasosiego, sin que su posterior racionalización me sirva para nada. En aquella ocasión, como en otras similares, ni la conciencia de que los sucesos en los que me veía envuelto no pertenecían al mundo real, ni un decidido esfuerzo de voluntad me impedían continuar participando en ellos como uno más de sus protagonistas.

—El favor que deseamos pedirle es el siguiente: en su reciente etapa, después del trágico y devastador paréntesis de la guerra, la Ópera de Viena tiene la costumbre de invitar, en sus funciones de gala, a una persona ajena al mundo del canto, pero célebre o ilustre por otras razones. Al invitado o invitada sólo se le pide su presencia sobre el escenario y una pequeña colaboración. Esta bonita costumbre, que goza de gran predicamento entre el público más selecto, la inauguró nada menos que Mahatma Gandhi, quien, a finales de la década de los cuarenta, en el curso de una visita oficial, honró estas tablas interpretando «*Che gelida manina*».

Fraulein Olga hizo un inciso.

—Yo aún no había nacido, naturalmente. Estoy en la flor de la edad.

Carraspeó enojado por la interrupción Herr Bauer y tomó la palabra el Doktor Jorba.

—El año pasado, para el estreno de *Idomeneo*, después de remover cielo y tierra, conseguimos traer a Pelé.

—Y para la temporada en curso, si se aviene a ello, contamos con usted.

Aquella estupidez me mortificaba, sin que eso me librara de seguir el juego.

—¿Por qué yo, precisamente?

—Por dos razones poderosas. La primera, su gran afición a la música clásica. La segunda, su propia persona.

Todas las miradas convergieron en mí y Herr Bauer retomó el hilo de su discurso con redoblada solemnidad.

—Merced a los aires de apertura que se respiran en la Unión Soviética, se ha tenido acceso a muchos archivos hasta ahora celosamente guardados por las autoridades, y esta venturosa tesitura ha permitido desenterrar una ópera inconclusa de Piotr Ilich Chaikovski, cuyo estreno en esta Ópera está previsto para la próxima temporada. Y como el argumento de tan bella pieza gira en torno al timbaler del Bruc, siendo usted catalán y muy interesado en las cosas de su tierra, nos dijimos: ¿quién mejor...?

Aquella patochada agotó mi paciencia. Lancé un grito, hice un gesto brusco y al instante desaparecieron las personas que me rodeaban, se esfumó el escenario y me encontré sumido en una oscuridad absoluta, inmovilizado y presa del pánico.

Durante unos segundos, de un modo irreflexivo, traté de volver a conciliar el sueño para recuperar la absurda pero apacible situación que acababa de perder, pero pronto comprendí la doble inutilidad del empeño: ni me volvería a dormir ni, aunque lo lograra, me serviría de nada sustituir la incertidumbre presente por una seguridad artificiosa y efímera.

Me dolía la cabeza, me costaba pensar de modo coherente y tenía el cuerpo entumecido, pero no estaba atado, como había creído al principio. Con esfuerzo me incorporé y comprobé que había estado tendido en un catre estrecho y duro. Palpando el catre descubrí que estaba sujeto a la pared por gruesos pernos. Poco a poco me puse de pie y di la vuelta entera a la pieza tanteando las paredes. Cuando topé de nuevo con el catre, comprendí que estaba en una celda sin más abertura al exterior que una puerta metálica cerrada y sin más mobiliario que el catre.

Golpeé la puerta, di voces y finalmente, como nadie me respondía ni se percibía ningún sonido, regresé al catre y me tendí en él a la espera de lo que me deparase la suerte.

No sé cuántas horas pasé en aquel opresivo encierro. Recuerdo el frío y la sed y, más tarde, las punzadas del hambre. Cuando pude pensar con lógica, fui sopesando los motivos del secuestro. Dado el desarrollo de los acontecimientos, reales o imaginarios, todo parecía indicar que me habían capturado para extraer información sobre los movimientos del príncipe Tukuulo. La sola idea me dejó aterrado, porque ninguna tortura podría arrancarme lo que no sabía, y no tenía forma de demostrar que mi ignorancia era genuina. En el caso, menos probable, de que se tratara de un simple secuestro, y mi liberación estuviera supeditada a la entrega de un rescate, debía confiar en la buena voluntad de quienes estaban en condiciones de pagarlo, es decir, de mi familia política, cosa no del todo segura, dada la inestabilidad de mi relación con Carol.

Aquellas cábalas no hacían más que aumentar mi intranquilidad. De cuando en cuando me levantaba, iba a la puerta, la golpeaba y daba gritos, sin más propósito que interrumpir el funesto derrotero de mis pensamientos. A ratos, quizá porque el aire de la celda se iba enrareciendo con el paso de las horas, me quedaba dormido de un modo imprevisible y ajeno a mi voluntad, para despertar bruscamente con fuertes calambres en las piernas. Cada vez que me despertaba, la sed era mayor; tenía la boca tan seca que apenas podía tragar saliva.

Cuando finalmente oí girar una llave en la cerradura estaba tan débil y tan aturdido, que sólo acerté a emitir un chillido y a ocultar la cabeza entre los brazos. La puerta se abrió con chirrido de goznes y una luz cegadora invadió la celda. Al entreabrir los ojos apenas distinguí la silueta de un hombre recortada en el vano de la puerta. Quise decir algo, pero no conseguí articular ningún sonido y fue el recién llegado quien rompió el silencio.

—Hola. Soy Yuri.

Tardé unos segundos en asociar aquel nombre con el del diplomático soviético con quien mi amigo Miguel Ángel había hablado la víspera. En tal caso, di por sentado que era él el causante de mis infortunios, pero en aquel momento no tenía intención de hacerle reproches: sólo aspiraba a salir de allí, aunque fuera para ser arrojado al rincón más infecto del Gulag.

—Por favor, deme agua.

Sin abandonar su puesto en el umbral de la celda, el recién llegado se encogió de hombros.

—Le complacería encantado, pero no puedo. Aquí no hay nevera y los grifos no funcionan. Aguante un poco y le invitaré a una cerveza en cuanto lleguemos a Austria.

—¿A Austria? ¿Pues dónde estoy?

—En un piso franco. En Bratislava. Como es la primera localidad fronteriza, nuestros agentes en la zona operan desde aquí. Al menos, hasta ahora. Al paso que vamos, eso va a durar poco. Mire cómo tienen el piso. Sucio y destartalado. ¿Puede andar sin ayuda? Yo le brindaría mi apoyo, pero he de ir a una recepción más tarde y no quiero mancharme el traje.

Con el resto de mis escasas energías, me levanté del catre y recorrí tambaleando el corto trecho que me separaba de la puerta. Yuri caminaba por un corto pasillo sin preocuparse por comprobar si yo le seguía. En el recibidor, abrió la puerta del piso, me hizo salir al rellano, apagó las luces, cerró con llave y ocultó la llave sobre el marco de la puerta. Un tramo de escalera nos llevó al portal. Frente a la casa había estacionado un Skoda. Yuri me invitó a entrar.

—No tengo documentación. Me lo han quitado todo.

—Ya lo recuperará.

—¿No hemos de cruzar la frontera? Sin papeles no me dejarán pasar.

—Ya veremos. El coche lleva matrícula diplomática y los problemas se han de resolver cuando se presentan. Por cierto, su amigo Miguel Ángel me pidió que le presentara sus disculpas. Por su gusto habría venido, pero no quería implicar a la embajada de España en el asunto.

—¿Y cuál es exactamente el asunto?

—Se lo contaré en el trayecto. Tenemos una hora larga hasta Viena, si no surgen complicaciones.

No. I am ageing fast. My mind does not dwell on slaughter as it did when I was a boy.

Mientras recorríamos las calles de Bratislava empezó a llover y al llegar a la barrera del puesto fronterizo, diluviaba. Sin salir del coche, Yuri mostró su pasaporte a un guardia enfundado en un chubasquero negro. El guardia examinó el pasaporte, se lo devolvió y me señaló. Yuri le habló un rato en un tono calmado pero cortante y, según me pareció entender, en ruso. Concluida la explicación, el guardia movió la cabeza afirmativamente, hizo una señal y alguien levantó la barrera.

Cuando hubimos pasado, Yuri suspiró.

—Hablar en ruso abre todas las puertas. Por ahora. Será muy triste cuando se pierdan las buenas costumbres.

En la frontera austriaca, los guardias se limitaron a indicarnos que siguiéramos nuestro camino sin salir de la garita. Sólo algunos camiones circulaban por una carretera que discurría entre campos cubiertos de escarcha y bosques sombríos. Había dejado de llover. De cuando en cuando el paisaje se abría y dejaba ver el espacioso cauce del Danubio, sobre cuyas aguas flotaba una neblina fantasmal. En una gasolinera Yuri detuvo el coche, compró un bocadillo de jamón ahumado y una botella de agua y me hizo el hombre más feliz del mundo. Mientras yo reponía fuerzas y él conducía, Yuri me relató lo ocurrido.

El día anterior, en una pausa del trabajo, Miguel Ángel Giménez de la Huerta había transmitido a su colega soviético mi deseo de mantener un encuentro con él y Yuri había aceptado de buen grado, porque, como ya me había insinuado Miguel Ángel, era un diplomático experimentado y confiaba en obtener de mí más de lo que él estaba dispuesto a revelar en el curso de la entrevista. Convinieron, pues, una cita para aquella misma tarde en el café Landtmann. Pero cuando Miguel Ángel llamó al hotel Wallenstein para informarme de lo acordado, le dijeron que yo había salido la noche anterior de forma poco habitual y todavía no había regresado. Extrañado, Miguel Ángel se personó de inmediato en el hotel y el gerente le contó que, según le había dicho el portero de noche, una mujer joven, muy llamativa y emperifollada, me había visitado, en mi propia habitación, a altas horas de la madrugada.

—¡Eso es una falsedad! ¡Anoche no me visitó nadie!

—El portero afirma lo contrario y no hay razón alguna para dudar de su palabra. Y el gerente del hotel no ocultaba su reprobación ante una conducta tan poco acorde con la dignidad del establecimiento. Pero no se sulfure, porque la cosa no acaba aquí.

La censurable visitante y yo, siempre según el portero de noche, habíamos permanecido un buen rato en la habitación, tras lo cual, ambos habíamos abandonado el hotel muy amartelados y habíamos subido a un coche. Luego nadie me había vuelto a ver.

Al oír el relato, Miguel Ángel pasó de la extrañeza a la alarma, se puso en contacto con Yuri y éste hizo las oportunas averiguaciones.

—Al principio, como era de esperar, negaron saber de qué les estaba hablando; luego se mostraron renuentes, y finalmente me contaron la verdad, o una parte de la verdad. No me costó demasiado convencerlos. La información que les interesaba de usted ya la tenían, y si dejaban el resto en mis manos, se ahorraban muchas complicaciones.

—No sé si le he entendido bien.

—Me ha entendido perfectamente. Alguien le visitó en el hotel de Viena, probablemente Nastassia Fiodorovna, una agente que se hace pasar por Fraulein Olga. Una vez allí, no sé qué harían, pero en algún momento ella le suministró una droga, lo sacó del hotel, lo metió en el coche donde esperaban otros dos agentes y se lo llevaron a Bratislava, para que nadie les molestara. Allí le interrogaron y luego, como manda el reglamento, deberían haberse desembarazado de usted.

—¿Cómo? ¿De un tiro?

—Hay varios métodos. Al menos eso enseñaban en la academia. No la mía, claro. Yo fui a la escuela diplomática.

No sabía si me estaba tomando el pelo. Él, por su parte, se divertía con mi desconcierto.

—La parte difícil no es ésa, sino deshacerse del cuerpo de un modo limpio y discreto. De lo contrario, las autoridades locales se suelen molestar, inclusive las checoslovacas, pese a los vínculos fraternales que todavía unen a nuestros dos países.

Habíamos rebasado el aeropuerto y a lo lejos se veía, difuminada por la niebla, la silueta de la catedral.

—No se ofenda por lo que le voy a decir, pero, dada la importancia del caso, le habían asignado unos agentes bastante mediocres. A los dos hombres se les conoce por Josip Segundo y Ceref, respectivamente. Uno es experto en estupefacientes; el otro, en interrogatorios. Los dos están al borde de la jubilación. A la chica sólo la usan para trabajos complementarios. Se cree Mata-Hari, como si a estas alturas la seducción sirviera para algo. Si no fuera sobrina de algún jefazo, la habrían despedido hace tiempo.

—Pero yo no sé nada, difícilmente puedo haber revelado ningún secreto.

—¡Oh, eso cree usted! No se haga ilusiones: algún indicio les habrá dado. Son muy hábiles para sonsacar información. Durante horas hablan y hablan, sin referirse a nada concreto, como viejas cotorras. De este modo establecen un diálogo monótono, incesante, y de ahí, pasito a paso, van destilando datos. Un interrogatorio puede durar meses, años. Es como el psicoanálisis, pero al revés. El paciente entra bien y sale mal. Cargado de culpa. Usted ya me entiende. No olvide que estaba inconsciente y, como dicen en latín: *multi per somnia saepe loquentes*.

Detuvo el coche frente a la puerta del hotel. Antes de apearme le tendí la mano.

—Gracias por todo. ¿Puedo preguntarle por qué lo ha hecho?

Me estrechó la mano con una firmeza que desmentía la sonrisa burlona.

—Los diplomáticos nunca estamos a la altura del cinismo que se nos atribuye. Ya sé que no me cree, pero no hay una razón específica. Y tampoco le daré otra explicación. Váyase, su amigo Miguel Ángel le está esperando. Dele las gracias a él.

Miguel Ángel recorría a zancadas el hall del hotel. Cuando me vio entrar, vino a mi encuentro con aire impaciente y preocupado.

—Por fin habéis llegado. No me cuentes nada. Cuanto menos sepa, mejor. Toma, el consulado te ha expedido un pasaporte provisional. En el Ministerio han dicho que con éste ya van dos. El anterior fue en Tailandia, por culpa de una japonesa. Ahora otro por culpa de una rusa. Dicen que, a la tercera, te dejan tirado donde estés.

—No te preocupes. He aprendido la lección. Y lamento mucho las molestias que te he ocasionado.

—Sí, hombre, a estas alturas me voy yo a tragar tus buenas intenciones. Tienes un asiento reservado en el vuelo de las siete a Barcelona vía Zúrich. Pobre de ti si lo pierdes. Ahora he de dejarte: tengo una reunión del máximo desinterés. Tú sube a la habitación; he conseguido que te la mantuvieran hasta las cinco. Cierra con llave, date un baño, ponte ropa limpia y, pase lo que pase, no salgas hasta la hora de ir al aeropuerto. Si llaman a la puerta, no abras. No quiero más líos. ¿Tienes dinero?

—Sí. Me robaron el pasaporte y la cartera, pero en la caja fuerte del hotel dejé las tarjetas de crédito y un poco en efectivo. Siempre lo hago, por prudencia.

—¡Sí, prudencia es lo que a ti te sobra!

Le reiteré mi agradecimiento y nos despedimos con la promesa de mantenernos en contacto. Cuando se hubo ido, el recepcionista me entregó la llave sin mirarme a los ojos. Subí a la habitación y llamé por teléfono a Barcelona para decir que estaba bien y que llegaría aquella misma noche. Luego hice todo lo que me había ordenado Miguel Ángel y finalmente, como aún tenía dos horas por delante, me tumbé en la cama y empecé a repasar los acontecimientos de las horas precedentes. Cuantas más vueltas les daba, menos entendía lo ocurrido, porque no conseguía separar lo que realmente había pasado de las fantasías inducidas por las sustancias que me habían administrado, ni encajar mis recuerdos con la versión de los hechos que me había dado Yuri.

Estaba entregado a aquellas reflexiones cuando sonó el teléfono. Supuse que sería Miguel Ángel, que quería cerciorarse de que yo seguía allí, y descolgué. A mi saludo respondió una melodiosa voz femenina.

—¿Rufo? Soy yo, Nastassia Fiodorovna. ¿Te molesto?

—¡Vete al cuerno! ¿No habéis tenido bastante?

—No te enfades conmigo, Rufo. Sólo cumplía órdenes. Ya sé que para vosotros eso no es una excusa válida, pero nosotros crecimos bajo el yugo del estalinismo. Además, no te llamo para pedirte nada, sino para ofrecerte información.

—No me interesa.

—¿No quieres saber lo que realmente sucedió? No aquí, no entre nosotros. En Suiza. En la estación de esquí abandonada. Viniste a Viena para averiguarlo, ¿no?

—A eso vine, es verdad, pero ya me he cansado. Y no me fío de ti. Ni de ti ni de nadie.

—La desconfianza no ha lugar: lo que tenía que hacer ya lo hice; ahora es otro momento.

—¿Qué me pedirás a cambio de esa información?

—Te lo diré cuando nos veamos. Por teléfono no puedo hablar.

—Está bien, aún tengo un rato libre. Ven al hotel; hablaremos en el hall.

—No, no, en el hotel me conocen. Hay una cafetería a la vuelta de la esquina. Luminosa, concurrida, ahí estarás tan seguro como en el hotel, si no más. Se llama Leben und Sterben Lassen. Ya sabes, la película de James Bond. Si quieres saber lo que pasó en Suiza, reúnete conmigo en cinco minutos.

Sopesé brevemente los riesgos que llevaba aparejado el encuentro y acabé cediendo a la curiosidad. En realidad, no me interesaba tanto desentrañar el misterio de lo ocurrido en Suiza como volver a ver, en pleno uso de mis facultades, a una persona a la que sólo recordaba haber visto en sueños, y justificaba mis actos pensando que, en mis circunstancias, cualquier persona habría actuado de la misma manera.

Como había vuelto a llover, pedí prestado un paraguas en la recepción. Cuando el recepcionista me lo entregó, pensé pedirle que llamara a la policía si no se lo devolvía antes de una hora, pero desistí de crear más problemas a los probos empleados del hotel y salí sin decir nada.

Por su cercanía de la universidad, el local estaba lleno de estudiantes. En el aire se mezclaban el humo del tabaco y el aroma dulzón de la marihuana. Por suerte, el volumen de la música era discreto. El suelo era de madera clara, las paredes estaban pintadas de azul marino y una de ellas quedaba medio oculta bajo el enorme cartel de la película que daba nombre al bar: *Live and Let Die*.

Tardé un rato en dar con la persona que buscaba. En una mesa, sola, con una taza de té y aparentemente absorta en la lectura de un libro bastante grueso, había una joven rubia. Cuando me acerqué, ella levantó los ojos del libro y me miró con extrañeza. No la reconocí, pero tampoco habría podido asegurar que aquella chica no era la misma que en mi sueño se había hecho pasar por Fraulein Olga. Como ella no decía nada, di por sentado que había cometido un error y empecé a balbucear una disculpa, pero ella me señaló una silla vacía con un movimiento mínimo de la mano. Me senté sin dejar de pensar que el error era recíproco. Ella cerró el libro y me preguntó si quería tomar algo. Su forma de vestir, su peinado y una vaga aureola de humildad la distinguían del resto de las chicas presentes en el local.

—No voy a tomar nada. Si hay que consumir para ocupar la mesa, pediré un café, pero no pienso beber ni una gota.

Ella hizo un movimiento afirmativo y sonrió con un deje de tristeza.

—No me cargues a mí todas las culpas. Los espías estamos sobrevalorados: no haríamos nada sin la colaboración de nuestras víctimas.

—No perdamos tiempo en digresiones. He de volver al hotel.

Como si mis palabras le hubieran ofendido, sus ojos se humedecieron. Apartó el libro y puso las dos manos sobre la mesa.

—El servicio de inteligencia soviético anda detrás del príncipe Tukuulo. Lo consideran un simplón, pero según cómo evolucionen los acontecimientos, puede ser utilizado con fines subversivos. Lo de Suiza fue un intento de apresarlo, llevarlo a lugar seguro, averiguar sus intenciones, ofrecerle un pacto, meterle el miedo en el cuerpo, neutralizarlo. Eliminarlo, no. Vivo es más fácil de controlar. Y más vale loco conocido, como dice la máxima. Pero otras fuerzas también están maniobrando en la misma dirección, con otros fines. Es posible que entre en sus planes servirse de la figura del príncipe, de su influencia a escala local, de la labor hecha hasta ahora ingenuamente para recuperar un trono de opereta. También es posible que tengan otro candidato y les moleste el príncipe. Quién es esta gente, no lo sabemos. Ellos se consideran el relevo de la vieja guardia, el futuro de la Santa Rusia. Cuentan con aliados dentro y fuera del Partido y, por supuesto, dentro del servicio secreto. Como es natural, los secretos engendran más secretos y en estos momentos nadie sabe para quién trabaja realmente, ni para qué. Si el coloso soviético se viene abajo, el botín será incalculable y estará a disposición del que llegue antes y tenga menos escrúpulos.

Se interrumpió para dar un sorbo a la taza de té, se enjugó los labios con la servilleta y se me quedó mirando como si esperara mi reacción. A mí todo aquello me traía sin cuidado, pero no la quería defraudar.

—Entiendo: en la estación de esquí coincidieron agentes gubernamentales y... no sé cómo llamarlos.

Nastassia Fiodorovna bajó la voz.

—Bandoleros. Pero no lo repitas: podrían ser mis propios jefes. Y ya no sé más. Hubo tiros, alguien resultó herido. Quizá uno de los nuestros. Tu amigo y los suyos tuvieron suerte.

—Para tender la trampa tenían que saber cómo hacer llegar el mensaje hasta el príncipe. ¿Cómo conocieron su paradero?

—Por el método habitual: alguien dio el soplo.

—¿Alguien próximo al príncipe? ¿Un traidor?

—Nosotros lo llamamos colaborador. La palabra traidor tiene connotaciones morales, como si hubiera una causa buena y otra mala. En la Academia la teníamos prohibida.

Miré el reloj.

—Gracias por la información. He de irme ya. Por teléfono dijiste que me ibas a pedir algo.

Insegura y asustada, miraba a derecha e izquierda. Finalmente se levantó, corrió su silla hasta ponerla junto a la mía, se volvió a sentar y apoyó la cabeza en mi hombro, como si fuéramos una pareja de enamorados. Sus cabellos olían a champú de supermercado. La proximidad le permitía hablar en un susurro.

—He decidido pasarme.

—No sé si te he entendido bien.

Dada la diferencia de edad, pensé que nos tomarían por el clásico dúo del profesor y la alumna, una situación tan equívoca como improbable: ningún profesor concertaría una cita clandestina en un bar donde la clientela podía reconocerle.

—Quiero decir fugarme. Desertar. Pedir asilo político. Puedo ofrecer mis servicios al país que me acoja.

—¿Y yo qué pinto?

Su voz se había vuelto lastimera.

—Oficialmente trabajo como secretaria en la embajada soviética en Viena. Como nunca me encomiendan misiones, me paso el tiempo archivando documentos y contestando al teléfono. Me aburro mortalmente. No es esto sólo lo que me lleva a cambiar de bando, claro. Pero no quiero malgastar mi vida. El problema es que tengo muy poco que ofrecer. Poca experiencia y un nivel muy bajo en el escalafón. Si me pongo en contacto con la CIA o con el MI6, me mandarán a la porra, se enterarán los míos y, con suerte, acabaré en Siberia. Cuando me encomendaron tu caso, comprendí que era mi oportunidad. Eres español, y como el CNI es tan poquita cosa a nivel de espionaje, si tú intercedieras, probablemente me querrían. Si me ayudas, no te arrepentirás. Serás un héroe nacional. Y yo soy muy agradecida.

Su discurso, si era genuino, me parecía una insensatez. Levanté los ojos y mi mirada chocó con el cartel de la película. La imagen apuesta y desenfadada de Roger Moore contrastaba con la sordidez de la situación en que me veía envuelto por idiota: nunca debería haber aceptado aquella cita. Tampoco podía descartar que todo fuera una nueva añagaza.

Ella tomó mi silencio por indecisión.

—No me desampares, Rufo. Tú tienes contactos. Y yo pido poco. Sólo aspiro a llevar una vida normal. Una vida normal en España. No puedo más de frío. Toda mi vida he soñado con pasar unos días en Marbella. Podemos ir juntos.

—No digas tonterías. Estoy casado.

—Ya lo sé. Pero tu matrimonio va mal. Tú mismo me lo dijiste. Ahora no te acuerdas de nada, pero estuviste muy comunicativo.

—Cada vez lo pones peor.

Apartó la cabeza y me miró fijamente. En los ojos, de un azul muy claro, como de hielo, asomaban dos lágrimas.

—No puedes dejarme, Rufo. Ahora conoces mi secreto. He puesto mi vida en tus manos. ¡Rufo, llévame a Marbella!

La aparté con firmeza y me levanté.

—La primera regla del capitalismo es saber con quién te juegas los cuartos. ¿No es eso lo que queréis? ¿Libre comercio? Pues más te vale ir practicando. Porque yo me vuelvo a mi casa. *Lebe wohl!*

> *The more I learn to care for you*
> *The more we drift apart*

El panorama no era para estar orgulloso: la situación familiar era desastrosa y mi dedicación a la causa del príncipe Tukuulo, que había comenzado como un juego juvenil donde se mezclaban la amistad, la fantasía y la irresponsabilidad, se había convertido, en el transcurso de los años, en una embarazosa sucesión de episodios grotescos.

En vista de lo cual, decidí poner sentido y orden donde no lo había.

Carol seguía en paradero desconocido. Después de su marcha, llamaba por teléfono cada tarde para hablar con nuestros hijos. Al cabo de unos días, sin previo aviso, la comunicación se cortó y ya no se reanudó, ni por teléfono ni por ningún otro medio. A nuestros hijos aquel silencio prolongado no les preocupaba seriamente: la posibilidad de la tragedia no formaba parte de su mundo, no dudaban del cariño de su madre, y estaban convencidos de que no tardarían en verla de nuevo; pero no sabían dónde estaba, porque ella no se lo decía, ni sabían a qué atribuir su ausencia. Si de un modo consciente o inconsciente me atribuían la causa del abandono yo no tenía argumentos para convencerles de lo contrario ni los habría usado de haberlos tenido. En mi fuero interno no me sentía culpable de lo sucedido: sin duda había defraudado las expectativas de Carol, pero satisfacerlas no era mi obligación ni estaba en mi mano.

Cuando la veía entristecida o agitada, sólo se me ocurría acusarme a mí mismo de su estado, con lo que empeoraba las cosas.

—No seas engreído. Las mujeres tenemos derecho a nuestras propias crisis. Tú no eres la causa de nada.

—Ahora dices esto para llevarme la contraria. Pero piensas que con otro te habría ido mejor.

—Si dejaras de ser tonto, seguirías siendo tonto, porque forma parte de tu naturaleza.

No le faltaba razón. Carol era una mujer frustrada por la discordancia patente entre sus cualidades personales y el insípido papel que sus circunstancias le habían asignado. Si hubiera decidido no asumirlo y seguir otro camino, seguramente no habría encontrado grandes obstáculos, pero cuando adquirió conciencia del problema ya era tarde para ponerle remedio. La ambición es un impulso provinciano del que un entorno más mundano había preservado a Carol y a sus amigas, pero mientras éstas habían optado por desempeñar su cometido dignamente en el ámbito del hogar o en diversas actividades profesionales o comerciales, Carol se había embarcado en empresas quijotescas que sólo le habían aportado decepciones y el íntimo convencimiento de que sus actividades no eran más que caprichos de niña rica. En este aspecto nos parecíamos y probablemente este rasgo inconfesado de nuestras respectivas biografías era en parte lo que nos había echado al uno en brazos del otro. El principio de nuestro matrimonio y en especial la llegada de nuestros hijos calmaron en parte su desasosiego, pero el alivio fue sólo temporal. Yo no supe brindarle mi apoyo. Ni siquiera lo intenté: no sabía cómo hacerlo y no me esforcé por imaginar ni probar algún sistema. Seguí persiguiendo mis espejismos y cuando comprendí que aquel empeño no llevaba a ninguna parte, Carol había desaparecido y la situación parecía irresoluble.

Ante todo, debía averiguar el paradero de Carol; luego, la causa real de su marcha, y, por último, sus intenciones.

No quise preguntar a sus padres. No sabía si ella los tenía al corriente de sus pasos. Si no era así, no sacaría nada con ponerles al tanto de la cuestión, salvo causarles una intranquilidad inútil y probablemente empujarles a tomar partido a favor de su hija y en mi contra. Y si estaban en el secreto, no me sería fácil convencerles de que me lo revelaran. De modo que llamé a Baltasar Ortiguella y lo cité, a última hora de la tarde, en el Dry Martini, donde supuse que no me costaría mucho tirarle de la lengua, y a la segunda copa le pregunté por Carol. Mi pregunta no le sorprendió.

—Sí, hablamos hace poco y algo me dijo de un viaje, pero no especificó el propósito ni la duración, ni yo se lo pregunté.

—¿Por qué no me advirtió nadie?

—No era asunto mío. Y tú también habías desaparecido. El miércoles pasé por vuestra casa y Sagrario no sabía nada de Carol ni de ti. Si me aclararas un poquito este misterio, a lo mejor te podría ayudar.

Le resumí lo ocurrido en Viena, sin entrar en detalles. La historia no guardaba ninguna relación con el objeto de nuestro encuentro, pero tenía ganas de contarle a alguien mis andanzas. Baltasar Ortiguella me escuchó con expresión dubitativa y, cuando hube concluido el relato, se echó a reír.

—No le veo la gracia.

—Claro, de ahí le viene. ¿Cuántos años llevas con este enredo que no tiene ninguna verosimilitud, que no te concierne y que, para colmo, se cuece al otro lado del Telón de Acero? ¡Déjalo estar ya, hombre! En ese puto país pasará lo que tenga que pasar, y si hay varias opciones, pasará la peor. El comunismo no tardará en caer, en parte porque se lo merece: setenta años de poder absoluto y mira cómo están. Todo lo han hecho mal y ahora harán mal la transición.

—A mí no me lo digas: hace mucho que me traen sin cuidado.

—Ahora lo dices, pero has desperdiciado lo mejor de tu vida persiguiendo un espejismo, en vez de dedicarte a lo bueno.

—¿Y qué es lo bueno, según tú?

—Ganar dinero. Te parecerá poco poético, pero es la verdad. Tú estabas hecho de la madera de los grandes hombres: inteligente, atrevido y de medio pelo. Si desde niño hubieras aplicado tus energías a triunfar, no habrías tenido que casarte con una niña rica y malcriada. Pero te ofuscaron con sueños de profesores universitarios y ratas de biblioteca. ¡Todo mentira! La justicia y la igualdad no le interesan a nadie. Estudia la Revolución francesa y lo entenderás. La gente iba a ver cómo guillotinaban a los nobles como quien va a los toros, pero la *égalité* y la *fraternité* les importaban una mierda. Robespierre y aquel otro que no sé cómo se llamaba estuvieron no sé cuántos años dando la matraca y nadie les hizo caso. Después vino Napoleón, les dijo: venga, vamos a invadir Europa, y se apuntó todo quisque: no querían ser *citoyens*, sino carne de cañón.

Tú no lo entiendes; yo tampoco, pero es la verdad. Y aquí, lo mismo: con Franco estábamos mejor, por mal que suene. Los de arriba, más tranquilos; los de abajo, más conformes. Comprarse un coche a plazos era el summum. Hoy nada es suficiente, nadie es bueno, todos quieren mandar y nadie manda.

A medida que hablaba y que el desfile de dry martinis adquiría un ritmo más vigoroso, el discurso se iba caldeando. Yo escuchaba sin interrumpirle y sin prestar demasiada atención a sus invectivas, que no iban dirigidas contra mí ni contra el país, sino contra sí mismo. Sus negocios se tambaleaban, sus ingresos fluctuaban, las novias le dejaban plantado, cada día bebía más y se estaba convirtiendo en un personaje patético. El problema era que en su faceta de perdedor resultaba más atractivo a los ojos de Carol que en su época de esplendor, cuando él era un imbécil y ella una balarrasa. Yo tenía por cierto que en los últimos tiempos algo había habido entre ellos, pero prefería no ahondar demasiado, porque si mis sospechas se hubieran confirmado, no habría podido hacer ningún reproche y se habría ahondado la crisis en perjuicio de todos. Por lo tanto, aguantaba aquella salmodia de beodo, de la que sólo saqué en claro que tampoco Bollo conocía el paradero de Carol.

Después de aquella entrevista tan poco fructífera, ya no supe qué más hacer, salvo esperar.

De aquel modo empezó una etapa de mi vida diferente a todas las anteriores. El cuidado y la educación de mis hijos ocupaban la parte más importante de mis actividades, aunque en rigor debo decir que no les dedicaba mucho tiempo. La enseñanza que les impartían en el colegio me parecía insuficiente en algunos aspectos y trataba de complementarla en la medida de mis posibilidades. Les leía libros adecuados a su edad, les hacía ver películas antiguas que alquilaba en el videoclub del barrio y ponía discos seleccionados cuando estaban ocupados en sus juegos para que se fueran acostumbrando a oír las piezas fundamentales del repertorio clásico. En materia literaria, la brecha generacional se hacía patente. A ellos les gustaban autores como Roald Dahl o Tolkien, que a mí me aburrían mucho, y ellos, en cambio, no soportaban a Julio Verne, a Salgari y a los que habían hecho mis delicias cuando yo tenía su edad. Otro tanto sucedía con los cómics. De pequeños aceptaban a Mickey Mouse, Donald y Popeye, a nivel infantil, y más tarde al Príncipe Valiente, Flash Gordon y el Hombre Enmascarado, pero cuando descubrieron los mangas japoneses, que a mí me parecían detestables, ya no quisieron saber nada más de aquellos héroes aguerridos y bien dibujados. Sólo Superman, por su adorable idiotez, no sólo era inmune a las balas, sino también al paso del tiempo.

En términos generales, debo reconocer que a ninguna de mis edificantes aportaciones respondían con regocijo ni con gratitud, pero las soportaban con paciencia. De cuando en cuando se producían conatos de rebeldía, fáciles de sofocar mediante la autoridad o el soborno.

En aquella época acaparaba nuestra atención la transformación de Barcelona auspiciada por la inminente celebración de los Juegos Olímpicos. De algún modo los políticos habían sabido convencer a los barceloneses de que se estaba haciendo algo útil y necesario para la ciudad y de que la inversión y los inconvenientes que llevaba aparejados tanto esfuerzo rendirían beneficios en un futuro inmediato. Sólo los más escépticos, los nostálgicos y los inmovilistas torcían el gesto; la mayoría de la población se contagió del empuje, el estoicismo y la íntima satisfacción de quien finalmente se decide a hacer obras en su casa. Para el sufrido habitante de una gran ciudad, los movimientos de tierra tienen un atractivo que compensa en cierto modo unas molestias a las que, por otra parte, ya está resignado, y como en aquella ocasión las obras eran ciclópeas, pronto se convirtieron en el espectáculo favorito de los ciudadanos.

Como muchos barceloneses, mis hijos y yo íbamos con frecuencia a fiscalizar el progreso de los grandes proyectos urbanos. A ellos les fascinaban unas zanjas enormes y unos agujeros de dimensiones infernales, por cuyo interior unos camiones y unas máquinas muy grandes, de incalculable potencia, evolucionaban con precisión y agresividad, como una batalla de tanques. Tal vez ellos percibían, de un modo inconsciente, que asistían a la creación de una ciudad distinta, que pronto sería la suya. A mí me ocurría lo contrario: aquellas mejoras iban eliminando a marchas forzadas el mundo en el que yo me había criado. Como nunca he tenido apego al pasado, no me importó. Pero veía que estábamos entrando en una nueva era y a menudo pensaba que, si hubiera sido sabio, me habría dejado educar por mis hijos, y adquirido sus criterios y sus gustos, en vez de martirizarlos tontamente con el *Requiem* de Fauré.

En llegando a toda altura —no la eterna—, forzosa es la declinación.

Estimado señor Batalla:

Le escribo para informarle de un suceso que a usted sin duda le resultará intrascendente, pero a mí muy doloroso. Desde hace poco más de un mes, por decisión de la autoridad episcopal y con la aquiescencia del capítulo de la Orden, el Real Monasterio de Santa Clara ha cerrado sus puertas. Desde sus orígenes fue un edificio vasto y señorial, como correspondía a las altas miras sobre las que fue fundado, pero en los últimos tiempos sólo era un desmesurado caserón para los cuatro vejestorios que se arrastraban por los claustros y se dormían rezando los maitines. Sólo puedo calificar de sabia la decisión del señor obispo y desde el fondo de mi corazón le agradezco que la tomara sin consultarme, evitándome así la tentación de sacar a relucir mi genio. Acato su autoridad, como no podía ser de otro modo, y comprendo sus razones: pese a su estado ruinoso y a nuestra austeridad, el mantenimiento del convento suponía un despilfarro en una época en la que tantas necesidades hay y tanto ha subido el valor del suelo.

A las siete religiosas, seniles e improductivas, residuo de lo que antaño fue un laborioso enjambre juvenil, nos han reubicado en un piso bastante amplio, de unos cien metros cuadrados, con baño y cocina por estrenar, situado en un barrio periférico de Valladolid, donde, a decir verdad, hay de todo. A la hora de la distribución de cuartos, se me asignó una alcoba individual, por consideración a mi jerarquía: huelga decir que rechacé de plano el privilegio. Ahora comparto mis noches con una hermana a la que mi compañía hace mucho bien, pues a causa de su asma tiene un mal dormir.

El piso dispone asimismo de una sala de estar no exenta de comodidades y zalamerías, y donde casi a diario un sacerdote de la parroquia viene a celebrar la santa misa y darnos la comunión.

Corre el rumor, probablemente sin fundamento, de que hay tratos con el Ministerio para convertir nuestro antiguo convento en un Parador Nacional. No desapruebo la idea: bien está que la gente disfrute de un patrimonio artístico y monumental que, en definitiva, ella erigió con su esfuerzo y costeó con sus diezmos. Sólo pido a Dios que yo no tenga que verlo.

Por lo demás, cometería una falta grave si me quejara de nuestra nueva situación. He tenido muchos años para disfrutar de aquellas queridas piedras, y sólo a mí puedo culparme si en aquel marco adecuado no supe emular a santa Clara o a santa Teresa, cuya imagen en éxtasis tuve ocasión de ver cuando peregriné a Roma con motivo del jubileo, en 1950. Pero no puedo negar, querido señor Batalla, que cuando veo al buen sacerdote obrar el misterio de la transubstanciación al lado del televisor, pienso que no es así como se llega al místico arrebato.

Disculpe el desahogo de esta anciana aturdida y cascarrabias. Ahora caigo en que sólo le he hablado de mí y no me he interesado por usted, por su esposa y por sus hijos. Aunque no he tenido ocasión de conocerlos, sepa que los tengo a todos presentes en mis oraciones y a usted, especialmente, en un aventajado lugar de mis afectos.

Una noche, cuando Víctor y Óscar ya se habían acostado y yo esperaba a que Sagrario me sirviera la cena leyendo con agrado unos relatos de Jack London, llamó a la puerta una visita inesperada. Di por cierto que era alguien conocido, acudí yo para no interrumpir los preparativos de la cena y me encontré con una mujer desconocida plantada en el rellano. Era de mediana edad, facciones toscas y aspecto vulgar. Supuse que había burlado la vigilancia del portero, probablemente con malas intenciones, y estuve a punto de darle con la puerta en las narices, pero algo en su expresión me retuvo un instante, que ella aprovechó para empezar a hablar con angustia y precipitación.

—Perdone que me presente de este modo y a estas horas. No vengo a pedirle nada. Nada para mí, quiero decir. En realidad, vengo de parte de mi marido. Usted no me conoce, pero a mi marido sí. Él siempre me ha hablado de usted con mucho cariño. Dice que fueron amigos en otros tiempos, cuando aún eran jóvenes.

Me incomodan los rodeos y no me halaga que hagan referencia a mi edad sin ton ni son. Tampoco me gusta el anonimato.

—Si somos o fuimos amigos, dígame cómo se llama su marido y nos ahorraremos este acertijo.

—Marc Riera. Dice que...

—¡No siga! Por supuesto que conozco a Marc. Y lo recuerdo con simpatía. Él me ayudó cuando lo necesitaba y más adelante fue generoso y amable conmigo.

Mis palabras no encerraban hipocresía. A mi juicio, basado en pruebas sólidas y suficientes, Marc Riera era un idiota, pero en un momento concreto su intervención me sacó de un apuro. Yo estaba sin trabajo y Marc Riera me puso al frente de una revista inmunda, llamada *Gong*, de la que él era gerente nominal. Sobreviví dirigiendo aquella revista, de información espuria y contenido banal, durante unos años, en colaboración con un uruguayo versátil y mujeriego, al que luego perdí la pista. Ganábamos poco y vivíamos en las nubes. Dejé la revista cuando conseguí otro trabajo ni más interesante ni mejor pagado, pero en Nueva York. Al regresar a

Barcelona, volví a recurrir a Marc Riera y, en aquella ocasión, él me ofreció llevar a cabo actividades de dudosa legalidad, cuando no abiertamente delictivas, que no acepté. De las vacilaciones de su mujer y del hecho de que la hubiera enviado a ella, deduje que andaba metido en líos, por lo que, antes de comprometerme, opté por ganar tiempo y tantear el terreno. Porque no olvidaba que cuando me ayudó o trató de ayudarme, no me pidió nada a cambio, y si ahora se habían vuelto las tornas y era yo quien, sin mayores merecimientos, estaba en condiciones de echarle una mano, no podía dejar de hacerlo.

—Pase y hablaremos en un lugar más cómodo.

—No, no, de ninguna manera. Es hora de cenar.

—Estoy solo y la cena puede esperar. Pase, por favor, y cuénteme el motivo de su visita.

Fuimos al saloncito azul, el mismo donde un tiempo atrás el staretz Porfirio me había contado el atentado en Suiza y me había enredado para ir a Viena. Ahora aquella decoración trasnochada y pretenciosa a mí me servía de advertencia y a ella parecía cohibirla. Ante su silencio, tomé la iniciativa del diálogo.

—Dígame cómo está Marc. Y por qué no ha venido a verme, en lugar de enviarla a usted.

La mujer juntó las manos y levantó los ojos hacia el techo.

—Ay, señor Batalla, Marc no puede ir a ninguna parte: está muy enfermo.

—Qué mala suerte. Dígame dónde está y yo iré a verle mañana sin falta.

—Está internado en el Hospital Clínico. Pero es inútil que vaya. Los médicos le dan pocos días de vida y está sedado.

—Vaya, es terrible. Pero en estas condiciones ¿qué puedo hacer por él?

Guardó un largo silencio, como si se estuviera concentrando para recitar un papel aprendido de memoria.

—Usted ya conoce a Marc. Él es así: siempre con sus ideas locas. Toda su vida ha sido un auténtico torbellino de ideas. Las ideas iban por delante de él y él las perseguía, no sé si me explico.

—Se explica usted muy bien.

—Luego, o no tuvo suerte a la hora de sacar beneficio de sus ideas, o no fue lo bastante persistente. Yo se lo decía, una y otra vez: Marc, no eres persistente. Eres testarudo, que no es lo mismo. Él se reía de mí. Ay, Conchita, me decía, si volviera a nacer, lo haría todo de otra manera; pero ya es tarde para arrepentimientos. Aunque a él, tarde o no tarde, la imaginación le ha seguido funcionando hasta el último momento.

Hizo una nueva pausa, y cuando volvió a hablar, lo hizo en otro tono, como si no se dirigiera a mí, sino al propio Marc.

—No nos engañemos, no todas las ideas eran buenas. Algunas, mejor sería no haberlas tenido. Ya sabe: ¡barrabum bum bum! y con eso se arregla todo, pero no es así como funciona el mundo, señor Batalla. Ya no. Hace años, quizá era distinto. Si uno era de buena familia, tenía amigos y un poco de labia... Pero ahora..., la sociedad se ha vuelto cruel y, de un tiempo a esta parte hubo..., ha habido... reveses..., problemas...

—Con las autoridades, quiere usted decir.

—Hay algún pleito pendiente, sí. Y los pleitos son caros.

—Pero en la situación... hospitalaria en que se encuentra, esos pleitos... se resolverán solos. Sin embargo, si algo puedo hacer...

Me interrumpió agitando las manos.

—No, no. No se trata de los pleitos. Muerto Marc, y yo insolvente, los demandantes desistirán, como usted bien dice. La petición no tiene nada que ver con eso, señor. Déjeme que se lo explique. Cuando le diagnosticaron la enfermedad, y luego, conforme se iba viendo que el tratamiento no daba resultado, a Marc se le metió en la cabeza la idea de que lo congelasen, como a Walt Disney.

Calló y fijó los ojos en mi cara, para leer una reacción que no presuponía favorable. Yo había oído hablar de aquella práctica macabra e incluso de que el cadáver de Walt Disney estaba en una nevera a la espera de que la ciencia diese con un remedio para la enfermedad que le había llevado a la tumba, pero nunca había prestado el menor crédito a lo que consideraba un bulo y un disparate.

—Sinceramente, Conchita, si me permite llamarla así, me deja un poco descolocado... Yo no sé si eso de la congelación post mortem existe de verdad o si es sólo una leyenda. Si existe tal cosa, se hará en América, el costo sería elevadísimo, y no se puede trasladar un cadáver de un país a otro, salvo para repatriarlo.

—Oh, lo del traslado se podría resolver fácilmente. Su suegro tiene una empresa de transporte; él encontraría la manera de sortear los impedimentos. En cuanto al dinero, usted lo tiene, según hemos sabido.

—Si tanto saben sobre mí, también sabrán que el dinero pertenece a la familia de mi esposa y que mi esposa y yo estamos separados. Al menos por el momento.

Quizá había hablado con excesiva sequedad, como quien reacciona ante una amenaza de chantaje, y la pobre mujer se quedó cortada. Me dio pena.

—De todos modos, haré averiguaciones. Deme un par de días. Luego iré al Clínico, veré a Marc y le contaré a usted cómo están las cosas.

Cuando Conchita se hubo ido, después de darme las gracias reiteradamente por mi bondad, llamé por teléfono a Anamari y le pedí que, a través de sus contactos, investigara la situación jurídica y financiera de Marc Riera. En parte para justificar la petición, y en parte, porque tenía ganas de contarle a alguien aquella historia absurda, le referí la visita de la inminente viuda y su estrambótico ruego. Anamari prometió hacer lo posible.

—Te lo agradezco, pero has de darte prisa. Mi peticionario la puede palmar en cualquier momento.

—Mañana mismo hago la gestión. Ven a cenar a casa, y así nos vemos. Prometo no cantarte las cuarenta.

Anamari me culpabilizaba de la marcha de Carol y todo cuanto yo le había explicado al respecto no le había hecho cambiar de opinión.

Durante la cena en casa de Anamari, nos pusimos al corriente de nuestras respectivas vidas en el tiempo transcurrido desde el último encuentro, con la salvedad del espinoso tema de Carol, sobre el que pasamos de puntillas.

Pocos cambios había habido en el terreno familiar. Sólo que, a juicio de Anamari, a nuestra madre le empezaban a fallar las neuronas. Yo hablaba con ella por teléfono casi a diario y no había detectado ninguna anomalía en su discurso.

—¿Cómo vas a notar nada, si no escuchas? Mamá repite siempre las mismas historias, con las mismas palabras.

—¿No lo hacemos todos?

—No de una manera tan persistente. Y algunas cosas que cuenta no han sucedido jamás. Se ha encerrado en un pasado imaginario.

—Eso no es malo. Déjala.

—Mientras no pase de ahí, bueno. Pero conviene estar al tanto, por si continúa la deriva. Un día puede dejarse el gas abierto, o salir a pasear y no recordar el camino de vuelta a casa. Al primer síntoma habrá que ponerle una cuidadora si no queremos tener un disgusto. Yo ya he dado voces entre mis amigas. Tú haz lo mismo y procura no traernos a un agente de la KGB... o un marciano.

En general, Anamari estaba contenta. Sus hijos iban bien en la escuela y no le daban demasiados problemas y los negocios seguían funcionando; la crisis económica le había afectado un poco, pero tenía puestas grandes esperanzas en el resultado de los Juegos Olímpicos, respecto de los cuales yo me mostraba escéptico.

—Echaremos la casa por la ventana para salir favorecidos en el Telediario y cuando se acabe la fiesta, estaremos como antes, endeudados hasta las cejas y con unos estadios enormes que se pudrirán por falta de uso.

Anamari confiaba en Pasqual Maragall y su equipo: tenían un proyecto ambicioso, pero viable y bien calculado, y la idea de crear y promocionar una Barcelona diferente, moderna y atractiva iba por buen camino.

—Mientras el plan va por buen camino, las ratas se pasean por las calles y la mitad de la población son putas y carteristas. Cuatro especuladores se están forrando y se llevarán el dinero a Andorra. ¿Éste es el proyecto ambicioso o hay otro que nadie me ha contado?

Con su habitual urbanidad, Tomás llevó la conversación al tema de la velada.

Mientras Anamari hacía averiguaciones sobre los malos pasos de Marc Riera, él había estado leyendo y preguntando por la congelación de cadáveres y las celebridades de Hollywood que supuestamente habían recurrido a este método de preservación. Aunque había abandonado hacía mucho las veleidades artísticas de su juventud, Tomás seguía sintiendo una gran atracción por todo lo referente a la cinematografía, y con la edad se había convertido en una auténtica enciclopedia de trivialidades.

La criogenización, como se llamaba el procedimiento, consistía en sumergir el cuerpo de un ser viviente inmediatamente después de su muerte en un tanque de nitrógeno líquido. Previamente se había extraído del cadáver toda la sangre y reemplazado por una sustancia química, cuyo nombre Tomás no recordaba. Contra todo lo previsible, el precio de esta operación no era demasiado elevado, si bien requería un gasto fijo de mantenimiento del tanque y su contenido en buenas condiciones. La efectividad del método no estaba avalada por ningún estudio científico. Por último, Walt Disney no estaba congelado: su cuerpo había sido incinerado y sus cenizas enterradas en un cementerio de Los Ángeles.

La información relativa a Walt Disney me produjo una sensación de alivio. Aunque el bulo de su congelación se había originado en América, en España había sido aceptado por muchos sin más razón que el deseo de desacreditar al personaje. Su ideología conservadora, su patriotismo manifiesto y la supuesta sensiblería de sus películas le habían gran-jeado muchos enemigos entre los intelectuales pro-gresistas de mi generación. Yo siempre me negué a respaldar la repulsa del hombre y de su obra, por la que sentía una sincera admiración. Las críticas podían ser certeras, pero me parecían ingratas por parte de quienes habíamos tenido la suerte de ser niños en la etapa más creativa de Walt Disney. En el yermo de nuestra infancia, Blancanieves, Pinocho, Dumbo, Bambi, Peter Pan y todos los personajes que los rodeaban habían sido compañeros entra-ñables de nuestra soledad y sus peripecias nos ha-bían proporcionado incontables momentos de fe-licidad. Nadie nos dio más. Ahora la refutación del bulo me producía la grata sensación de quien ve rehabilitada a una persona que aprecia, injusta-mente difamada.

—Si el denostado Walt Disney estuviera con-gelado y resucitara hoy, se volvería a morir cuando viera *Oliver y Benji*.

Los hijos de Anamari se rieron. Eran dos chicos de edades parecidas a las de mis hijos, con los que tenían frecuente contacto pese a ir a colegios distin-tos y pertenecer a dos círculos sociales sutilmente diferenciados. En circunstancias normales se ha-brían levantado de la mesa con el último bocado, pero el componente morboso de la conversación les parecía interesante. Tanto ellos como mis hijos eran fieles seguidores de *Oliver y Benji* y otras se-ries japonesas de animación, y yo les caía bien precisamente por las andanzas y desvaríos que me desacreditaban a los ojos de Anamari.

Por su parte, Anamari no había tenido dificultad a la hora de rastrear el historial de Marc Riera. En los años inciertos que siguieron a la transición, se había dedicado a sacar del país fajos de billetes, como yo bien sabía, porque el propio Marc Riera me había propuesto colaborar con él en el negocio. Cuando España se estabilizó y entró en la Unión Europea, y los tribunales empezaron a dictar sentencias rigurosas contra los evasores de capital, Marc Riera se quedó sin medio de vida y sin la protección de los ricos y poderosos que habían sido sus clientes. Desempeñó varios trabajos imprecisos, obtenidos a través de sus relaciones sociales, que le duraban poco y terminaban de mala manera. Cuando se le cerraron las últimas puertas, sobrevivió a base de sablazos y de estafas. Con vagas promesas y mucha verborrea conseguía que algunas personas ingenuas, por lo general ancianas, le confiaran sus ahorros. Varias denuncias habrían dado con sus huesos en la cárcel si la enfermedad no le hubiera eximido de toda responsabilidad legal.

—Si estás dispuesto a gastarte el dinero en congelar a alguien, busca un candidato más útil a sus semejantes.

—El problema es que no sé qué decirle a su viuda. Es una infeliz.

—Dile que no, y punto.

—Díselo tú. Yo no soy capaz.

Tomás terció de nuevo.

—Dile que la congelación no es un método seguro. Que te lo ha dicho un científico. Dile que es un timo: si ha convivido con ese amigo tuyo, lo entenderá en seguida. Luego le dices que ahora está en auge la clonación. Dentro de nada, con una muestra de ADN se podrá reproducir a una persona tal y como era. Sólo tiene que guardar un cabello del difunto. O un diente.

—Así se lo diré, pero no es lo mismo. La clonación reproduce el físico, pero no las experiencias ni los recuerdos. Si vuelves a empezar de cero, eres otra persona; un recién nacido como cualquier otro, sólo que con tu misma narizota y tus mismas cejas. ¿Qué gracia tiene?

Tomás se encogió de hombros.

—No lo sé. Yo soy un mitómano, no un filósofo.

—Una vez me contaron un chiste. Un filósofo dice: Lo únicos hombres felices son los que no han nacido. Y un científico responde: Sí, pero ésos son sólo dos o tres mil. No tiene mucha gracia, pero la moraleja es clara: la ciencia no existe si no la sustenta un sistema filosófico.

Para continuar hablando, me dirigí a mis sobrinos.

—En el antiguo Egipto embalsamaban a los muertos para que pudieran seguir funcionando en el más allá cuando los dioses les insuflaran el alma perdida, pero al preparar el cadáver, lo primero que hacían era meterle un hierro por la nariz y sacarle el cerebro por las fosas nasales, porque no les parecía que allí donde fueran los muertos, el cerebro les sirviera para nada.

Anamari interrumpió mi explicación con su habitual malhumor.

—Lo que no sirve para nada es hablar de porquerías en la mesa.

—Lo cuenta Herodoto. O Heródoto, como se dice ahora.

—Seguramente Heródoto no tenía hijos, porque todos los griegos eran maricones. Pero nosotros tenemos dos que esta noche no podrán dormir por los cuentos de su tío.

Anamari seguía viendo a sus hijos como dos parvulitos. Yo seguí hablando sin dirigirle la mirada.

—Lo de sacar los sesos por la nariz sólo se lo hacían a los ricos. A los pobres les sacaban las tripas por el culo, los rellenaban de paja y los envolvían en vendas. No os lo cuento para daros miedo, como cree vuestra madre, sino para instruiros: cuando vayáis al Museo Británico y veáis las momias, entenderéis por qué todas tienen cara de cabreo. Tendríais que leer a Herodoto. Es tan asqueroso como Spawn, y más instructivo.

Spawn era un personaje de cómic aparecido en aquellos años. A mis sobrinos les entusiasmaba, como a mis hijos y al resto de su generación. Yo había leído un par de episodios y lo encontraba absurdo y necio. Podía aceptar que un engendro del infierno amenazara con destruir el cielo y a todos sus habitantes, pero no me parecía serio que para acabar con lo absoluto tuviera que recibir un entrenamiento especial. Contra el cielo se puede o no se puede.

En varias ocasiones había tenido la misma discusión con mis hijos. Ellos aducían que las historias de sus cómics eran pura fantasía y, en consecuencia, podían prescindir de una lógica que, por otra parte, tampoco respetaban los cómics de mi época, a lo que yo respondía que cualquier fantasía ha de ser coherente y respetar las reglas del juego, incluso las más estrafalarias, como en su día habían hecho mis héroes, y que no había que confundir ficción con mentira. Ahora mis sobrinos escuchaban el mismo alegato con benevolencia. Mientras a mis hijos les mortificaba tener un padre carca y obtuso, a ellos no les salpicaban mis deficiencias intelectuales y, en cambio, apreciaban mi interés por un tema al que sus padres nunca habían prestado atención. Tanto Anamari como Tomás dedicaban el día entero a sus respectivos trabajos y tenían muy poco tiempo para compartirlo con sus hijos, a diferencia de mí, que era un holgazán y un diletante, pero un padre muy dedicado.

Por ineptitud y apocamiento demoré dos días mi visita al Hospital Clínico y para entonces Marc Riera ya había muerto y había sido trasladado al tanatorio. Acudí al sepelio con antelación para hablar con su viuda, pero la encontré en el velatorio rodeada de un grupo variopinto. Quizá eran los cómplices y las víctimas de los trapicheos del difunto. Al cabo de un rato nos condujeron a una capilla donde ya estaba el féretro y donde un cura leyó con desgana las plegarias atinentes y nos dirigió la palabra para consolar a los presentes con la promesa de que pronto nos reuniríamos con el muerto en un mundo mejor. A nadie parecía complacerle la perspectiva de vivir eternamente en compañía de Marc Riera, pero todos expresamos nuestra conformidad con un exagerado recogimiento. Luego, a los acordes de la *sarabande* de la Suite número 1 para cello de Bach, salimos por una puerta lateral a una explanada exterior. Allí se despidió confusamente el duelo. Soplaba un viento húmedo y el cielo estaba cubierto. Me acerqué a la viuda, murmuré un atropellado pésame y con muchos circunloquios, debido a la presencia de extraños, empecé a abordar la cuestión que me había llevado hasta allí, pero ella me interrumpió con un gesto y una sonrisa mecánica.

—No se preocupe más, señor Batalla. Se lo agradezco de todos modos.

—Por favor, llámeme Rufo.

Comprendí que ella también consideraba la idea de la congelación inviable y seguramente estúpida y que dos días atrás había acudido a mí para no dejar incumplida la última voluntad de su marido. Ahora, muerto éste, ella era la primera en dar el asunto por zanjado.

Con alivio por la fácil resolución del compromiso, me retiré discretamente, y me dirigía a la salida cuando me retuvo una pareja compuesta por un hombre y una mujer de la misma edad, la misma complexión y la misma fisonomía. El hombre me estrechó la mano con más fuerza de la necesaria.

—De modo que usted es el famoso Rufo Batalla.

Ante mi desconcierto se echó a reír y me palmeó el hombro.

—No se asuste, hombre. Y no trate de hacer memoria. Nunca nos hemos visto. Nosotros hemos oído hablar mucho de usted, pero usted de nosotros, no. Somos vecinos de Marc y Conchita. Mi mujer y Conchita son amigas, y como mi mujer es una santa y yo un calzonazos, pues la hemos ayudado como hemos podido. Hasta de comer le hemos dado. La pobre Conchita ha sido muy desgraciada por culpa de ese granuja. Ahora por fin podrá descansar.

Su mujer le agarró del brazo.

—Julián, no digas estas cosas, que aún está el pobre de cuerpo presente.

—Eso es lo que me da coraje. No habérselo dicho antes, cuando estaba sano. Pero me callaba para no dejar a la pobre Conchita sin el único apoyo que tenía.

Su mujer miraba a derecha e izquierda, temerosa de que alguien escuchara los improperios de su marido. Intervine a favor de ella.

—*De mortuis nihil nisi bonum.*

El airado vecino me miró con sorna.

—Eso es latín, señor Batalla. Cuando uno dice algo en latín es como si dijera: así era antes; ahora es letra muerta. Usted estudió Latín en el bachillerato, seguro. Yo también. Aún puedo declinar *rosa rosae* y alguna palabra más. Para seguir la misa y aprender de los romanos. En tiempo de los romanos lo más importante era la buena reputación, especialmente cuando uno se moría: qué pensarán de mí cuando yo ya no esté en el mundo. Hoy en día, ya me dirá usted a quién le importa un carajo la reputación. Se acabó el latín.

Hizo una pausa, señaló hacia el tanatorio con la cabeza y prosiguió.

—Marc Riera era un mal bicho. Quizá era un buen chico, pero un mal bicho. Al que tuvo a mano, le dio disgustos y nada más. Se acabó. Con él hemos enterrado al último de su clase. *Nihil nisi bonum.*

—¿Qué quiere decir?

—Que en nuestra sociedad el pequeño estafador ya no tiene nada que rascar. ¿Carteristas?, puede. ¿Navajeros?, en tiempos de crisis. Pero ¿estafadores? Eso se acabó. Hoy aquí mandan las mafias, señor Batalla. Créame, yo no tengo estudios y soy un fontanero retirado, pero en mi juventud fui apoderado de novilleros y he visto mundo.

Bru i descofat, i descalç, d'aventura. En dia fosc, per les platges desertes errava sol...

Aunque en el verano de 1991 todo parecía estar encaminado hacia la celebración de los Juegos Olímpicos, a mí para entonces me traía sin cuidado. Seguíamos sin noticias de Carol, pero dábamos por supuesto que estaba bien y que su silencio era deliberado. Al principio su desaparición me había inquietado mucho. Agustín, con quien hablaba a menudo, trataba de infundirme ánimos.

—Hoy en día, en cuanto alguien desaparece de veras, sale por la televisión.

Probablemente tenía razón: la ausencia de noticias era un buen augurio. Si Carol había optado por esfumarse temporalmente, sólo me quedaba esperar.

Mis hijos también parecían haberse acostumbrado a seguir esperando sin enfado ni impaciencia.

Apenas acabó el curso escolar, para huir del calor pegajoso de Barcelona, fuimos a pasar un par de semanas a la casa de Anamari y Tomás en el Ampurdán. Como los dos ganaban un buen dinero y sentían apego por aquel lugar, habían ampliado la casa, añadiendo a la vieja construcción un edificio moderno, rectangular, de muros blancos y grandes ventanas. El conjunto era un adefesio.

Por falta de coordinación, cuando llegamos todavía estaban allí Agustín, Greta y sus tres hijos. Convivimos veinticuatro horas muy agradables y un poco bullangueras para mi gusto. Como no había cuartos para todos, ni de lejos, los siete primos compartieron uno y estuvieron de cháchara y risas toda la noche. Yo aproveché la presencia de Agustín para ponerme al día de sus cosas y darle cuenta pormenorizada de las mías.

Después de la marcha de Agustín, me empezó a aburrir aquella vida bucólica. Mi principal preocupación era escabullirme de unas cenas en casas de amigos y conocidos, que solían durar muchas horas y en las que siempre se hablaba de lo mismo.

—Es mejor que me quede: así me podréis criticar sin cortapisas. Contribuyo al éxito de la velada y me ahorro un peñazo.

Anamari me reprochaba mi retraimiento, pero me dejaba hacer lo que quisiera.

Desde hacía meses, recibía reiteradas invitaciones de Gracia Lorente para que fuéramos a pasar unos días a su casa de Ibiza. Yo no acababa de ver claro el plan, pero acabé aceptando la invitación, en parte para que mis hijos fueran a la playa y en parte para salir del núcleo familiar, en el que me sentía atrapado por mi propia indolencia.

Al llegar a la casa de Gracia encontramos más gente de la que yo hubiera deseado. Aun así, quedaban dos cuartos para nosotros. El resto de los invitados lo formaban una pareja de Madrid y un adolescente pelirrojo. Los madrileños se llamaban José Luis Arévalo y Alfonsina Pietrangelo; él era asesor jurídico de un banco y ella, directora de un grupo editorial propietario de treinta revistas ilustradas. Los dos juntos formaban un equipo tan eficaz como temible: no había persona en Madrid a quien no conocieran ni chisme del que no estuvieran informados. Eran simpáticos, extrovertidos, hiperactivos y, según daban a entender, adinerados. El adolescente se llamaba Daniel, era sobrino de una amiga de Gracia y decía estar de paso. Provisto de una Vespa antigua, una mochila y una guitarra, recorría las islas Baleares, una tras otra, a la busca de experiencias con las que escribir un libro. Casi no hablaba, adoptaba una pose absorta y miraba a los adultos con una altanera indiferencia, como si no esperara de nosotros ninguna de las experiencias que andaba buscando. A mí me parecía un caradura inofensivo. En cambio, tenía cierto ascendiente sobre mis hijos, que seguramente veían en él un modelo de conducta más atrayente que los ofrecidos por el entorno familiar y las amistades de sus padres.

La casa era un caos. Al parecer, dos mujeres acudían un par de veces a la semana desde San Carlos a limpiar y poner orden, pero yo nunca las vi ni percibí el resultado de su trabajo. Las camas estaban deshechas y en la cocina se amontonaban platos y cacharros sucios hasta que alguien se arremangaba y se ponía a fregotear. Cuando esto ocurría, los demás se apresuraban a ofrecer su ayuda y durante un rato reinaba un higiénico frenesí. Por lo demás, poco se usaba la cocina, salvo para unos desayunos precipitados. Luego todos salíamos hacia distintas playas, comíamos en algún chiringuito y no nos reagrupábamos hasta la puesta del sol. Como entonces los madrileños se empeñaban en que fuéramos a cenar a un buen restaurante, volvíamos a salir todos juntos, salvo Daniel, que prefería ir por su cuenta y sumergirse en la agitada vida nocturna de la isla. Al principio me sumé al plan comunitario para no parecer arisco ni displicente, pero en el curso de la cena la conversación tomó un giro inesperado que dio al traste con mis buenos deseos.

José Luis Arévalo era inteligente, culto y su conversación era amena, pero estaba alarmado y un tanto molesto por la presencia cada vez mayor de la lengua catalana en las relaciones personales, en los medios de comunicación y, sobre todo, en la enseñanza primaria, y como yo era catalán, raro era el día en que no sacaba a relucir el tema.

—A este paso, pronto los chicos no sabrán escribir en castellano. Ni hablarlo.

—Dudo de que eso pase. Pero si pasa, ya se buscarán la vida.

Sus argumentos me obligaban a tomar una posición que me resultaba incómoda.

En los últimos años, a medida que se consolidaba el régimen democrático, había vuelto a aflorar con renovadas energías el secular conflicto entre Cataluña y el resto de España, y la permanente queja de los catalanes tomaba un claro sesgo independentista, cuya mera sugerencia provocaba una reacción iracunda de quienes consideraban indiscutible la unidad de España. Desde el punto de vista teórico, la idea de no alterar el statu quo ni desmembrar un Estado que por el momento funcionaba bien era sensata, pero a los que habíamos crecido denigrando la ampulosa retórica del franquismo, la sola mención de la Patria nos daba grima. Todavía nos costaba esfuerzo reconocer que el Ejército, la policía, el orden público e incluso la justicia penal eran parte de un sistema que debíamos considerar nuestro y defender sin fisuras. Yo no veía sentido a una utópica independencia de Cataluña y las razones aducidas por sus partidarios me parecían más emocionales que objetivas, no todas se ajustaban a la verdad y algunas tenían una connotación excluyente que me resultaba intolerable. Ahora la postura obtusa de mi interlocutor me desesperaba en la medida en que daba argumentos al contrario y aumentaba la dificultad de aproximar posiciones.

—Teniendo una lengua como el español, es absurdo aferrarse a un idioma minoritario que no rebasa las fronteras regionales.

—Lo mismo se aplica al danés y al noruego.

—¡Hombre, no compares! Dinamarca y Noruega son países.

En su obstinación había algo de caprichoso y un asomo de autoritarismo.

—El otro día, en Barcelona, pongo la tele para ver las noticias y resulta que las dan en catalán.

—Podías haber cambiado de canal.

—Ya lo sé, pero yo quería ver aquellas noticias y no otras.

La discusión era imposible, porque él creía estar de mi parte.

—A ver si nos entendemos, Rufo, a mí no me parece mal que se hable catalán...

—A ti no te ha de parecer ni mal ni bien. En este asunto tu opinión es irrelevante.

No me irritaba tanto su razonamiento como oírme defender una causa con la que no me identificaba.

Al cabo de dos días me excusé aduciendo que mis hijos debían seguir un horario más regular y una dieta más acorde con su edad. A partir de entonces, los llevaba a los bares de Dalt Vila a comer pizzas y hamburguesas, con gran alegría por su parte y descanso por la mía.

Me gustaba estar solo, en compañía de mis hijos, a los que dejaba hacer lo que les daba la gana. En la playa ellos nadaban, buceaban, corrían y, en los breves momentos que concedían al descanso, miraban embelesados a las chicas bellísimas que pululaban por la arena con los atuendos más llamativos, mientras yo me entretenía pensando en mis cosas, no sé si como un filósofo o como un cretino.

Recorriendo la isla en el destartalado Seat que había alquilado al desembarcar, pude apreciar el cambio ocurrido en los últimos años. Había desaparecido la tienda de San Vicente, donde había departido con un guardia civil y escuchado historias sobre los muertos reincidentes, y en su lugar se levantaba un supermercado y un bar moderno con una variada oferta de ginebras. Habían surgido de la nada hoteles, urbanizaciones y carreteras y un estado de ánimo excitado y expectante había reemplazado a una molicie que parecía arraigada en la tierra desde el origen de los tiempos. Con todo, quien quería evitar las aglomeraciones y la jarana lo conseguía sin esfuerzo y, en términos generales, allí se estaba bien.

Una noche, al volver a la casa vacía, envié a mis hijos a la cama y yo salí al porche a leer. Las polillas acudían a la luz y un par de dragones las vigilaban adheridos al muro. Una luna casi llena envolvía el paisaje en una claridad blanquecina y serena.

Al cabo de un rato vi a Gracia franquear la cancela. Sin decir nada, vino al porche, colocó una butaca de mimbre frente a la mía y se sentó.

—¿Te molesto?

—Por favor, estás en tu casa. ¿De dónde sales?

—De pasear a la luz de la luna. Hace una noche muy bonita.

—¿Y los demás?

—José Luis y Alfonsina se han largado. Esta misma mañana un conocido los ha invitado a su yate y les ha faltado tiempo para hacer el equipaje y salir pitando. A estas horas ya deben de estar rumbo a Cerdeña. El chaval se ha ido de discotecas, en busca de emociones fuertes. Yo he comido cualquier cosa y he salido a merodear, como una lechuza. Ya no recordaba cómo era estar sola.

—Esto pasa cuando se tienen muchos amigos.

—¿Amigos? Casi no me quedan. Antes tenía unos cuantos, pero con los años los he ido perdiendo. Las relaciones se enfrían, la gente se muda a otra ciudad o a otro país, las circunstancias cambian; luego la rutina y la pereza hacen el resto. Ahora vivo rodeada de amigos de amigos. Aves de paso. Vienen por la casa, no por mí, y sólo piden cama y comida. Mientras están aquí hacen compañía y no esperan sinceridad ni entrega.

Hizo una pausa antes de continuar.

—Tú, en cambio, no pareces necesitar a nadie. ¿No te cansas de leer?

—Sí.

Reflexionó un rato, como si le costara asimilar aquel dato. Luego esbozó una sonrisa cansada.

—Yo nunca he conseguido leer un libro. De ficción, quiero decir. Las palabras no significan nada para mí. No se convierten en personajes, ni en situaciones. Son elementos sueltos, como los ingredientes de un medicamento. Algo me pierdo, supongo.

—Otras cosas tendrás.

—Bueno, el trabajo. Y no parar de ver gente. A veces hago un viaje, con alguien, a un país remoto. Y una vez allí, no le veo la gracia. Monumentos, sí; paisajes; costumbres; comida indigesta. Al final, visto y no visto. Al volver ya lo he olvidado todo.

—A mí me pasa lo mismo.

—No digas eso. Tú has sabido sacar buen partido de tus viajes.

Entendí la alusión y me eché a reír.

—Carol te ha contado mis ridículas proezas asiáticas, ya veo.

—A ella no le parecen ridículas. Carol te admira y te respeta.

No sabía hasta qué punto estaba al corriente de nuestra situación. Puesto que me había invitado a mí y a los chicos, debía de saber que Carol se había ido, pero no creía que conociera sus motivos, ni su paradero, ni sus intenciones.

—Nadie lo diría.

—Yo lo sé. ¿Qué harás cuando vuelva?

—¿También sabes que volverá?

—No puede hacer otra cosa. Y para entonces es importante que sepas cuál será tu reacción. En este terreno no valen las improvisaciones.

Como no sabía qué responder, me puse a mirar la luna. Al cabo de un rato Gracia volvió a hablar.

—Ya veo que no me tomas en serio. Me da igual, pero sufro cuando pienso que la suerte de Carol está en tus manos.

—¿La suerte?

—Ser feliz o desgraciada. ¿No le llamas suerte a eso? Mira, Rufo, tú y yo nunca hemos hablado en serio. En esta casa todo son bromas y risitas. Pero conozco a Carol desde hace mucho y la quiero de veras. Y a ti también te aprecio. Sólo que no estoy hecha para demostraciones. Soy autista y un poco burra.

Después de aquella manifestación hubo un silencio. Yo deseaba pedirle aclaraciones. Hasta aquel momento sus palabras me habían parecido enigmáticas. Sin duda era una mujer inteligente, pero cohibida a la hora de poner de manifiesto sus ideas sobre los demás.

Cuando me disponía a pedirle que me expusiera claramente lo que pensaba, oímos un estrépito y un grito provenientes de la carretera. Cerca de la casa se había producido un accidente. Corrimos a la cancela y nos asomamos.

A escasos metros de la cancela vimos el cuerpo exánime de Daniel despatarrado sobre el asfalto, junto a la Vespa volcada. El ruido del motor era agresivo en el silencio del campo y las ruedas giraban enloquecidas en el vacío. El faro arrancaba sombras siniestras de un cañaveral. Aturdido, sólo se me ocurrió apagar el motor. Al instante reinó la calma. El faro dejó de alumbrar, pero el brillo de la luna bastaba para iluminar la escena.

Gracia, con más sangre fría y con la seriedad propia de un médico, atendía al accidentado. El chico estaba pálido y tenía los ojos cerrados, pero respiraba. Pensé que había que llamar a una ambulancia, pero en la casa no había teléfono.

—Voy a buscar el coche.

Gracia se incorporó.

—No tiene nada. Arañazos y contusiones.

—Está inconsciente.

—Ya lo estaba mientras conducía. Va cocido. No sé cómo ha llegado hasta aquí. Seguramente al ver que ya había llegado a su destino, se ha dormido. Quita la moto de la carretera, por si viene un coche.

Hice lo que me decía. Volví a salir y entre los dos llevamos a Daniel en volandas hasta el sofá de la sala. Le quité la ropa mientras ella iba a buscar el botiquín. Le limpió y le desinfectó las heridas y le puso unas tiritas. Mientras ella le curaba, volví a salir y entré la moto. Daniel seguía inconsciente. Lo metimos en la cama. Gracia volvió a tomarle el pulso y dio por bueno el estado del durmiente. Le ayudé a cerrar la casa; después, sin decirnos nada, nos fuimos a su habitación y, aunque regresé a la mía al cabo de muy poco, por si alguno de mis hijos se despertaba y venía a buscarme, el mal ya estaba hecho.

He was a buffoon, one of the great comic characters. He was always getting himself into extraordinary situations.

A buffoon?

Absent-minded, said the King. That is the great comic affliction. Look at his love-affairs.

El ardoroso colofón de la accidentada noche me tuvo desvelado hasta altas horas: una vez más me había metido impetuosamente en un lío del que no podía salir con la misma irreflexiva candidez. Repasaba la conversación mantenida con Gracia en el porche y no le veía conexión con los hechos posteriores, pero analizaba los hechos y no me parecían incongruentes, por más que complicaran mucho las cosas.

Con la misma confusión me desperté más tarde de lo habitual y encontré a mis hijos en la cocina, dando cuenta del desayuno que Gracia les había preparado y les servía con una solicitud que por fuerza había de darme mala espina. Tampoco me pasó inadvertido que ella se hubiera peinado y arreglado de un modo inusual para quien se dispone a ir a la playa. Opté, no obstante, por hacerme el distraído y me limité a preguntar por el estado de Daniel.

—Está durmiendo la mona. He ido a verle un par de veces esta noche y resoplaba como un bebé. De todos modos, cuando se despierte le diré que ha estado a un tris de irse al otro mundo, y añadiré que, si no renuncia a sus correrías, ya se puede buscar otro alojamiento. Yo no me puedo hacer responsable de los excesos de mis huéspedes, ¿no te parece?

Lo decía en un tono mordaz, pero no agresivo y, al pasar por mi lado, me acarició la mano en un gesto cariñoso. Ella debió de leer mi desconcierto y se alejó riendo.

—Me refería a Daniel.

Su actitud desenfadada me produjo un cierto alivio, pero decidí exponer la mía de un modo inequívoco en cuanto se presentase la ocasión.

A lo largo de todo el día, mientras mis hijos correteaban por la playa, fui urdiendo un discurso alejado por igual de la crueldad y de la condescendencia. El ejercicio no sirvió de mucho y cuando regresamos, cargados de pizzas, al caer la tarde, me sentía más confuso que por la mañana. Al final, sin embargo, todo el esfuerzo resultó inútil. Apenas salimos del coche, Gracia vino a nuestro encuentro con expresión grave y me entregó un telegrama. Había llegado a media mañana, pero como no sabía a dónde habíamos ido y las opciones eran varias, no me lo había podido entregar hasta nuestro regreso.

En aquellos años los telegramas estaban ya en desuso y su recepción no auguraba nada bueno. Aquél, sin embargo, decía escuetamente: He vuelto. Carol.

Se lo mostré a Gracia. Lo leyó sin cambiar de expresión.

—Ve a llamar al bar. Yo me ocupo de los chicos.

Conduje a toda velocidad. A la luz sesgada del crepúsculo, los matorrales secos que orillaban la carretera proyectaban unas sombras agoreras.

El teléfono estaba en un rincón del bar y el ruido de las conversaciones, los platos y la cafetera era insoportable. A mi llamada respondió Sagrario. Carol estaba efectivamente en casa, pero se había ausentado hacía una hora sin dejar dicho a dónde iba ni cuándo tenía pensado regresar.

—Dile que iré a Barcelona en cuanto consiga un billete. ¿Cómo está?

—Bien.

—¿Y tú, no estabas de vacaciones?

—Sí, pero volví cuando supe... Pensé que vendría cansada y que traería mucha ropa por lavar...

Gracia me esperaba en el porche; cuando detuve el coche en el jardín vino a mi encuentro; le conté lo sucedido y le comuniqué mi intención de volver a Barcelona a la mañana siguiente.

—Por supuesto, es lo que has de hacer. Si quieres, puedes dejar a tus hijos conmigo. A mí no me molestan y ellos están encantados.

—Gracias, pero prefiero que vengan. Pase lo que pase, es mejor que estén presentes. ¿Se han portado bien?

—Por supuesto. Y Daniel también. Después de la bronca está de lo más sumiso. Han cenado, han recogido la cocina y ahora están los tres intentando reparar la Vespa. En esta isla de vicio y desenfreno, mi casa se ha convertido en un parvulario.

Habíamos ido caminando hasta el porche. Me senté en una de las butacas de mimbre e invité a Gracia a sentarse en la otra.

—Luego hablaré con ellos. Hay tiempo. Ahora, si no te importa, me gustaría que hablásemos tú y yo sobre lo de anoche...

Dejé la frase en el aire por si ella quería mostrar su disconformidad o decir algo al respecto. Como se limitó a mirarme con una atención no exenta de sorna, me animé a proseguir.

—No voy a pronunciar un discurso ni a darte explicaciones. Me conoces poco, pero lo suficiente para saber que soy un hombre mezquino y grosero; para ciertos actos no necesito más motivación que los violentos impulsos de la carne. Pero en este caso, aunque este elemento no estuviese ausente de mi conducta, los hechos no se explican con tanta facilidad. Ni entraba en mis planes ni fue un movimiento reflejo. Sin duda estaba latente, en algún rincón de mi turbio subconsciente. Digamos que fue algo natural. Sucede cuando dos personas se atraen y se presentan las condiciones idóneas. Aun así, lo natural no siempre es bueno. Casi nunca es bueno. Lo contrario, tampoco. En este caso, no lo sé. Lo que quiero decir es que me alegra que sucediera. Por otra parte, también lo lamento, porque sé que no lo voy a olvidar y que en muchas ocasiones me resultará penoso recordarlo.

Allí se cortó el hilo de mi alegato y durante un rato reinó el silencio. Cuando Gracia tomó la palabra, su tono no era de enfado.

—No ha sido un gran discurso, pero los he oído peores. Te agradezco que hayas hecho un esfuerzo para explicar algo que a nuestra edad y en nuestra situación no exigía explicación, pero se habría resentido del disimulo. Podríamos haber decidido tácitamente pasar por alto un suceso que, en Ibiza, en verano, entre dos progres caducos, tiene más de trivial que de apasionado. Pero no somos nosotros quienes decidimos la frivolidad o la trascendencia de nuestras acciones. Son más bien estas acciones, más o menos espontáneas, las que hacen y deshacen nuestras vidas. Yo tampoco quiero mentir.

Con un gesto amplio abarcó la casa, el jardín y el campo que se escondía en la oscuridad exterior.

—Vine a Ibiza por primera vez a los diecisiete años, con unos amigos, en plan hippy: dormíamos al raso, fumábamos porros, nos creíamos en armonía con el cosmos y nos reíamos como idiotas. No éramos muy distintos de Daniel. La isla era una tierra primitiva, por los caminos sin asfaltar iban burros y carretas, las casas no tenían electricidad y el agua se sacaba de un pozo. Las mujeres, a partir de una edad, vestían de negro. Verdaderamente había algo de sobrenatural en el aire. Volví a Barcelona decidida a vivir en una isla, ésta o cualquier otra, pero había de ser una isla. Pasaron años y cosas, pero mi decisión no cambió. En mi profesión se gana bastante y pronto pude comprar esta casa. Estaba en ruinas y en aquellos años las casas viejas costaban poco. Ahora la podría vender por una fortuna, pero no me ha interesado nunca la especulación. Éste es mi refugio. Cuando el trabajo me lo permite, me instalo aquí, año tras año, y me pongo a esperar. No sé qué espero. A los piratas bereberes, a los vikingos. Hasta ahora sólo han venido turistas y gorrones. Contigo todo podría haber sido diferente y no lo mismo de siempre. Pero se quedará en nada. No sé lo que piensas hacer ahora. Supongo que ni tú mismo lo sabes. No me debes ninguna explicación. Y recuerda siempre que aquí está tu casa.

No hablaba con tristeza. Sonreía mostrando una dentadura blanca y regular; era imposible no sonreír cuando ella sonreía. Le cogí las manos y vi que las tenía frías. Así nos encontraron Daniel y mis hijos. No habían podido arreglar la Vespa pero estaban satisfechos del trabajo realizado. Tenían manchas de grasa en las manos, en la cara y en la ropa.

—¿Qué hacéis?

—Le estaba contando un cuento a Gracia.

—¿Lo podemos oír?

—Claro. Es un trozo de la *Odisea*. Ulises llega a una isla donde vive Circe. No recuerdo si Circe era una diosa de segunda división o la hija de un dios y una mortal. En cualquier caso, le sobraban poderes para conseguir lo que se le antojase. Con Ulises no le hicieron falta: cayó rendido a sus encantos y se olvidó de Ítaca y de la razón de su viaje. Se quedó con ella durante un año, feliz y contento. Sus compañeros, en cambio, rezongaban. Con toda la razón: allí no se les había perdido nada, nadie les hacía caso y querían llegar a su hogar sin más retrasos. Para que no dieran la lata, Circe echó mano de sus artes mágicas y los convirtió en cerdos. La *Odisea* cuenta el proceso de transformación, que no fue instantáneo, como en los cómics. Poco a poco fueron adquiriendo la hechura y las costumbres de los cerdos, pero, como dice Homero, en todo momento, incluso después de la transformación, conservaron el entendimiento humano. La moraleja de la historia es que ni siquiera los dioses nos pueden liberar de esta molesta carga.

A pity beyond all telling is hid in the heart of love.

No conseguí billetes de Ibiza a Barcelona hasta bien entrada la tarde.

Debería haber aprovechado aquellas horas en el aeropuerto para poner orden en mis ideas, pero no lo hice. Como no sabía cuáles eran las razones que habían impulsado a Carol a volver ni cuáles eran sus intenciones, preferí no especular y dejar que ella siguiera llevando la iniciativa, como había hecho en todas las etapas de nuestra relación.

Era noche cerrada cuando el taxi nos dejó en la puerta de casa. Las calles estaban vacías. Alertada por el ruido del taxi o del ascensor, o porque llevaba todo el día esperando el reencuentro, al abrir la puerta del piso encontramos a Carol en el recibidor. Seguramente el encuentro habría sido tenso si Víctor y Óscar no hubieran corrido a abrazar a su madre dando gritos de alegría. A continuación, apareció Sagrario y con su presencia palió las efusiones y restableció el ritmo de la vida familiar.

—Chicos, la cena ya está lista. A lavarse las manos y a la mesa.

Les hicimos compañía mientras cenaban. Con mucho tacto, contaron sus correrías en Ibiza, eludieron hacer preguntas y se fueron a la cama sin oponer resistencia. Carol le dijo a Sagrario que se podía retirar. Nosotros comeríamos algo más tarde. Una vez a solas, me serví una cerveza y la llevé al salón. Carol encendió un cigarrillo, cosa que sólo hacía cuando estaba muy nerviosa o muy relajada. Estaba más delgada, morena y cansada.

—¿Qué tal en Ibiza?

—Bien.

—¿Cómo está Gracia?

—Como siempre. Te manda recuerdos.

Con cautela hacía avanzar la conversación.

—¿Qué ha dicho al saber de mi vuelta? ¿Y qué piensa de mi escapada?

—Lo que piensa, no lo sé. Ha dicho que se alegraba de la vuelta.

—¿Y tú?

—Lo mismo. ¿Qué planes tienes?

—Ninguno. Debería haber preparado un discurso, pero no se me ocurre nada.

—Eso lo entiendo bien. Si quieres, hablamos mañana. O dentro de un mes. Cuando se presente la ocasión.

—Nunca se presenta la ocasión, si no la traes a rastras. Si he de ser sincera, me fui sin motivo y he vuelto sin motivo. En los dos casos tenía que hacerlo. La fuga fue muy dolorosa.

—Ya. Supongo que yo habría actuado igual.

—Si te pones condescendiente, me volveré a marchar.

—No me pases el muerto. Podría reaccionar con ira, con euforia, incluso con violencia. Pero no es mi manera de ser. No puedo echar mano de estos recursos fáciles. Eso no quiere decir que no tenga sentimientos. Incluso pasiones. Subterráneas, persistentes y tortuosas. Dime la verdad, ¿te fuiste porque no me aguantabas o había otra razón?

Apagó el cigarrillo en el cenicero y antes de contestar a mi pregunta me miró un rato como si me viera por primera vez.

—¿Otra razón? No. Las relaciones extramatrimoniales son para las primeras canas. Y, desde luego, no te aguanto, pero no es culpa tuya ni tiene que ver contigo. Te has convertido en el símbolo de mi vida y eso es lo que no me gusta. Cuando una decide sentar cabeza ya no hay vuelta atrás. Puedes hacer disparates, pero la cabeza se queda donde la sentaste. Como decíais los progres, soy una víctima de la sociedad capitalista: por nacimiento y por educación me ha tocado ser una pija y una idiota. Para hacer este papel me sobran cualidades, pero de ahí no puedo salir. Cuando lo tienes todo a favor, o infringes las normas o te quedas petrificada.

Se levantó, dio unos pasos por la alfombra. Al pasar bajo el aire acondicionado se estremeció y se volvió a sentar. Hablaba tan bajo que casi no entendía lo que decía.

—Hace unos años me fui a Haití. Ya conoces la historia. Un acto heroico que acabó en farsa. Ahora lo cuento como anécdota, pero todavía me humilla el recuerdo. A pesar de todo, se me ocurrió repetir la jugada. He cambiado, pensé; tengo experiencia; no me volverá a pasar lo mismo. Me fui a Madrid y allí me puse en contacto con una ONG que opera en el África Occidental. Les conté mi caso. Sólo de verme la pinta ya se pusieron a reír. No les costó mucho disuadirme. ¿Hablas swahili? ¿Hablas bantú? En esa zona abundan la malaria, el cólera, la meningitis, la esquistosomiasis; también la desnutrición y, por supuesto, el sida. Pero todo eso no es nada comparado con la guerra. Bandas armadas secuestran a las niñas; las arrancan de sus chozas; si no obedecen les cortan la nariz. Tú no tienes valor para formar parte de esa realidad, ni siquiera en el lado de los buenos.

Hizo una pausa por si yo quería preguntar algo. Como no tenía ninguna pregunta que hacer, continuó en el mismo tono ecuánime, como si estuviera hablando de otra persona.

—Aun así, lo intenté. No quiero contar nada. Tenían razón. El mundo no está hecho a mi medida. Enfrentada a la miseria y el infortunio, ni siquiera soy capaz de comprender su significado y su magnitud. De modo que, una vez comprobadas mis limitaciones, sólo me quedaba volver con el fracaso en el bolso de Hermès.

Me miró fijamente y cambió de actitud.

—Para lo que pueda servir, te pido perdón...

En este punto la interrumpí.

—Ya has hablado bastante. Ahora es mi turno. Escúchame con la paciencia con que te he escuchado. Antes que nada, y aunque no venga a cuento, quiero decirte que sigues siendo la mujer más atractiva que he conocido, la que más me gusta. Esta circunstancia fortuita te da mucha ventaja en el litigio. Lo digo por si salgo perdiendo. Por lo demás, no tengo nada que perdonarte. No lo digo por generosidad ni por benevolencia. Para que el perdón sea magnánimo ha de haber culpa, y tú no la tienes. Si alguien ha fallado, ése soy yo. Al diminuto microcosmos en que nos hemos convertido, tú has aportado la iniciativa, los hijos, la casa y a ti misma. Yo debería haber aportado algo y no lo he hecho. Me he mantenido al margen, como si aceptar y dejar hacer ya fuera suficiente. Cuando lo importante estaba aquí, yo he seguido metido en mis historias personales, en mis reinos utópicos. Con el mínimo me he dado por cumplido. No he construido nada, ni siquiera lo he intentado. En el fondo, siempre lo he sabido, pero cuando te fuiste me di cuenta cabal. Ahora no sé en qué punto estamos, ni por dónde podemos empezar lo que venga.

Carol me miró un rato con la cabeza ladeada. A todas luces no sabía si dar mis palabras por genuinas o por una muestra de desvergonzado fariseísmo. Finalmente cerró los ojos y se inclinó en una reverencia sin asomo de broma ni sarcasmo. Luego se enderezó y habló con la misma seriedad con la que había esbozado el gesto.

—Como primera medida, podríamos comer algo. Y luego irnos a dormir. Estoy segura de que en Ibiza te has cansado. Y yo también estoy agotada.

Me desperté cuando aún era noche cerrada. En la oscuridad y la confusión de la duermevela, creí que todavía estaba en Ibiza y que la mujer que dormía a mi lado era Gracia Lorente. De inmediato caí en la cuenta de mi error y el equívoco me infundió tranquilidad y agrado. El matrimonio no es una comedia de enredo, pensé, pero es mejor si lo parece. Los secretos son esenciales para mantener viva la atracción.

Mientras reflexionaba debí de emitir algún sonido, porque Carol se despertó y me preguntó si me pasaba algo.

—No, nada. Me he despertado y estaba pensando.

—¿En qué?

—Vaya pregunta: en ti y en mí.

—Me lo temía. ¿Has llegado a una conclusión de las tuyas?

—Una conclusión parcial. Todavía no sé si estoy enfadado o contento, como te he dicho antes; en cambio, sé que hoy es el día más feliz de mi vida, porque estás aquí.

Por la mañana, Carol llevó a los chicos al Club de Tenis Barcelona, en el que su abuelo los había inscrito tan pronto vinieron al mundo, y de ahí se fue a ver a sus padres. Durante la ausencia de Carol, yo había respondido con evasivas a las preguntas de sus padres, pero no había conseguido desvanecer sus sospechas y su inquietud. Ahora ella iba en persona a dar prueba fehaciente de que no pasaba nada anómalo.

Solo en casa, decidí llevar a la práctica mis buenas intenciones: llamé por teléfono a una agencia y en media hora organicé un viaje de cinco días para los cuatro a Venecia. Me pareció un marco adecuado para el restablecimiento de la normalidad familiar. El verano iba de baja y confiaba en que no hiciera demasiado calor. Los chicos no habían estado nunca en Venecia y pensé que les gustaría. Y para Carol y para mí, el suplicio de viajar con dos hijos preadolescentes sin duda reforzaría nuestros vínculos afectivos.

A la hora de comer comuniqué el plan a los interesados. Víctor y Óscar expresaron sin rodeos su aversión a ver obras de arte en compañía de sus padres, y Carol aprobó la idea con reservas.

—Estará abarrotado.

—Pues no saldremos del hotel.

—Está bien, pero no te creas que a partir de ahora vas a ser el mandamás.

En Venecia se cumplieron las previsiones: por las calles se apretujaban los turistas, siempre apresurados; en el hotel, por el contrario, hombres y mujeres orondos y displicentes sorbían bellinis, empeñados en mostrar al mundo su menosprecio por las maravillas que pudiera haber de puertas afuera. Nosotros participábamos de los dos mundos. Aunque Víctor y Óscar se mostraban reacios a recibir cualquier información de carácter artístico o cultural, me escucharon cuando les referí cómo los huesos de san Marcos, evangelista y domador de leones, habían sido sustraídos de Alejandría y llevados de contrabando a Venecia, donde actualmente reposaban en la basílica de su nombre, si bien el león se había quedado fuera, subido a una columna, como los perros a la puerta de un supermercado; y cómo, unos siglos más tarde, los venecianos habían tratado de repetir la hazaña apoderándose de los restos de san Nicolás, muy preciados por sus efectos calmantes sobre las tempestades. En aquella ocasión, sin embargo, la operación quedó frustrada, porque se les adelantaron los habitantes de Bari, desde cuyo puerto aún hoy san Nicolás de Bari vela por el comercio marítimo de aquella ciudad. Para compensar la pérdida, los venecianos se habían hecho nada menos que con la cabeza de san Jorge, para la cual Palladio había diseñado la basílica de San Giorgio Maggiore. Con aquellas explicaciones los tenía resignados a las visitas y yo me entretenía, porque, una vez superada la primera impresión, Venecia siempre me ha parecido una ciudad más curiosa que bonita. Algunas iglesias y palacios poseen una innegable belleza y armonía, pero el conjunto resulta exagerado y un tanto absurdo. No hay razones convincentes, ni estratégicas ni prácticas, para levantar toda una ciudad en el agua, sobre pilones, pudiendo asentarla unos pocos kilómetros más adentro, en lugar menos insalubre y sin tanta complicación. Probablemente su planteamiento se debió al deseo de imitar la magnificencia de Constantinopla, con la que los venecianos tenían estrechos vínculos y donde, según todas las crónicas de la época, imperaba un mal gusto espantoso, hasta que en 1453 los otomanos, gente refinada, la conquistaron y procedieron a destruirla sistemáticamente. Venecia se libró de la destrucción y acabó convertida en una atracción turística que, con un poco de esfuerzo, se liquida en dos o tres días, transcurridos los cuales, la ciudad rechaza y avasalla al forastero, que siente que cada rincón le recuerda la inferioridad estética de su lugar de procedencia.

Though age from folly could not give me freedom,
It does from childishness.

En 1992, hasta el inicio de los Juegos Olímpicos, raro era el día en que las autoridades no inauguraban algo en Barcelona: si no era una instalación deportiva, era una plaza, o una escultura estrambótica, o un parque con arbolitos escuálidos, o unas viviendas en mitad de un descampado. Los barceloneses iban de un lado a otro, contagiados del frenesí oficial, y de todo opinaban y sobre todo pontificaban, a favor o en contra, con gravedad de propietario que sopesa la rentabilidad de su desembolso. Como la mayoría de las innovaciones estaban en zonas periféricas o en lugares por donde antes no pasaba casi nadie, el centro de la ciudad no parecía afectado por los cambios, por lo que algunos se preguntaban si tanto ajetreo y tanto gasto servirían para algo una vez concluida la fiesta.

En Sevilla pasaba lo mismo.

En primavera convencí a Carol para ir con los chicos a la Exposición Universal que se acababa de inaugurar en la isla de la Cartuja. Lo pasamos muy bien, pero yo salí con la sensación de no haber visto nada útil ni instructivo. Era como si los sevillanos hubiesen contratado un circo cosmopolita para divertirse ellos y divertir a sus invitados. En honor a la verdad, hay que destacar que quienes organizaron la Expo y los Juegos no cayeron en la tentación de lo típico y lo idiosincrático. En términos generales, tanto la Expo como los Juegos Olímpicos fueron un éxito y no dejaron una deuda excesiva. A largo plazo, el resultado de los dos acontecimientos fue paradójico. La Exposición Universal era, por definición, una forma de mostrar al mundo la excelencia de la ciudad que la organizaba; los Juegos Olímpicos, por el contrario, consistían en una actividad a puerta cerrada, por pocos días, destinada a unos pocos entendidos. Sin embargo, cuando la Expo cerró sus puertas, Sevilla se quedó igual; en cambio Barcelona, a raíz de los Juegos, se convirtió en una de las ciudades más atractivas del mundo.

Unos amigos ingleses que llevaban varios años trabajando en Barcelona expusieron su teoría de lo sucedido.

—La idea original era hacer de Sevilla una cabeza de puente entre la Unión Europea y el Norte de África. Una ciudad agradable, bien comunicada y dotada de tecnología puntera. Pero en el ínterin se desencadenó la violencia en Argelia, Marruecos se desestabilizó, Libia se convirtió en un Estado terrorista y el tinglado se vino abajo. En cambio, Barcelona demostró tener todas las ventajas de la civilización y todos los alicientes del tercer mundo.

La mujer corroboró la opinión del marido y agregó la suya.

—Los sevillanos son simpáticos, desprendidos y acogedores con el forastero, pero Sevilla es Sevilla; los barceloneses son huraños y agarrados, pero Barcelona es una ciudad abierta.

El aire festivo que se respiraba en Barcelona quedó empañado por una carta de mi amiga la abadesa, que me llegó a mediados de abril.

Estimado señor Batalla:

No atribuya mi largo silencio a la indiferencia o al olvido. Como bien le consta, le tengo siempre presente, tanto en mis oraciones como entre mis recuerdos más gratos, en cuya evocación últimamente me complazco, pues los recuerdos son uno de los pocos y nimios consuelos de la vejez. ¿Creerá usted que todavía conservo el LP de *A Chorus Line* que tuvo usted la gentileza de procurarnos?

A lo largo de estos últimos años he ido sabiendo de usted y de su familia, de un modo esporádico y tangencial, pero no escaso, porque, paradójicamente, poco hay que no llegue a este lugar destinado al recogimiento, como si el mundo que nos empeñamos en dejar atrás insistiera en colarse por las grietas del encierro donde transcurren nuestras horas en la paz del Señor; y es bueno que así sea, no vayamos a confundir el retiro y la renuncia con un altivo desdén.

Si en mucho tiempo no le he escrito ha sido, sencillamente, por razones de salud. Al nacer emprendemos una carrera con el tiempo; al principio creemos sacarle mucha ventaja; luego nos es preciso redoblar el esfuerzo y, a la vista de la meta, todos somos vencidos por un rival que a nadie perdona y ante nadie cede.

Hace un año, aproximadamente, sufrí un episodio de lo que ahora llaman depresión y en mis tiempos llamábamos acedía. Hube de dejar mis obligaciones en manos más capaces y el apartarme de la vida activa agravó mi mal. Unos fármacos de dudosa progenitura no aliviaron mi decaimiento y me hicieron decir bastantes necedades hasta que dejé de tomarlos. Del trance salí inestable: no sé si lo que ahora escribo lleva el marchamo de la cordura.

Como persistieran mis achaques, me hicieron nuevos análisis y unas pruebas en unos aparatos como de astronauta. El diagnóstico lleva un nombre raro y determina un tratamiento engorroso al que me he sometido con más humildad que esperanza. Esta resignación plugo a los médicos, que me dijeron que una actitud positiva y animosa coadyuva al buen término de la cura. Cuando oí este peregrino adagio supe que mi fin estaba próximo. No osaré prejuzgar la voluntad del Altísimo, pero es muy probable que ésta sea la última carta que le escribo. Si así fuera, tenga por cierto que siempre he sentido hacia usted, querido señor

Batalla, el más profundo afecto y que este afecto me ha servicio de bálsamo en los frecuentes momentos de tribulación que por fuerza engendra una existencia consagrada a un árido ceremonial y a un continuo dialogar con el vacío. No me malinterprete: ni ahora ni nunca ha flaqueado mi fe y confío en alcanzar pronto una vida mejor y perdurable: no por otra causa Nuestro Señor Jesucristo redimió al mundo de los pecados con su sufrimiento. Pero, en mi delirio, a veces pienso que habría sido mejor que nos hubiera dejado los pecados y se hubiera llevado el sufrimiento.

Por favor, no me haga caso: ya le he dicho que a menudo desvarío. Rece por mí y si no reza, como presiento, acuérdese de mí con cariño y compasión, como yo le recordaré siempre, si allí a donde me dirijo es compatible la eternidad con la memoria.

Mi suegro había puesto todas sus esperanzas en que al menos uno de sus nietos se integrara en el negocio familiar, con miras a un eventual relevo en la dirección que él ostentaba. Sin mi beneplácito ni mi oposición, la educación de Víctor primero y luego la de Óscar se habían encarrilado hacia aquel objetivo: buenos colegios, profesores particulares cuando hizo falta y temporadas en el extranjero para adquirir fluidez en otras lenguas. Siempre se dio por sentado que uno u otro estudiaría Economía o Administración de Empresas.

Víctor tenía un carácter apacible y, como muchos primogénitos que han crecido rodeados de atención y cariño, su único deseo era obtener la aprobación de sus padres y sus abuelos en casa, de sus maestros en la escuela y, en general, de cualquier persona o entidad con la que tuviera trato. Cuando acabó la enseñanza superior, se matriculó dócilmente en ESADE, en el entendimiento de que, una vez obtenida la licenciatura, completaría su formación académica en Yale o en Harvard.

El plan funcionó bien el primer año. En el primer trimestre del segundo curso, Víctor convocó a su madre y a mí y nos anunció su intención de abandonar los estudios. Su buena disposición natural no implicaba debilidad por su parte y no nos cupo duda de que su decisión era inquebrantable. A mí no me sorprendió y más tarde, a solas, Carol confesó que ella había previsto aquel desenlace tiempo atrás. En cambio, nos pilló por sorpresa la aclaración de que Víctor abandonaba el mundo de la empresa para dedicarse a la música.

Mi suegro estaba anonadado.

—Si no les hubieras puesto a todas horas tus puñeteras rapsodias, esto no habría pasado.

Era cierto que había procurado inculcar a mis hijos la afición a la música clásica y que los dos habían recibidos clases de solfeo y de piano, con más resignación que entusiasmo, pero ninguno de los dos había dado muestra de tener vocación ni talento para la interpretación.

—Todo el mundo escucha música y no todos se quieren dedicar a eso. Además, Víctor no quiere ser intérprete, sino compositor. Y no de música clásica, sino moderna. Ni yo mismo sé a qué se refiere con eso.

—Pues aún peor. El mundillo de la música moderna es una cueva de drogotas. De ahí no se salva nadie. Ni siquiera la Hermana Sonrisa.

—¡Pobre mujer! ¿Quién se acuerda de ella?

La Hermana Sonrisa, Sor Sonrisa o, sin traducir, *Soeur Sourire* era una monja que varias décadas atrás había tenido un éxito mundial pero pasajero con una o dos canciones pegadizas de tema religioso. Al cabo de poco se eclipsó su fama, ella colgó los hábitos, se emparejó con otra mujer y acabó suicidándose en 1985.

En el fondo, mi suegro no se tomaba en serio sus acusaciones, pero con alguien tenía que desahogar su frustración.

Si hubiera dicho que con mi ejemplo yo había incitado a mis hijos a la holgazanería, no me habría dado por aludido. En mi vida nunca rehuí el trabajo, entre otras razones, porque nunca pensé que pudiera vivir sin trabajar duramente. En cuanto pude, me gané bien o mal la vida con oficios que no me gustaban, pero que procuré desempeñar honradamente. No me echaron de ninguna parte; yo me fui para buscar algo mejor. Y aquello estaba haciendo cuando una inesperada concatenación de circunstancias me resolvió la papeleta. A partir de aquel momento, seguir buscando el trabajo rutinario y mal pagado que, con suerte, habría podido encontrar, habría sido un gesto formal. A mis hijos siempre les dije que el trabajo era una parte importante de la vida, aunque no todo, como parecían pensar muchas personas que nos rodeaban. Los animé a cultivar otros intereses, adquirir cultura general, mantener la curiosidad despierta; a no buscar el dinero, ni el éxito, ni el poder, sino a dedicarse a una actividad cuyo desempeño les produjera satisfacción; les insté a ser constantes y tenaces; a no desperdiciar la inteligencia, el tiempo y la energía en cosas que no lo valen. Y nunca me puse como ejemplo; no me vanaglorié de nada; no traté de ocultar mis debilidades, mis carencias y mis errores. Sólo me esforcé en inculcarles buenos modales, porque siempre pensé que todo se puede aprender, pero que los buenos modales hay que adquirirlos en la infancia para practicarlos de un modo sencillo y no amanerado. La buena educación se lleva puesta.

Con Óscar el panorama era aún menos esperanzador. Siempre fue rebelde y desaplicado, varias veces amenazaron con expulsarlo del colegio y durante un periodo breve, pero delicado, estuvo a punto de meterse en líos serios. Yo me consolaba recordando a mi hermano Agustín, un tarambana a la edad de Óscar, y ahora una figura respetada de las letras europeas. Quizá por aquella afinidad, de la que él no podía saber nada, salvo de oídas, Óscar admiraba a su tío Agustín y en varias ocasiones había apelado a su hospitalidad y pasado un tiempo en Alemania. Allí congenió rápidamente con su primo

Hans, muy parecido a él en edad y carácter. Por el contrario, los gemelos eran serios y disciplinados, sacaban muy buenas notas y ambos llevaban trazas de convertirse en buenos profesionales y ciudadanos ejemplares. Greta sufría por causa de Hans, pero la actitud de los gemelos le inspiraba desconfianza.

—Mi abuelo era igual y acabó alistándose en el partido nacionalsocialista. Y mi padre perteneció a las juventudes hitlerianas.

Para ella, ejercer una profesión honorable era ser nazi. Su radicalismo, sin embargo, era un residuo de otra época. La maternidad la había vuelto muy responsable en asuntos prácticos. Mientras sus hijos fueron pequeños estuvo retirada de la escena. Alternaba apariciones en series de televisión con periodos de inactividad. Se volvió más afable de trato y aprendió a cocinar bastante bien. Agustín estaba encantado y disfrutaba de una existencia patriarcal. También los tiempos habían cambiado: a la denostada burguesía los insultos no le afectaban, lo escandaloso le divertía y a los que habían anunciado su extinción les concedían premios. La vida plácida los había hecho mejores, pero menos interesantes.

La paz se rompió temporalmente cuando Óscar y Hans se fueron juntos a recorrer Europa. A menudo pasábamos días sin saber de ellos; luego recibíamos una llamada escueta y malhumorada desde el lugar menos esperado. Durante una temporada trabajaron en un restaurante de Zagreb. La elección del lugar causó alarma, porque la guerra que había sacudido los Balcanes unos años atrás había dejado la región sumida en la inestabilidad y continuamente aparecían nuevos focos de conflicto. Por fortuna, no pasó nada y finalmente supimos que se habían instalado en Estambul y trabajaban en un obrador, cerca de la mezquita azul, haciendo baklavas.

Entre unos y otros, unas veces nos daban alegrías y otras nos tenían con el alma en vilo. Cuando reinaba la calma y tenía un momento de reflexión, me daba cuenta de que una nueva generación había tomado el relevo y de que, a partir de aquel momento, sólo ellos tenían derecho a interpretar la historia.

Sin llegar a formularlo en los mismos términos, mi suegro debió de percibir algo parecido, porque un día nos comunicó su intención de vender la empresa. Un grupo de inversores extranjeros le había hecho una buena oferta y, por otra parte, él había perdido el control del funcionamiento del mercado, las nuevas tecnologías y los efectos de aquellos cambios radicales en el funcionamiento de la empresa. Utilizó sus contactos y empeñó su energía en negociar las mejores condiciones para los empleados que le habían servido durante muchos años, y respecto de los cuales sentía una responsabilidad poco acorde con los principios vigentes y, cumplido aquel requisito, el ver garantizada la continuidad de la empresa le produjo una tran-

quilidad superior a la pena que habría podido oca-
sionarle el abandono de lo que hasta entonces había ocupado todos los momentos de su existencia.
Si no podía darse la sucesión dinástica, como él
había soñado, al menos dejaba en buenas manos
el fruto de su trabajo. Invirtió en valores el sustan-
cioso producto de la transacción y se dedicó a vivir
de las rentas. La colección de arte ocupaba buena
parte de su tiempo y daba sentido al resto: todos
los años visitaba Arco y Kassel, y corría allí donde había una exposición o una subasta. También
hacía viajes de placer, no tanto por gusto, según él
mismo me confesó, como por complacer a su mujer. Cuando estaba en Barcelona, seguía reunién-
dose con sus antiguos compañeros, la mayoría de
ellos retirados igualmente de sus respectivos negocios, y discutían y pontificaban con el mismo apa-
sionamiento de otros tiempos, como si todavía estuvieran al frente de la actividad económica local,
una ficción que, en aquellos momentos, tal y como
actuaban las fuerzas del mercado, no se diferencia-
ba mucho de la realidad precedente.

Carol y yo seguimos disponiendo de un dinero que nos permitía vivir con holgura sin trabajar.
Como los hijos se habían independizado, al menos
desde el punto de vista de la vida familiar, Carol y
yo viajábamos a menudo. A diferencia de mi suegro,
mi aversión a hacer turismo se había moderado con
los años. Me gustaban los hoteles, los restaurantes
nuevos y callejear por ciudades que aún me ofre-

cían sorpresas. Lamentablemente, aquel cambio de actitud por mi parte llegaba demasiado tarde. Los destinos más atractivos habían sido tomados por un turismo masivo organizado y los propios lugares se iban adaptando a su condición de meras atracciones. Lo que hasta entonces había sido un magnífico telón de fondo para cualquier actividad, se había convertido en la actividad misma, y había relegado a las personas a mero telón de fondo.

El cambio, tal como yo lo experimentaba, no dejaba títere con cabeza. Incluso en el terreno de la música clásica, tan reacio a la innovación, aparentemente reservado a una docena de compositores cuyas obras se tocaban sin cesar por todo el mundo, año tras año, habían aparecido nuevos intérpretes y nuevos directores de orquesta con una visión revisionista, cuyos resultados me parecían demasiado intelectuales, cuando no mecánicos, lo que no les impedía convertir a los grandes nombres de mi panteón privado en auténticas piezas de museo. Después de escuchar a unos pianistas muy jóvenes, con una gran técnica y poca expresividad, las grabaciones de Arturo Benedetti Michelangeli, de Wilhelm Kempf o de Arthur Rubinstein, que había atesorado desde la infancia, me parecían melifluas, afectadas o grandilocuentes. En las artes plásticas, la provocación había dejado paso a la tecnología aplicada y, sobre todo, a los nuevos museos.

Agustín no podía estar más de acuerdo conmigo. El teatro que él había conocido a su llegada a

Stuttgart, en el que había trabajado y en el que había encontrado la inspiración y el estímulo para sus primeros éxitos, había pasado de moda entre el público joven sin haber disfrutado de una etapa de aceptación y reconocimiento. El convencionalismo, la hipocresía, el doble rasero, las relaciones de servidumbre, en suma, los vicios de una clase social que aquellas obras trataban de fustigar, habían dejado de tener importancia, frente a unas crisis que nadie sabía de dónde procedían ni cómo se podían prevenir o remediar, y que afectaban a toda la sociedad por igual.

Arrastrado por aquella corriente, el propio Agustín había pasado de ser un bicho raro a ser una vieja gloria. Su última obra, titulada *El rey Lear tiene novia*, había sido acogida con respeto y analizada como si fuera una alegoría de los tiempos modernos, una crítica de la coyuntura política o una exposición de los dilemas existenciales del hombre.

—Y sólo son chorradas, Rufo.

—No hace falta que me lo jures.

—Nuestros contemporáneos rechazaron un lenguaje que ahora nuestros sucesores consideran obsoleto.

El equívoco le irritaba y le divertía a partes iguales.

—*Discessere omnes adytis arisque relictis di, quibus imperium hoc steterat.*

—¿Quién dice eso?, ¿el Papa?

—No seas bruto, Agus. Son unos versos de la *Eneida*. Se han ido retirando todos los dioses que mantenían erguido el imperio, y han abandonado sus santuarios y sus altares.

—Le sacas punta a todo, tío.

Porque en la muerte no hay memoria de ti;
En el Seol, ¿quién te alabará?

Anamari había visto con claridad lo que los demás nos negábamos a ver: la salud física y mental de mi madre declinaba, primero en forma apenas perceptible y luego con tal celeridad que, después de mucho discutir, la internamos en una residencia. Allí transcurrieron los dos últimos años de su vida, bien atendida y sumida en una plácida indolencia. Yo iba a verla casi a diario y solía encontrarla de muy buen humor.

—A que no adivinas quién vino ayer.

—Me rindo.

—No vale. Di alguien.

—Drácula.

—¡Ay, hijo, contigo no se puede hablar!

—Va, no te enfades y dime quién vino.

—Eisenhower.

—¡Oh! ¿Y venía para verte a ti?

—No digas tonterías. A mí ni me ha oído nombrar. Vino porque debe tener aquí un pariente o un conocido.

—Me extrañaría mucho.

—Pues a mí no: en este sitio hay gente de mucha categoría.

Cuando no era Eisenhower era Jorge Negrete o el Aga Khan. Que muchos de los participantes en aquel desfile de personalidades hubiesen muerto años atrás no entraba en sus cálculos: para ella todos eran benévolos fantasmas de su pasado que no tenían reparo en abandonar por un rato el mundo intemporal del NO-DO y el papel cuché para aliviar el vacío transcurso de sus horas.

Sus nietos se divertían con aquellos delirios.

—¡Jo, la abuela está genial! Con lo sosa que era antes.

A pesar de su incoherencia, tanto mis hijos como los de Anamari la visitaban con mucha frecuencia, le llevaban chocolatinas y flores y le hacían compañía un buen rato. De aquella relación afectuosa y desinteresada y de otros casos similares que pude observar en la residencia, saqué la conclusión de que los jóvenes de aquella época, al haber abandonado unas ideologías que preconizaban el enfrentamiento a los poderes fácticos y el rechazo de unas estructuras sociales nefastas en aras de un futuro mejor, y haberlas sustituido por una actitud estrictamente pragmática, eran más experimentados, más sensibles y más compasivos con las personas de su entorno. Cuando murió mi madre, sus nietos experimentaron una pena más genuina que la mía. Lo que para mí era la culminación de un ciclo del cual yo había sido en todo momento el centro de gravedad, para ellos era la pérdida de alguien a quien querían y les había sido innecesariamente arrebatado de sus vidas.

Mi madre siempre había sido retraída de carácter y poco sociable, pero aquellas cualidades no impidieron que acudiera mucha gente al entierro.

En el tanatorio se desarrolló durante varias horas una ceremonia extenuante, primero en la sala y los pasillos, recibiendo abrazos y pésames e intercambiando comentarios triviales con cada recién llegado, y más tarde, en la capilla. Allí un sacerdote joven y voluntarioso exaltó la figura de la difunta, de la que no sabía nada, y desgranó unas abstracciones sobre el más allá y la clemencia divina que no comprometían a nadie. A continuación, hubo breves y sentidos parlamentos, se recitaron poemas y un cuarteto de cuerda interpretó el andante del opus 29 de Schubert (*Rosamunde*), que yo mismo había elegido entre un reducido repertorio, porque la melodía, romántica pero no melancólica, era la menos inadecuada a la ocasión.

La víspera ya habíamos convenido que yo clausurara el acto en nombre de la familia, con unas palabras de agradecimiento a los presentes por su asistencia y sus muestras de afecto. Con aquel propósito empecé a hablar, con voz clara y serena. Pero a veces las emociones nos juegan malas pasadas y, después de decir las frases protocolarias, fui presa de una repentina e injustificada indignación.

—A todo lo que acabo de decir, permítanme añadir un ruego. Todos los muertos se llevan sus secretos a la tumba. Si los seres humanos somos siempre un enigma para los demás, en el caso de los muertos, el enigma es definitivo: nunca podremos conocer sus ideas y sus sentimientos. Yo quisiera que aceptáramos este hecho incontrovertible y fuéramos generosos: no les arrebatemos el único derecho que les queda. Es habitual decir que los difuntos siguen viviendo en la memoria de los vivos. No es verdad. Sólo guardamos una visión esquemática que reduce sus vidas a media docena de instantáneas borrosas en las que el protagonista es el que recuerda y no el recordado. Si los recordamos en su momento de plenitud, al verlos ahora de cuerpo presente, pensaremos que vivieron con el único objeto de darnos una lección moral. No caigamos en esta trampa inicua. Olvidemos a la madre amorosa que cuidaba nuestros sarampiones y a la entrañable viejecita desorientada. Mi madre no fue eso. Nadie lo es. Olvidémonos de estas reliquias asquerosas. Un muerto tiene derecho a su vida pasada tal como fue, no tal como nosotros la pintamos. Y si al morir hasta eso se pierde, lo mismo da.

Cuando nos quedamos solos, Agustín me miró un rato y luego sonrió.

—Te estás ablandando, Rufo.

—Me temo que he quedado como un botarate.

Anamari nos dirigió a los dos una mirada de reprobación.

—Seguís siendo dos críos.

—Si ahora no, ¿cuándo?

And don't abandon the sinking ship unless another boat is nearby to board.

Al llegar a la edad reglamentaria, Sagrario cumplimentó los trámites prescritos para percibir la correspondiente jubilación y se fue al piso comprado con los ahorros de muchos años de servicio. Nuestros ruegos no le hicieron cambiar de opinión. Nos quería mucho, pero no estaba dispuesta a trabajar más.

Carol se llevó un buen disgusto.

—Ha estado en mi casa toda la vida.

—Por eso se quiere ir a la suya.

Como nos había avisado de sus intenciones, cuando finalmente vimos que eran irrevocables, contratamos a una mujer de mediana edad llamada Doris. Sagrario nos venía a ver de cuando en cuando, sobre todo si sabía que iba a coincidir con Víctor o con Óscar, y nos traía un bizcocho o unas galletas de confección casera.

Doris era inteligente y no cocinaba mal. Una tarde entró en la sala de estar muy alterada.

—Un hombre pregunta por el señor.

—¿Quién es?

—No me atreví a preguntarle. Es un hombre muy bizarro.

—¿Y no le has dado con la puerta en las narices?

—No, señor. Él se coló de rondón.

Decidí salir al encuentro del extraño visitante.

Como estábamos solos, previne a Carol para que llamara a la policía si venían mal dadas.

En el recibidor aguardaba un individuo harapiento y barbado. Tardé unos segundos en reconocer al staretz Porfirio.

Él debió de leer en mi rostro la determinación de echarlo escaleras abajo, porque se llevó una mano al pecho y levantó la otra con dos dedos extendidos y los otros tres cerrados, emulando el majestuoso ademán de un pantocrátor.

—¡Señor Batalla! ¡Oiga mi ruego! No soy un enemigo ni un mesnadero, sino un hombre en estado de grave necesidad. ¡A su caridad me acojo!

Le examiné largo rato hasta convencerme de que su semblante demacrado y sus andrajos no formaban parte de una nueva farsa. El resultado del examen me pareció más cómico que patético.

—Las cosas no han ido bien últimamente, ¿eh, padre?

—Búrlese de mí, si eso le produce placer. No me humillará más de lo que me ha humillado el mundo.

—Ahórrese la cantinela y dígame qué viene a buscar.

—Comida. Estoy desfallecido. Podría colapsar sobre esta alfombra a causa de la inanición.

—Se lo prohíbo. Limpiar una alfombra vale un dineral. Pase a la cocina. Diré a Doris que le recaliente unas sobras.

En la mesa de la cocina consumió con voracidad un potaje de lentejas y un par de huevos fritos, se bebió medio litro de agua y un vaso de vino tinto y, al terminar, nos dio las gracias con lágrimas en los ojos.

Le pregunté si tenía dónde pasar la noche y al responder que no, dispuse que le habilitaran una de las habitaciones libres, con la condición de que a la mañana siguiente se marcharía para no volver. Prometió hacerlo así y me preguntó, a su vez, si deseaba conocer la concatenación de acontecimientos funestos que le habían llevado a la situación de penuria en que se hallaba. Mientras hacían la cama, fuimos nuevamente al saloncito azul y allí me puso al día de lo sucedido desde nuestro último encuentro.

El desenlace de la larga historia del príncipe Tukuulo y su quimérica reclamación del trono de Livonia había comenzado en el otro extremo del planeta, de resultas de la crisis financiera en que se encontró sumida Tailandia en 1997, cuando, después de una década de prosperidad, durante la cual la riqueza parecía inagotable, la especulación florecía y el dinero se invertía sin prudencia, se hundieron los valores bursátiles y el precio de la propiedad inmobiliaria y se desplomó la cotización del baht tailandés. Tras aquel descalabro económico, no sólo cesó la financiación que unos años atrás yo había conseguido, arrostrando peligros sin cuento, para la causa del príncipe Tukuulo, sino que los inversores, a la vista de que sus desembolsos no llevaban trazas de dar frutos, reclamaron la devolución del dinero invertido. Como aquel capital procedía de operaciones ilegales y ningún tribunal habría admitido una demanda, el príncipe Tukuulo se limitó a pasar por alto la reclamación. No sólo no podía atenderla por falta de fondos, sino que, con vistas a la toma del poder cuando se presentase la ocasión, había tenido contactos con los sectores más execrables de la sociedad: traficantes de armas, mercenarios, informantes, mediadores, agentes dobles y toda suerte de trapisondistas. Con todos ellos había contraído deudas cuantiosas. También en aquel caso desoyó los ultimátums. Aun así, por prudencia, desde hacía un tiempo vivía oculto en un lugar solitario, fuertemente custodiado, sólo conocido por sus más estrechos colaboradores.

Una tarde, pocos días antes del momento en el cual el staretz Porfirio desgranaba para mí su dramático relato, el príncipe Tukuulo se asomó a la ventana de su refugio para contemplar el crepúsculo y advirtió con extrañeza la ausencia de los hombres armados que deberían estar montando guardia en las inmediaciones. Sin tiempo de advertir a sus compañeros del peligro, se abrió la puerta y tres hombres armados irrumpieron en el salón. Antes de que los recién llegados pudieran hacerse cargo de la situación, el príncipe ya había saltado por la ventana. El staretz, presente en el lugar de autos, más por instinto que movido por el temor o por la astucia, se escondió detrás de las cortinas. Sólo quedó, de pie en mitad del salón, inerme y desconcertado, el conde Salza. Murmuró unas palabras, bien para mostrar su indefensión, bien en un torpe intento de pedir cuartel. Sonaron tres disparos, seguidos de un cuarto, el tiro de gracia. Uno de los asaltantes corrió hacia la ventana, miró hacia fuera y regresó junto a sus compañeros. Desde su escondrijo, el staretz los oyó intercambiar frases breves en un idioma que ni siquiera logró reconocer. A continuación, sus pasos precipitados se perdieron por el pasillo. Cuando reinó de nuevo el silencio, el staretz asomó la cabeza. En el salón sólo quedaba el cuerpo del conde tendido en el suelo. El staretz arrancó la cortina que le había salvado la vida y con ella cubrió piadosamente el cadáver mientras musitaba una oración. Luego se dio a la fuga.

El staretz detuvo su narración, cerró los ojos y respiró agitadamente, conturbado por el recuerdo del violento suceso. Yo aproveché la pausa para preguntarle lo que me interesaba saber.

—¿Y ella?

El staretz inclinó la cabeza y la movió de lado a lado, como si se dispusiera a darme una mala noticia.

—No, señor. Lamento decir que Queen Isabella no se encontraba en la casa cuando sucedió lo que le acabo de referir. Contraviniendo los ruegos de quienes creíamos que allí no estaba segura, Queen Isabella se había quedado en París. En el fondo, estaba de acuerdo con nuestra percepción, pero continuaba resentida con Su Alteza y se negó a seguirla. Así tuerce la Providencia nuestros designios.

—¿Qué ha querido decir cuando ha hablado

de resentimiento? ¿Por qué motivo estaba resentida Queen Isabella con el príncipe?

El staretz juntó las manos y miró al techo.

—Disculpe, señor, pero si usted no está informado... yo no...

—Cuéntemelo todo si quiere dormir caliente y desayunar mañana.

—Está bien, lo haré sin faltar a la discreción, pues el enfrentamiento es manifiesto. Hace un tiempo, cuando todavía vivíamos en París, Su Alteza Real y Queen Isabella tuvieron un desacuerdo, una violenta discusión. Por causa de usted.

—¿De mí?

—Su Alteza Real le acusaba de alta traición. Según él, cuando fue capturado por la KGB en Viena, usted cantó *La traviata* para no ser torturado. A cambio de su libertad informó al enemigo sobre el paradero del príncipe. De ahí la necesidad de huir de París, donde Sus Altezas estaban muy a gusto, así como el resto de su séquito, incluida mi humilde persona. En el transcurso de la discusión, Queen Isabella le defendió a usted con uñas y dientes. Y habrían llegado a las manos si no hubiera intervenido mi humilde persona. Su Alteza Real estaba fuera de sí. Iracundo es la palabra. Cegado por los celos, me atrevería a decir.

El calificativo me sorprendió sobremanera.

—¿Celos? ¿Su Alteza estaba celoso de mí?

El staretz volvió a adoptar una actitud de fingido recato.

—Así llaman a esa volcánica pasión que el celibato no me ha permitido conocer en carnes propias. A los eclesiásticos sólo nos es dado a conocer el pecado y los repliegues más sombríos del alma. Los sentimientos nobles son el territorio de los poetas. De algunas lecturas perniciosas he sacado una vaga idea de los celos y del amor humano. Más no le puedo decir. Usted me ha preguntado y yo le he respondido: el infausto día del atentado, no, qué digo, ¡del regicidio!, Queen Isabella no estaba en el lugar que le correspondía.

—¿Y ahora? ¿Sigue en París? ¿Está a salvo?

—Lo ignoro. Salí huyendo del refugio y no cometí la temeridad de volver a París. Llevo no sé cuántos días vagabundeando por media Europa, durmiendo al raso y mendigando pan. De resultas de lo cual, estoy extenuado. Con su permiso, me retiro a mis aposentos.

A la mañana siguiente, mientras el staretz Porfirio devoraba el desayuno en la cocina y Doris lo observaba con recelo, me interesé por sus planes inmediatos. Con la boca llena respondió no tener ninguno. Su notoria implicación en las actividades clandestinas del príncipe Tukuulo, y el sangriento episodio en que se había visto envuelto y que la prensa sensacionalista se había apresurado a airear, le cerraban las puertas de las comunidades ortodoxas en Europa y el Próximo Oriente. Sin posibilidades, a aquellas alturas de su vida, de aprender un nuevo oficio, había puesto sus últimas esperanzas al otro lado del Atlántico, donde el pasado del inmigrante cuenta poco y donde podía incorporarse a una de las muchas colonias de correligionarios que allí había, ya que conocía bien el ritual y estaba dispuesto a ejercer con entrega y rigor las labores de un guía espiritual. Pero necesitaba obtener un visado de residencia y trabajo y aquel obstáculo se le antojaba insalvable.

Como le vi bien dispuesto, le entregué una pequeña suma para que se instalara provisionalmente en una pensión, mientras yo buscaba la manera de ayudarle. Se metió el dinero en el bolsillo, prometió tenerme informado de su paradero y se despidió con exageradas muestras de gratitud.

Desde que el Partido Popular había ganado las elecciones en 1996, mi amigo Miguel Ángel Giménez de la Huerta ocupaba un alto cargo en el Ministerio de Asuntos Exteriores y pensé recurrir una vez más a sus buenos oficios. Antes, sin embargo, me encerré en el despacho y llamé al teléfono consignado en la tarjeta que en su día me había dado el comisario De Broc al término de nuestra conversación en París. Respondió una mujer, tomó nota de mi nombre y mi teléfono y me aseguró que pondría ambas cosas en conocimiento de monsieur *l'inspecteur*.

Aquella misma tarde, poco antes de las siete, sonó el teléfono y al descolgar oí la voz aflautada del comisario al otro lado de la línea. Le agradecí su deferencia y él me respondió con una risita.

—Al contrario, monsieur Batallon. Nunca olvidaré la gentileza de su trato ni el exquisito desayuno al que usted tuvo a bien convidarnos en su espléndido hotel. Dígame qué puedo hacer por usted.

Le referí el motivo de mi llamada y guardó un silencio tan prolongado que pensé que se había cortado la comunicación. Quizá reflexionaba o quizá había recabado la colaboración de algún subordinado. Di por hecho que nuestra conversación estaba siendo grabada y que engrosaría los archivos de la Sûreté, pero no me importó. Finalmente oí un carraspeo y luego al comisario De Broc.

—Sé a lo que se refiere, monsieur, pero de poco le puedo informar. El homicidio se produjo fuera de Francia y la víctima no era un ciudadano francés; sólo alguien que residía de forma esporádica e irregular en Francia. Lo ocurrido queda, pues, al margen de nuestra jurisdicción. Podría ponerme en comunicación con nuestros colegas, pero eso de poco serviría. Nadie dará nunca con los autores materiales del delito. Asesinos a sueldo que operan a escala internacional: dan el golpe y de inmediato cruzan la frontera; no los mueve un móvil específico ni tienen ninguna relación con el difunto. ¿Para quién trabajaban? ¡Cualquiera lo sabe! ¿Cómo sabían el paradero de su objetivo? Alguien les pasó el soplo. Quizá alguien cercano al sujeto, quizá los propios guardaespaldas; hoy en día todo se compra y todo se vende.

Hubo de nuevo una larga pausa. Luego el tono de voz del comisario De Broc adquirió un tono más festivo, casi burlón.

—No obstante, monsieur Batallon, por lo que concierne a su amigo, sé de buena tinta que captó el mensaje, porque al día siguiente de los hechos que nos ocupan, se personó en Moscú. Una vez allí, estableció contacto con cierta organización gubernamental cuyas siglas preferiría omitir. Nuestro... informador asegura que hubo acuerdo entre las partes. En virtud de dicho acuerdo, una de las partes renunciaba a todo tipo de actividad relacionada con determinada región de la antigua Unión Soviética a cambio de protección, el derecho de residencia y un discreto cargo remunerado en una empresa privada. ¿Me sigue usted, monsieur?

—Sí, comisario. Continúe, se lo ruego.

—En cuanto a otra persona, por la cual usted podría manifestar interés, le diré que a raíz del lamentable incidente, estuvo bajo estrecha vigilancia por nuestra parte. Un homicidio fuera es una cosa, un homicidio en París, otra distinta.

—¿Estuvo bajo vigilancia? ¿Quiere decir que ya no lo está?

—Quiero decir que lo estuvo mientras permaneció en suelo francés. Hace unos días subió a un avión y se fue, aparentemente para no volver, porque rescindió el contrato de alquiler de su vivienda y se llevó consigo todas sus pertenencias. Ocho maletas grandes, monsieur, ocho maletas. Desconozco el destino del avión. No nos incumbe y, después de todo, cualquier avión, con un simple transbordo, nos lleva a cualquier rincón del mundo. Quizá volvió a Inglaterra, quizá se fue a Brasil. En los últimos tiempos, durante las prolongadas ausencias de su marido, fue vista en compañía de un caballero de nacionalidad brasileña. Un caballero acomodado. Inversiones en Minas Gerais, ya sabe... En dichos encuentros no hubo nada inapropiado: ni hotelitos discretos ni fines de semana en un Relais & Châteaux. Una cena *à deux* en un buen restaurante, una velada en la Bastilla o en la Opera Garnier, un *vernissage*... y luego, cada cual a su casa. Sea como sea, le perdimos la pista y no tenemos la menor intención de recuperarla.

Durante bastante tiempo me negué a dar crédito al informe del comisario De Broc. Por supuesto, no dudaba de la veracidad de los hechos que me había referido el íntegro y sagaz policía, pero les atribuía una significación muy distinta. A mi juicio, la renuncia del príncipe y la subsiguiente huida de su consorte no eran el final de su trayectoria, sino un eslabón nuevo de su estrategia, dos artimañas encaminadas a despistar a sus enemigos, quienesquiera que fuesen, hasta tanto las aguas volvieran a su cauce y se presentara una ocasión favorable a sus designios. Con esta convicción esperé y esperé, pero fueron pasando los meses y los años sin noticias de mis amigos y llegó un momento en que, sin perder del todo la esperanza de un súbito reencuentro, los desplacé, sin darme cuenta, al rincón donde uno guarda sucesos tan lejanos y singulares que uno ya no sabe con certeza si un día fueron realidad o si sólo son fruto de su imaginación.

La verdad es que el ídolo era defendido por los guardianes, en lugar de ser éstos defendidos por el ídolo.

Durante todo el año de 1999 se prologó el tedioso debate sobre si el 1 de enero del 2000 empezarían un nuevo siglo y un nuevo milenio o si había que esperar un año más para conmemorar aquel hito cronológico. La mayoría daba por buena una cifra tan redonda como el 1 del 1 del 2000, pero una minoría pretendía aguar la fiesta aduciendo principios matemáticos. A mí me parecía que poco hincapié se podía hacer en las matemáticas si el cómputo se hacía a partir de un milagro ocurrido en el portal de Belén en una fecha incierta, y me adhería al grupo de los que veían el cambio al alcance de la mano, aunque en mi fuero interno todo aquello, por banal que fuese, me producía un cierto desasosiego, como si el siglo que expiraba se llevase consigo una parte importante de mi vida.

Carol, que parecía haber recobrado el interés por lo inmediato, era partidaria de celebrarlo por todo lo alto, no por razones históricas, sino familiares. La salud de su padre iba en declive: como era previsible, abandonar de golpe la actividad frenética a que lo sometían sus negocios no le sentó nada bien. Durante un tiempo vivió entregado a su colección de arte, hasta que descubrió que el arte contemporáneo era una pésima inversión. Supeditadas a modas cambiantes y a un mercado cuyos hilos manipulaban fuerzas misteriosas, las piezas que él había comprado por diez, al cabo de unos años apenas valían dos, mientras otras, cuya compra él había rechazado, se cotizaban a diez, a veinte o a mil, porque de vez en cuando aparecía un millonario anónimo que reventaba los precios y, de paso, los criterios artísticos. Como no podía desvincular la pasión estética del rendimiento, Víctor Escolá se deprimió, perdió el apetito y el interés por todo y fue acometido por una docena de dolencias tan difíciles de diagnosticar que los días se le iban en consultas y pruebas clínicas.

Su mujer, que gozaba de excelente salud, estaba preocupada.

—Si sigue así, esto acabará mal.

—¡Pero si no tiene nada! Años y manías. Tú ponle una masajista joven y guapa y verás cómo se le pasan todos los males.

—No te lo tomes a broma, Rufo.

Mimí temía, no sin razón, que la suma de síntomas, reales o imaginarios, diera como resultado una enfermedad fatal.

Carol confiaba en las fiestas navideñas para levantar el ánimo de su padre y, de paso, distraer a su madre, agobiada por la carga que suponía su marido y por el desfile de médicos, no sólo por medio de banquetes y regalos, sino porque aquel año, por primera vez en bastante tiempo, toda la familia iba a celebrar las fiestas reunida. Nuestro hijo Víctor vivía en Berlín, donde estudiaba Composición, y Óscar seguía vagabundeando, pero los dos habían anunciado su intención de ir a Barcelona en Navidad, si les enviábamos el dinero necesario para costear el viaje.

—Prepararé un menú especial, ya verás.

—Por Navidad siempre es lo mismo: sopa, cosas y pavo. Además, estamos a primero de octubre. El pavo ni siquiera ha nacido.

—Este año no pienso dejarlo todo para el último momento. Además, haremos un extra.

—¿Más comida?

—Caviar. Mucho caviar.

—Está carísimo.

—Eres un tacaño; por suerte, yo conozco un sitio donde venden el caviar a muy buen precio.

Con este pretexto, antes de la llegada del crudo invierno, fuimos a Moscú.

Nos hizo de guía un antiguo colaborador de la empresa de transportes llamado Bartolomé Semiónov. Era hijo de padre ruso y de madre española, una de las famosas niñas de la guerra. La madre ya había muerto y el hijo era muy crítico con el régimen soviético. Su padre había sido objeto de denuncias, detenciones, interrogatorios y breves periodos de encarcelamiento bajo Stalin y, de resultas de ello, su madre, él y sus hermanos habían pasado privaciones y angustias y se habían visto injustamente discriminados. Ahora guardaba un hosco resentimiento hacia el pasado y sólo nos contaba los desaguisados políticos, económicos y humanos del comunismo. Cuando mostramos interés por visitar el mausoleo de Lenin, en la Plaza Roja, se negó no ya a acompañarnos, sino incluso a permitirnos ir por nuestra cuenta.

—Hay unas colas terribles y al final, lo que se ve, es una engañifa. Como todo lo que se hacía en aquella época, el embalsamamiento salió fatal. Lo que ahora se puede ver en una urna es una momia vestida, con la cara y las manos de celuloide o algo por el estilo. Una Barbie calva y con perilla.

A mí me habría gustado hacer la cola y ver aquella atracción turística, pero soplaba un viento frío y húmedo y lo dejamos correr.

Moscú no me había defraudado, porque no tenía una imagen previa de la ciudad que pudiera confrontar con la realidad, pero tampoco me había impresionado especialmente. Al margen de los cuatro puntos de visita obligada, el resto me pareció una aglomeración urbana muy extensa, de grandes avenidas y edificios uniformes y sólidos. El conjunto me resultó impersonal, y desde el primer momento sentí que allí estaba de paso y que me iría sin llevarme un recuerdo duradero ni significativo.

La segunda noche de nuestra estancia en Moscú me pasó una cosa extraña.

En la habitación del hotel, mientras esperaba que Carol saliera del cuarto de baño, me tendí en la cama, vestido, y encendí el televisor. Como no entendía una palabra de ruso y ninguna imagen captaba mi atención, iba pasando de una cadena a otra, maquinalmente. Al cabo de un rato, por el cansancio acumulado al final de una jornada, me fui quedando adormilado. De repente vi algo que me hizo dar un salto en la cama. Cuando fijé la vista en la pantalla, la visión había desaparecido.

Carol se sorprendió al verme prendido del televisor con tanta atención.

—¿Qué echan?

—Nada. Me había parecido... por un instante he creído reconocer...

—¡A Raskolnikov!

—No estoy tan pirado. He creído reconocer al príncipe Tukuulo. Pero habrá sido un error. Estaba atontolinado.

No quise decirle que me había parecido ver al príncipe anunciando un perfume de caballero llamado Coeur Purple. Quizá había sido un sueño, quizá medio dormido sobrepuse su fisonomía a la de un modelo publicitario. O quizá la imagen fue real y el sopor me impidió tener conciencia clara de lo que estaba viendo. Los anuncios son caros y duran pocos segundos.

En los días sucesivos, en cuanto entraba en la

habitación, con gran enfado de Carol, lo primero que hacía era encender el televisor. También miraba los anuncios de cosméticos fijados en las paredes o en los escaparates de las perfumerías y los grandes almacenes. Pero la búsqueda no dio ningún resultado.

Al tercer o cuarto día, Bartolomé hubo de hacer una gestión y envió en su lugar a su hijo Konstantin para que nos acompañase. Konstantin tenía dieciocho años, hablaba español con fluidez y suplía la escasez de su vocabulario con una dosis razonable de jovialidad y simpatía. Nos acompañó en metro a comprar caviar a un mercado alejado del centro.

El mercado estaba situado en uno de los barrios construidos en los años posteriores a la guerra para albergar al ingente número de rusos que afluía a Moscú, preservado del ataque alemán, desde unos territorios cuya infraestructura, industria, agricultura y vivienda habían sido borradas del mapa. En aquellos distritos, comunicados por la suntuosa y eficiente red de metro que construyó Stalin con unas pautas a la vez prácticas y delirantes, las construcciones eran sencillas pero ordenadas racionalmente y disponían de un amplio parque, una escuela, un hospital y un centro de cultura. Como ya me había ocurrido en Polonia, aquella parte de la ciudad me produjo una buena impresión.

—Ya va siendo hora de reconocer que el comunismo era un sistema más humano que el nuestro.

Cargada de bolsas de caviar, Carol me miró con más piedad que reprobación.

A Konstantin nuestras discrepancias le parecían disparatadas. Había nacido al final de la era Brézhnev y tenía tres años cuando Gorbachov inició la Perestroika. Para él el comunismo era algo aprendido en la escuela e inmediatamente olvidado. No sabía lo que quería estudiar, le gustaba la música punk y su máxima ilusión era viajar a España, de la que su abuela le había hablado a menudo como de un país de ensueño, pese a que ella misma lo había abandonado de muy niña y en plena guerra civil. También quería conocer Las Vegas.

Aquella noche, en el hotel, yo reflexionaba en voz alta mientras Carol guardaba el caviar en la nevera de la habitación.

—Es evidente que los rusos están decididos a olvidar todo lo referente a la economía centralizada, la solidaridad entre los pueblos y la dictadura del proletariado.

—Quizá, no tengo elementos de juicio. Sólo llevamos aquí dos días, sin más contacto con el pueblo que un viejo cascarrabias y un adolescente. Pero si fuera como tú dices, ¿te parecería bien o mal?

—No me toca a mí juzgar. Pero me irrita. Durante todo el siglo xx los ojos del mundo han estado puestos en Moscú, en la URSS. Unos con temor y con odio, otros con admiración y esperanza. Y ahora resulta que todo aquello no era nada. Quizá sólo fue un mal sueño.

—¿Realmente llegaste a creer en el paraíso comunista?

—Creer, creer, no. Ni creía en él ni lo deseaba. Pero era un horizonte. Si no para mí, para mi generación. Ahora tengo la sensación de haber sido engañado.

—Aún te puedes apuntar a otro ideario.

—Eso se lo dejo a Konstantin. Y a nuestros hijos. Mi tiempo ya ha pasado.

—¡Eh! No me vengas con el cuento de que te sientes viejo. Con el plasta de mi padre tengo suficiente.

—Viejo no, Carol, quizá un poco superfluo.

Mientras Carol usaba el baño me asomé a la ventana de la habitación. Perpendicular al hotel se extendía un puente cargado de vehículos. Bajo el puente discurrían las aguas oscuras, tranquilas y vacías del Moscova. En la otra orilla brillaban las luces de la ciudad. Como soy un ser social, me inquieta la naturaleza y me tranquiliza contemplar una perspectiva urbana. Reinaba una calma aparente. Todo pasa, salvo las ciudades, si los hombres no se empeñan en reducirlas a cascotes. O la cólera de Jehová, como les ocurrió a Sodoma y Gomorra.

En cambio, un siglo tocaba a su fin. El siglo XIX había sido el siglo de las ideologías; el siglo XX había sido el de las empresas colectivas, tan colosales como desastrosas. Fue una etapa de guerras y exterminio, de dictaduras sangrientas y amenaza nuclear. Tanta gente murió que los supervivientes no se consideraron afortunados, sino cobardes. Ahora, los que crecimos a la sombra de las matanzas no podíamos entender que a partir de un momento las hegemonías se iban a decidir en los bancos centrales y en las bolsas de valores. Por más que el calendario sólo fuera una convención mecánica con fines de organización, no podía negar el impacto simbólico de aquel inminente cambio de página. Yo era un hijo del siglo XX y una parte esencial de mí se iría con él. Por supuesto, todo seguiría igual, pero en la época que se avecinaba, yo sería un simple huésped, quizá porque siempre me ha costado menos entender las ideas que entender a las personas.

De Sodoma y Gomorra sólo se salvó la familia de Lot, pero en el transcurso de la huida, la mujer de Lot volvió la vista atrás y se convirtió en una estatua de sal. No se sabe la razón de aquella terrible metamorfosis. Tal vez vio que después de la violenta cólera de Jehová, en las ciudades malditas continuaba la juerga. Como el estupor la convirtió en estatua, no pudo comunicar lo que había visto, y como la estatua era de sal y, por consiguiente, estaba destinada a disolverse con las primeras lluvias, ni siquiera pudo dejar un humilde recordatorio de su perplejidad.

Carol salía en aquel momento del baño y toda la habitación quedó inundada de perfume.

—¿Qué piensas, tan concentrado?

Me aparté de la ventana.

—Como dijo lord Byron: he vivido y no he vivido en vano. Después de todo, he escuchado a Beethoven, he leído a Tolstói y te he conocido a ti.

—¿Por este orden?

—No te quejes. Chicas guapas hay muchas, pero Beethoven sólo hay uno.

IMPRESO EN CPI (BARCELONA)
C/ TORREBOVERA, S/N (ESQUINA C/ SEVILLA), NAVE 1
08740 SANT ANDREU DE LA BARCA